Beck'sche Schwarze Reihe
Band 191

GER VAN ROON

Widerstand im Dritten Reich

Ein Überblick

VERLAG C.H.BECK MÜNCHEN

Aus dem Niederländischen übertragen von Marga E. Baumer-Thierfelder
Der Übersetzung liegt eine vom Autor
neubearbeitete Fassung der folgenden Originalausgabe zugrunde:
Het Duitse verzet tegen Hitler
Utrecht/Antwerpen: A. W. Bruna & Zoon 1968

CIP-Kurztitelaufnahme der Deutschen Bibliothek

Roon, Ger van:
Widerstand im Dritten Reich: e. Überblick / Ger van Roon. [Aus d. Niederländ. übertr. von Marga E. Baumer-Thierfelder]. - München: Beck, 1979.
(Beck'sche Schwarze Reihe; Bd. 191)
Einheitssacht.: Het Duitse verzet tegen Hitler ⟨dt.⟩
ISBN 3 406 06791 3

ISBN 3 406 06791 3

Einbandentwurf von Rudolf Huber-Wilkoff, München
Umschlagbild: Unbekannter Widerstandskämpfer des 20. Juli 1944
vor dem Volksgerichtshof (Südd. Verlag)
Für die deutsche Ausgabe:

Gesamtherstellung: C. H. Beck'sche Buchdruckerei, Nördlingen
Printed in Germany

„Wer an die Zukunft glaubt, glaubt an die Jugend. Wer an die Jugend glaubt, glaubt an die Erziehung. Wer an die Erziehung glaubt, glaubt an Sinn und Wert der Vorbilder."

Erich Kästner, Von der Vergeßlichkeit

„Es ist keine Redensart, daß Jesus am Kreuz der Herr der Welt, der König Israels, der Stifter der Kirche siegreich wurde, weil es in jenem Moment die legitime Gewalt nur in der Form des Illegitimen geben konnte. So waren Helmuth James von Moltke und Dietrich Bonhoeffer im Augenblick ihrer Hinrichtung die legitime deutsche Staatsgewalt, und zwar die einzige. Wer das leugnet, leugnet die Epoche. Gott hat es so gewollt, daß es nur durch diese Männer hindurch noch Deutsche in der Welt nach 1945 geben soll."

Eugen Rosenstock-Huessy, Das Geheimnis der Universität (1958)

Inhalt

Vorwort

Angesichts der Vielzahl von Schriften und Büchern über den deutschen Widerstand gegen Hitler[1] ist es sinnvoll, einen neuen Überblick über die bisherigen Forschungsergebnisse zu dieser Thematik zu fordern. Mehr als dreißig Jahre nach Beendigung des Zweiten Weltkrieges und 45 Jahre nach der Machtübernahme Hitlers läßt sich heute ein viel breiteres und weit differenzierteres Bild entwerfen, als dies in früheren Gesamtdarstellungen möglich war.

Das ist einerseits das Ergebnis einer Reihe von Untersuchungen auf regionaler und lokaler Ebene.[2] In ihnen sind insbesondere Opposition und Widerstand in den unteren Sozialschichten untersucht und dargestellt. Andererseits hat die Erschließung neuer Quellen – wie vor allem Akten von Gestapo, Justiz, Verwaltung, Kirchenverwaltung, Kirchengemeinden und diversen Organisationen – mit Methoden der empirischen Sozialforschung in viel konkreterem Maße als bisher das komplexe Verhalten und die vielgestaltigen Reaktionen der Bevölkerung im Alltagsleben des Dritten Reiches dokumentiert.[3] Aus den bis jetzt vorliegenden Forschungsergebnissen geht bereits hervor, daß der Widerstand in seinem vollen Umfang vom nonkonformistischen Protest bis zum aktiven Widerstand doch in breitere Schichten reicht, als bisher angenommen wurde. Dabei wird es allerdings notwendig sein, nach scharfen Kriterien zu analysieren, die verschiedenartigen Reaktionen zu typologisieren und die vielgestaltigen Äußerungen der Nonkonformität abzustufen, damit Unzufriedenheit an sich nicht sofort identifiziert wird mit Widerstand.[4] Es ist hier noch viel zu tun, bevor von diesem Ansatz her generellere Aussagen möglich sind.

Dieses für ein breiteres Publikum geschriebene Buch,[5] dargestellt aus der Perspektive eines ‚unbeteiligten' ausländischen Historikers, dessen Land während des Zweiten Weltkrieges „besetztes Gebiet" war, handelt von einer Minderheit des deutschen Volkes.

Für Ältere und Jüngere will es eine Zusammenfassung dessen bieten, was heute über den deutschen Widerstand im großen und ganzen bekannt ist. Im ersten Kapitel, das auch auf die besonderen Schwierigkeiten des deutschen Widerstandes eingeht, werden die unterschiedlichen Formen und Stufen dieses Widerstandes erörtert. In den darauffolgenden Kapiteln werden wichtige Gruppen und Personen des deutschen Widerstandes dargestellt. Das Schlußkapitel ist den Kontakten der deutschen Widerständler mit dem Ausland gewidmet.

Die Literatur über den deutschen Widerstand krankt vor allem daran, daß sie meistens apologetisch war. Man setzte sich mit Vorwürfen verschiedener Seiten auseinander, mußte den Vorwurf des Landesverrats oder umgekehrt den Vorwurf der Inaktivität entkräften, wollte nachweisen, daß diese oder jene Gruppe reaktionär oder revolutionär gewesen sei – oder gerade nicht, und ähnliches mehr. Jede Darstellung des Widerstandes hat zwei Voraussetzungen zu berücksichtigen: Was lag im Gesichtskreis des Widerstandes, und welche Möglichkeiten standen damals zur Wahl? Es läßt sich ja nie ein richtiges Bild vom deutschem Widerstand vermitteln, wenn man nicht den ständigen Druck von Herrschaft und Terror des Naziregimes durch Überwachung und Verfolgung in Rechnung stellt. Dabei sollte nicht vergessen werden, daß der deutsche Widerstand, der im europäischen Rahmen als deutsche Freiheits- und Protestbewegung und als Phase in der Geschichte der Menschenrechte gelten soll, nicht nur ein Forschungs-, sondern auch ein Vermittlungsproblem ist.

Amsterdam, 20. Juli 1978 *Ger van Roon*

1. Schwierigkeiten und Möglichkeiten

Daß sich gegen den Nationalsozialismus[1] in Deutschland Widerstand erhoben hat, ist nicht so erstaunlich. Die nationalsozialistische Partei hatte sich zwar 1932 zur größten Partei entwickelt, dennoch war es ihr niemals gelungen, die absolute Mehrheit zu erreichen. Ihr Anhang ging sofort zurück, als Ende 1932 eine spürbare Verbesserung der Konjunktur eintrat. Selbst bei den letzten Wahlen, im März 1933, als Hitler bereits an der Macht war und sein Terror schon viele Opfer gefordert hatte, errangen die Nationalsozialisten diese Mehrheit nicht. Das war für sie vor allem deshalb so enttäuschend, weil Hitler mit diesen Wahlen beweisen wollte, daß das deutsche Volk geschlossen hinter ihm stehe. Trotz der Verfolgungen und Behinderungen, denen die anderen Parteien ausgesetzt waren, stimmten 7 Millionen Wähler für die sozialdemokratische Partei, an die 5 Millionen für die kommunistische Partei, 4 Millionen für die katholische Zentrumspartei und 2 Millionen für kleinere demokratische Parteien. Dieses Ergebnis war in gewisser Hinsicht bereits ein Akt des Widerstandes, denn es war unter den Augen der in den Wahllokalen anwesenden SA zustandegekommen. Es waren denn auch die letzten Wahlen, welche die Nationalsozialisten abzuhalten wagten. Die im März und April durchgeführten Betriebsratswahlen wurden zu einer blamablen Pleite für Hitler. Es war doch nicht richtig gewesen, Deutschland mit dem Nationalsozialismus gleichzusetzen. Alle diese Menschen würden sich doch nicht klaglos mit einer Niederlage der Demokratie und einem Sieg des Terrors abfinden?

Andererseits herrschte unter den Nicht-Nationalsozialisten wenig Einigkeit. Die Kommunisten hatten die Weimarer Republik und insbesondere den ‚Sozialfaschismus' der SPD hart bekämpft. Dann hatte ein wachsender Gegensatz zwischen Sozialdemokraten und Katholiken mit zur Schwächung der Republik beigetragen.

Die Mehrheit der Protestanten und Katholiken war eindeutig antimarxistisch und konservativ-autoritären Anschauungen leicht zugänglich. Viele ältere Protestanten dachten noch voller Wehmut an die Tage des Kaiserreiches zurück, das von der Republik durch die Revolution ausgelöscht worden war. Viele Jüngere verachteten den ‚Parteienstaat', der Uneinigkeit und Schwäche gebracht hatte; sie sehnten sich nach einer echten Volksgemeinschaft und berauschten sich an Worten wie Volk, Nation, Reich und Führer. Als weiteres Argument wurde ins Feld geführt, daß schließlich die Republik den verhaßten Versailler Vertrag akzeptiert hatte. Vor diesem Hintergrund herrschte bei allen Gruppen eine große Bereitschaft, sich von der Republik und der Demokratie zu distanzieren und auf etwas anderes zu setzen. Diese Entwicklung wurde noch verstärkt durch die von der Weltwirtschaftskrise ausgelöste Furcht vor einer sozialen Revolution und durch den demoralisierenden Einfluß der jahrelangen Arbeitslosigkeit, die Millionen von Deutschen an den Rand der Verzweiflung getrieben hatte. In wirtschaftlicher und politischer Hinsicht herrschte eine Krisenstimmung, die das Gefühl nährte, mit Hitler erhalte man eine letzte Chance, ja, man gehe mit ihm einer neuen Epoche entgegen.

Wir dürfen dabei von einer starken Sympathie für den Nationalsozialismus in breiten Kreisen sprechen. Der Gedanke der Volksgemeinschaft, der nationalistische Charakter dieser Bewegung und ihr militanter Antibolschewismus zogen viele Nicht-Nationalsozialisten an. Viele Christen begrüßten die Machtergreifung Hitlers als eine gottgewollte Wendung in der deutschen Geschichte. In den evangelischen Landeskirchen erklärten sich nicht nur die sogenannten ‚Deutschen Christen', die die Kirche mit dem Staat gleichschalten wollten, mit der nationalen Erneuerung solidarisch. Auf katholischer Seite war man nicht abgeneigt, das neue Regime zu unterstützen. Die Zentrumspartei stimmte für Hitlers Ermächtigungsgesetz. Das Episkopat hob das bestehende Verbot einer Mitgliedschaft für Katholiken in der NSDAP schnell wieder auf. Allgemein überwog die Bereitschaft, sich für die nationale Erneuerung einzusetzen. Offizielle Vertreter beider Kirchen überboten sich in ausführlichen Loyalitätserklärungen,[2] ohne daß dies von ihnen verlangt worden wäre. Katholiken, unter dem Kaiserreich noch Bürger zweiter Klasse, wollten doch vor allem als gute und echte Deutsche gelten, und viele Protestanten fanden, daß sie erst jetzt wieder auf ihr Deutschtum stolz sein konnten. Andere betrachteten Hitler und seine ‚völkische Bewegung' als willfähriges Instrument für ihre eigenen Pläne, bis sie merkten, daß die Rollenverteilung genau umgekehrt ausgefallen war. Und sie gerade waren es, die Hitler die fehlende Unterstützung boten, die er noch brauchte, um an die Macht zu kommen; Namen wie die des Pressekönigs Hugenberg, des Industriellen Thyssen, des Politikers von Papen und des ehemaligen Kronprinzen sind hier an erster Stelle zu erwähnen.

Der Aufstieg der Nationalsozialisten geht zu einem guten Teil auf das Konto mancher führenden Politiker, die der neuen Situation nicht gewachsen waren, die Gefahren nicht durchschauten oder ihre Eigeninteressen zu sehr in den Vordergrund stellten. Wenn ihm schon seine Führer mit Anhänglichkeitsadressen an das neue Regime vorangingen, was hätte dann das deutsche Volk für einen Grund gehabt, abseits zu stehen?

Hinzu kam, daß der Nationalsozialismus sicher nicht als eine logische Entwicklung der Geschichte Preußens und des deutschen Denkens gelten konnte, daß er aber dennoch einen Nährboden fand, auf dem er üppig gedeihen konnte. Die universalistische Staatsidee, also die idealistische Auffassung der Staatsgewalt als einer über den gesellschaftlichen Gegensätzen stehenden Instanz, hat Hitlers totalem Staat den Weg bereitet. Pflicht, Vaterlandsliebe, Ordnung und Gehorsam hatten sich zu typisch ‚deutschen' Tugenden entwickelt. Traditionalistische Auffassungen von Staat und Autorität übten noch einen starken Einfluß aus. Als die deutschen Bischöfe ihre Loyalitätserklärungen abgaben und ein Konkordat mit dem neuen Regime schlossen, ließ der Vatikan durch das Sprachrohr österreichischer Bischöfe verlauten, man dürfe nicht meinen, alle Einwände gegen den Nationalsozialismus seien plötzlich weggefallen, vielmehr seien die Veränderungen auf den Umstand zurückzuführen, daß dieser nun zur Obrigkeit geworden sei.[3]

Der evangelische Theologe Brunstäd bekundete noch 1941, daß der Staat von Gott einen eigenen Wert erhalten habe und daß derjenige, der sich gegen den Staat auflehne, nun gegen Gottes Ordnung rebelliere. Auf diese Weise hatte der vom Untertanen geforderte Gehorsam gegenüber dem Staat allmählich einen fast absoluten Charakter erhalten, und davon konnte Hitler dankbar profitieren.

Vielen in diesem traditionellen Denken befangenen Deutschen war Widerstand eine völlig fremde Vorstellung. Zwar wurde die Pflicht des Christen betont, Gott mehr zu gehorchen als den Menschen, falls der Staat eine Entscheidung gegen das Gewissen fordere. In diesem Fall war es jedoch nicht erlaubt, aktiven Widerstand zu leisten, sondern man hatte für die eigene Überzeugung zu leiden.[4] Bereits Luther hatte gesagt, ein irrsinniger Fürst dürfe von seinen Untertanen abgesetzt werden und Gott erlege den Menschen in bestimmten Perioden auf, eine unrechtmäßige und tyrannische Obrigkeit zu bekämpfen. Solche Vorstellungen waren jedoch in den Hintergrund gerückt, weil die Fürsten jahrhundertelang in den Kirchen die Stellung des ersten Gemeindegliedes *(praecipuum membrum ecclesiae)* eingenommen und einen großen Einfluß auf den Gang der Dinge ausgeübt hatten.

Daß man innerhalb der Bekennenden Kirche unter dem Eindruck der veränderten Umstände zu anderen Auffassungen gelangte, ging vor allem auf den Einfluß des Theologen Karl Barth[5] zurück. Dieser wies z. B. darauf hin, daß die schottischen Kalvinisten bereits 1560 das Widerstandsrecht nicht zuletzt auf der Nächstenliebe begründet hatten. Selbst in der Bekennenden Kirche schreckten aber viele vor dieser Konsequenz zurück. Man klammerte sich weiterhin krampfhaft an die Fiktion eines Unterschiedes zwischen dem Staat als Obrigkeit und der nationalsozialistischen Ideologie.

Auch bei den Katholiken war das Widerstandsrecht nicht allgemein anerkannt. Es lag keine kirchliche Entscheidung vor, die dieses Recht sanktionierte. In den gebräuchlichsten Handbüchern der Morallehre wurde darüber nichts erwähnt. Die Lehre vom Naturrecht, den unveräußerlichen Rechten des einzelnen, war in

Vergessenheit geraten. Ein Mitglied des Kreisauer Kreises mußte von einem Hilfsbischof ausdrücklich darauf hingewiesen werden, daß katholische Moraltheologen wie Busenbaum und Mausbach unter bestimmten Umständen einen aktiven Widerstand befürworteten. Auch der katholische Volkskatechismus von Spirago erwähnte die Ausübung von Gegenwehr und Widerstand aus Nächstenliebe als Motiv für einen erlaubten Widerstand.[6] Obgleich einige Präzedenzfälle vorlagen, die eine kirchliche Befürwortung des Widerstandes ermöglicht hätten,[7] wandten sich die deutschen Bischöfe gegen die Ausübung aktiven Widerstands. Noch 1943 untersagte Kardinal Faulhaber den Geistlichen seiner Diözese die Teilnahme an illegalen politischen Besprechungen.[8]

Bei dem Wort ‚Widerstand' dürfen wir uns keine Organisationen vorstellen, die mit ihrem Apparat alle Mitarbeiter in Gefahr gebracht hätten. Der Widerstand in Deutschland bestand vorwiegend aus kleinen Gruppen und Individuen, die als Zellen in einem größeren Ganzen, meistens ohne gegenseitigen Kontakt und deshalb in großer Vereinzelung, ihre Arbeit taten. Denn sobald Gruppen miteinander Kontakt aufnahmen und zusammenarbeiten wollten, wuchs die Gefahr, daß die Gestapo ihnen auf die Spur kam, um ein Vielfaches. Auch war es dann einfacher, Spitzel in diese Gruppen einzuschleusen. Allein schon aus diesem Grund arbeitete man oft einzeln weiter und nahm höchstens über Mittelsmänner Verbindung miteinander auf. Eine solche Kontaktperson durfte dann von anderen Gruppen nur einen, höchstens zwei Mitarbeiter kennen. „Kannst Du Dir vorstellen, was es bedeutet, als Gruppe zu arbeiten", schrieb jemand an einen Bekannten in England, „wenn man das Telefon nicht benutzen kann, wenn Du die Namen Deiner nächsten Freunde anderen Freunden nicht nennen darfst aus Angst, daß einer von ihnen erwischt werden und die Namen unter Druck preisgeben könnte [...]?"[9]

Dieser Isolationscharakter war für den deutschen Widerstand bezeichnend – weit mehr als für den Widerstand in den besetzten Gebieten, der sich durch wichtige Gruppen der Bevölkerung getragen fühlte. In Deutschland konnte jeder Volksgenosse, ob Nazi oder nicht, ein Spitzel sein, und es war viel weniger wahrscheinlich, daß man auf Unterstützung zählen konnte. Damit sind wir schon bei den Merkmalen des deutschen Widerstandes. Er war ein Widerstand gegen die eigene Regierung oder – richtiger – gegen die Regierung des eigenen Landes.

Für den Untergang des Regimes mußte man später überdies die Niederlage und in der Folge auch die Besetzung als Notwendigkeiten in Kauf nehmen. Im April 1941 notierte Helmuth von Moltke, daß nur die deutsche Niederlage eine echte Lösung bringe.[10] Das geschah zu einem Zeitpunkt, als Deutschland noch unbesiegt nahezu ganz Europa beherrschte. Auch Dietrich Bonhoeffer hat sich bereits früh in diesem Sinne geäußert.[11] Vielen jedoch war dieser Schritt zu schwierig. Nur jene, die spürten, daß es nicht mehr um einen nationalen Krieg im Sinne des 19. Jahrhunderts ging, sondern daß hier Lebensanschauungen aufeinanderstießen und man im Namen von Freiheit und Menschlichkeit die Unmenschlichkeit überall und mit allen Mitteln bekämpfen mußte, wußten – manchmal intuitiv –, wie sie zu handeln hatten. Für manchen aus dem bürgerlichen Lager war eine lange Entwicklung notwendig, ehe er Anschläge und Staatsstreiche vorzubereiten begann.

Beim deutschen Widerstand müssen wir unterscheiden zwischen Gruppen, welche die demokratische Weimarer Repulik mit getragen hatten, und jenen, die den Untergang der Republik nicht bedauert und zunächst nichts dagegen einzuwenden gehabt hatten, einem antidemokratischen Regime zu dienen.[12] Leute der ersten Kategorie hatten das Hitlerregime vom ersten Tag an abgelehnt, und es war eigentlich eher eine Folge mangelnder Führung und Einigkeit, daß dieser Widerstand so unwirksam geblieben ist. Aber man kannte den Gegner und paßte sich mit der Zeit seinen Methoden an. Die zweite Kategorie war infolge ihrer nationalistischen Vergangeneheit und ihrer Freude über die nationale Erneuerung zu sehr geblendet, als daß sie die drohenden Gefahren unmittelbar erkannt hätte. Sie tendierte dazu, mögliche Gefahren in einer ganz anderen Richtung zu suchen. Bei dieser Gruppe entwickelte sich der Gedanke von der Notwendigkeit des Widerstandes langsamer.

Wenn wir diesen Prozeß etwas genauer verfolgen, dann wird deutlich, daß die Unzufriedenheit mit der Feststellung bestimmter

Mißstände einsetzen konnte. Eltern hatten Einwände gegen die staatliche Erziehung ihrer Kinder, Mitglieder von Jugendbünden gegen die Zwangseingliederung in die Hitlerjugend, kirchliche Würdenträger gegen die Versuche, auch die Kirche in die Einflußsphäre von Staat und Partei einzubeziehen, Gewerkschafts- und politische Führer gegen die Auflösung ihrer Organisationen usw. Wenn auch einzelnen diese Feststellung zur Ablehnung des Regimes als ganzem bereits ausreichte, so ging das bei der Mehrzahl weniger schnell. Sie hegten zunächst noch die Erwartung, daß man ihre Einwände berücksichtigen wollte. Dann klammerten sie sich an die Hoffnung, daß es sich nur um ein unangenehmes Phänomen von kurzer Dauer handle. Wenn sich dann nach einiger Zeit herausstellte, daß der Mißstand noch existierte oder gar offiziell sanktioniert wurde, bestand die Möglichkeit, daß die Einwände die Form von Opposition oder gar passivem Widerstand anzunehmen begannen – ich sage Möglichkeit, denn viele kamen über bloße Einwände nicht hinaus, und das ist sicher nicht als Widerstand zu bezeichnen. Für das Regime allerdings konnten Einwände bereits eine Haltung bedeuten, für die man bestraft wurde. Der Führer bestimmte schließlich den Kurs, und es stand dem einzelnen nicht zu, sich dem zu widersetzen. Eine abweichende Meinung zu vertreten, galt als eine Äußerung von Defätismus und war gleichbedeutend mit Verrat. Viel hing im allgemeinen von der Haltung führender Persönlichkeiten ab. Das zeigt sich beispielhaft an dem Fall der Aachener Heiligtumsfahrt im Jahre 1937, also vier Jahre nach der Machtübernahme Hitlers. Die Gläubigen – aus allen Teilen des Landes nach Aachen zusammengeströmt – äußerten ihre Unzufriedenheit über die Kirchenpolitik des Staates unmißverständlich. Die Bischöfe, die ein Blutvergießen vermeiden wollten, drängten auf Mäßigung.[13]

Hatte sich Opposition in passiven Widerstand verwandelt, so griff man zu anderen Mitteln, um seine Entrüstung zu äußern, zu ungewöhnlichen Mitteln, die einer ungewöhnlichen Situation entsprachen. Dabei konnte man sich bewußt auf passiven Widerstand beschränken, was eine Frage des Prinzips – man denke an Gandhi und Martin Luther King und deren gewaltlosen Widerstand – oder aber ein Gebot der Zweckmäßigkeit war; passiver Widerstand konnte aber auch das Vorstadium einer aktiven – gewaltsamen – Form des Widerstandes sein. Im Dritten Reich hat es zahlreiche Formen von passivem Widerstand gegeben, der je nach Lage der Dinge und nach der Mentalität der Beteiligten variierte.

Nehmen wir die Form der Emigration: nicht der Emigration im gewöhnlichen Wortsinne, bei der ein Mensch sein Land verläßt, um anderswo eine bessere wirtschaftliche Existenz zu begründen. Hier handelt es sich um ein vielschichtiges Phänomen, dessen durchgehendes Charakteristikum jedoch darin liegt, daß Menschen das eigene Land als Flüchtlinge verlassen. Bereits vor Hitlers Machtergreifung, im Januar 1933, waren manche Personen, die die Gefahr erkannten, aus Deutschland geflohen. Sie wollten nicht in einem von Nationalsozialisten regierten Land leben, wo unter Umständen ihr Arbeitsplatz oder sogar ihr Leben auf dem Spiel stand. Nach dem Januar 1933 verließ, auf Grund von Maßnahmen der neuen Regierung, ein steigender Strom von Emigranten Deutschland. Dabei handelte es sich vorwiegend um politische Flüchtlinge und Juden, deren Leben bedroht war. Sie wurden meist illegal über die Grenze gebracht oder wichen in andere europäische Länder aus; als auch diese gefährdet waren, gingen sie nach England und in die Vereinigten Staaten. Letztere nahmen allein in den Jahren 1933–1939 über 7600 Akademiker aus Deutschland und Österreich auf, unter denen sich 12 Nobelpreisträger befanden.[14] Die eigene finanzielle Situation erlaubte es natürlich längst nicht jedem Gefährdeten, das Land zu verlassen. Es gab auch Menschen, die sich ausdrücklich weigerten zu emigrieren, auch wenn ihr Leben dadurch in Gefahr geriet. So sagte der sozialdemokratische Reichstagsabgeordnete Carlo Mierendorff ziemlich ironisch: „Was sollen denn unsere Arbeiter denken, wenn wir sie da allein lassen? Sie können doch nicht alle an die Riviera ziehn".[15] Bei der Emigration als einer Form passiven Widerstands müssen wir auch an Personen denken, die von ihrer Organisation ins Ausland geschickt wurden, wenngleich man meistens zunächst diejenigen schickte, deren Verhaftung unmittelbar drohte. Ihre Aufgabe war es, vom Ausland aus gegen das Dritte Reich zu agieren, aus Deutschland geschmuggelte Nachrichten über bestimmte Ereignisse der freien Presse zugänglich zu machen, kurzum, das Ausland gegen das Regime zu mobilisieren. Ich denke dabei an Vertreter von sozialistischen Organisationen wie der SAP[16] und ‚Neu Beginnen'.[17] Andere sollten vom Ausland aus die eigene Organisation so weit wie möglich lenken und einen Apparat aufbauen, wie etwa die Zentralen der sozialdemokratischen und kommunistischen Parteien. Im Ausland wurde es diesem Personenkreis nicht immer leicht gemacht. Manche wurden – wie beispielsweise in den Niederlanden verschiedentlich geschehen[18] – zurückgeschickt, andere wurden in ihrer Tätigkeit behindert, denn Hitler galt immer noch als Staatsoberhaupt einer befreundeten Nation. Im allgemeinen wurden außerhalb Deutschlands die Warnungen der Flüchtlinge kaum beachtet. Es war die Zeit der Weltwirtschaftskrise, und die Regierungen hatten es schon schwer, die eigenen Probleme zu lösen. Was darüber hinausging, war einfach zu viel.

Eine andere Form passiven Widerstands war die beantragte Entlassung. Man weigerte sich, Mitverantwortung für die Entwicklung zu übernehmen. Eine mutige Tat, die oft aus Protest gegen eine beschlossene oder angekündigte Maßnahme hervorging. Für führende Persönlichkeiten waren damit freilich auch Nachteile verbunden: Man verfügte nicht mehr über einen bestimmten Apparat, über bestimmte Machtmittel, wurde nicht mehr über alles informiert und geriet in Isolation. Daß ein anderer die frei werdende Stelle besetzte, konnte außerdem schwere Folgen haben. Die Geschichte des deutschen Widerstandes kennt verschiedene Beispiele beantragter Entlassungen. Als der Leipziger Bürgermeister, Carl Goerdeler, Ende 1936 auf einer Finnlandreise war, wurde während seiner Abwesenheit ein Denkmal des jüdischen Komponisten Mendelssohn entfernt. Als die Nazis diese Maßnahme nicht zurücknehmen wollten, trat er zurück.[19] Ein anderes Beispiel hierfür ist Ludwig Beck, der im August 1938 als Generalstabschef zurücktrat, weil er nicht an Hitlers Kriegsplänen mitarbeiten wollte.[20] In diesem und ähnlichen Fällen mußte der Betreffende ernstlich überlegen, was er tun sollte: gehen oder bleiben. Letzteres konnte aber auch bedeuten, daß man zu fortwährenden

Kompromissen gezwungen war, daß man in Verbrechen verstrickt werden konnte, die sich nicht mit dem Gewissen vereinbaren ließen und für die man später zur Rechenschaft gezogen wurde.

Zu den Formen passiven Widerstands gehört auch die Hilfe für Verfolgte des Regimes, über die im zweiten Kapitel ausführlich zu sprechen sein wird.

Eine wichtige und vielgeübte Form passiven Widerstands ist die der propagandistischen Aktivitäten. Abgeschnitten von den normalen Kommunikationsmitteln, will man ein größeres Publikum erreichen, um es über den wahren Sachverhalt zu informieren. Seit Beginn des Hitlerregimes bis in seine letzten Tage wurden eine Unmenge von Flugblättern, Zeitungen und anderen Schriften in Deutschland verbreitet. In den dreißiger Jahren spielte das Ausland dabei eine wichtige Rolle. Dort wurde meistens das Material hergestellt und sodann auf illegalen Wegen nach Deutschland gebracht. So wurden beispielsweise in Karlsbad ‚Neu Beginnen' und ‚Sozialistische Aktion' gedruckt, in Eupen ‚Grenzecho', in den Niederlanden ‚Der deutsche Weg' von Pater Muckermann. Auch eine Reihe von Einzelschriften fanden ihren Weg nach Deutschland, wie Zitate von Rauschning, Artikel und Bücher von Karl Barth sowie Aufsätze von Thomas Mann, meistens in einem Tarnumschlag. Das alles war natürlich in den Kriegsjahren nicht mehr möglich.

Von Anfang an wurden auch in Deutschland selbst Schriften gedruckt und verbreitet. Besonders große Aktivität entfalteten dabei die Kommunisten, die speziell zu diesem Zweck ein großes Organisationsnetz aufgebaut hatten. Aber auch der Widerstand im kirchlichen Bereich bediente sich vielfach dieses Mittels. In kirchlichen Zeitschriften wurde der Nationalsozialismus als eine heidnische Weltanschauung erbittert bekämpft. Mit kaum verhohlener Wut konstatierte die Gestapo, daß diese Zeitschriften in immer größeren Auflagen erschienen und viele Leute sich darauf abonnierten.[21] In Zeitschriften wie ‚Hochland' und ‚Deutsche Rundschau' konnte man bis zu deren endgültigem Verbot zwischen den Zeilen eine Menge indirekter Kriktik an Maßnahmen des Hitlerregimes herauslesen. Gegen bestimmte Maßnahmen des Regimes gerichtete Predigten wurden vervielfältigt. Flugblätter verschiedener Gruppen fanden ihren Weg bis in die Kriegsjahre hinein. Ein Beispiel propagandistischer Aktivität aus den Kriegsjahren boten die Flugblätter der ‚Weißen Rose' aus München, deren Mitglieder, ebenso wie andere Gruppen, auch Parolen auf Gehsteigen und an Gebäuden anbrachten. Ein probates Mittel zur Herabsetzung führender Gestalten des Regimes war die gezielte Flüsterkampagne. Obwohl es Stoff in Hülle und Fülle gab, ist darüber wenig bekannt. Allerdings waren zahlreiche Witze im Umlauf, aber direkten Einfluß hatten sie vermutlich nicht.

Eine andere bedeutende, aber viel zu wenig eingesetzte Waffe des passiven Widerstands ist der mündliche oder schriftliche Protest. Beispiele für diese Form passiven Widerstands waren die Proteste von General Blaskowitz, Ende 1939, gegen die Morde der SS und Gestapo unter der Zivilbevölkerung und den Juden in Polen[22] und die Proteste der Kirchen gegen die Euthanasie.[23] Bekannt sind z. B. die Protestpredigten, die der Bischof von Münster, Galen, im Jahr 1941 gegen die Tötung ‚unwerten' Menschenlebens gehalten hat. Ein anderer Protest richtete sich gegen die vorgesehene Beschlagnahme von Klöstern in Elsaß-Lothringen. Weil die ganze Unternehmung ruchbar geworden war, beschlossen die Nazis, den Plan vorläufig fallenzulassen.[24] Auf evangelischer Seite war es vor allem die Bekennende Kirche, die in ihrem Entstehen, ihrem Wachstum und ihren Aktivitäten ein klarer Protest gegen die Kirchenpolitik des Dritten Reiches war. Im Juni 1936 protestierte sie öffentlich gegen das herrschende Unrecht und die vielen Fälle von Machtmißbrauch. Viel mehr noch wäre durch Proteste zu erreichen gewesen, wenn man nur von Anfang an Einigkeit in der Ablehnung der gängigen Praktiken des Regimes an den Tag gelegt hätte. Vor allem die Kirchen hatten diesbezüglich bestimmte Möglichkeiten.

Eine weitere Form des passiven Widerstands war der Streik. Millionen Arbeitsloser hatten im Dritten Reich wieder Beschäftigung gefunden, zunächst vor allem beim Autobahnbau und später in der Rüstungsindustrie. Die meisten Arbeiter wollten ihren gerade erst erworbenen Arbeitsplatz nicht aufs Spiel setzen. Infolge der jahrelangen Wirtschaftskrise war überdies der Einfluß der Gewerkschaften auf die Arbeiter beträchtlich zurückgegangen. Darum wagten es die Gewerkschaftsführer im Januar 1933 nicht, zum Generalstreik aufzurufen. Auf lokaler Ebene gab es eine Reihe von – zumeist kurzen – Streiks für einige Stunden oder Tage, durch die man den neuen Machthabern zu verstehen gab, daß die Arbeiter nicht alles schlucken würden. Die konkreten Ziele waren meistens Forderungen nach einer Rücknahme von Lohnkürzungen oder sogenannten freiwilligen Beiträgen, nach höheren Löhnen und kürzerer Arbeitszeit und nach einer Verbesserung der Arbeitsbedingungen. Vielfach ließen es die Werksleitungen und Parteifunktionäre nicht auf eine Kraftprobe ankommen und gaben den Forderungen der Arbeiter schnell nach. Vor allem in den Schlüsselindustrien und in der Rüstungsindustrie mußte die Produktion gesteigert werden, und die Zeit drängte. Vereinzelt kam es zu Streiks, wenn einer der Arbeiter verhaftet oder ausgestellt wurde. Ereignisse außerhalb der unmittelbaren Arbeitssituation lösten aber selten Streiks aus.

Inwieweit im Dritten Reich gezielte Sabotage betrieben wurde, läßt sich schwer feststellen.[25] Ein Hang zu Sabotage ist nicht gerade ein typisch deutscher Charakterzug. Dennoch finden sich in den Gestapoberichten regelmäßig Meldungen über Sabotage. Stets werden dann die Täter, und wahrscheinlich in diesem Fall nicht zu unrecht, auf der Seite der Linken gesucht. In der Kriegsindustrie scheint Sabotage übrigens häufiger aufgetreten zu sein. Die kommunistische illegale Presse richtete darauf ihr besonderes Augenmerk und gab Anleitungen, wie sich Verwirrung stiften ließ. Verschiedene Gruppen hatten sich auf Sabotage spezialisiert. Scheinwerfer und andere Installationen bei Massenveranstaltungen waren ein beliebtes Ziel. Die Jugendgruppe Baum aus Berlin betätigte sich zum Beispiel als Brandstifter in einer mit großem Tamtam angekündigten Ausstellung über Rußland.[26] Sabotageakte größeren Ausmaßes wurden anscheinend nur in den letzten Wochen und Tagen des Krieges verübt.

Die im folgenden angesprochene Form passiven Widerstands,

die Befehlsverweigerung oder das Nichtausführen von Befehlen, ist ihrem Wesen nach eine Art von Sabotage, allerdings auf einem begrenzten Sektor. Da in der deutschen Armee vielfach eine ‚Befehl-ist-Befehl'-Mentalität vorherrschte, entschlossen sich deutsche Militärs nicht so leicht zu solch einem Schritt. Ein Beispiel für die Nichtausführung eines Befehls, und noch dazu eines ‚Führerbefehls', war der sogenannte ‚Kommissarbefehl', in dem die sofortige Erschießung politischer Kommissare der Roten Armee bei deren Gefangennahme angeordnet wurde.[27] Verschiedene Kommandeure hatten den Befehl nicht an ihre Truppenteile weitergegeben. Wo diese Form passiven Widerstands auftrat, handelte es sich meist nicht um die Verweigerung, sondern um die Nichtausführung eines Befehls. Aus dem letzten Kriegsjahr gibt es eine Reihe von Beispielen, unter anderen das des Generals von Choltitz, der sich weigerte, Paris anzuzünden, wie Hitler befohlen hatte.

Zu dieser Form des Widerstandes gehört auch die Eides- und Kriegsdienstverweigerung. In diesen Komplex fallen Situationen, die vielfach als ‚politisch' galten und zur Regelung dem Staat überlassen wurden. Der Mißbrauch und die ‚inflationäre' Entwertung des Eides, der viele dennoch bis zuletzt an das System band, sowie die verfassungswidrige persönliche Vereidigung auf Hitler hatten die Frage nach dem Wesen des Eides verdunkelt, der weder ‚Blankoscheck' noch einseitige Verpflichtung sein sollte. Die Kirchen haben während des Dritten Reiches die Grenzen des Eides nur unzureichend klargemacht und die Verweigerer viel zu wenig unterstützt. In der Spannung zwischen Loyalität gegenüber dem Staat und persönlicher Verantwortlichkeit neigte man aus traditionellen Vorstellungen über Obrigkeit und Treue vielfach zum Nachgeben.

Dies galt umso mehr für die Kriegsproblematik. Einer langen Tradition folgend, war jedermann möglichst bemüht, Kriegsdienst zu leisten, die Möglichkeiten einer Kriegsdienstverweigerung waren unbekannt und unerprobt, und so hatte man in der Praxis Hitler die alleinige Verantwortung übertragen. Verstrickt in das System von Unterdrückung und Terror, machte man sich auf diese Weise mitschuldig an Hitlers Krieg und den vielen Kriegsverbrechen.

Einzelne, die sich zur Verweigerung durchgerungen hatten, wurden meistens im Stich gelassen. So weigerte sich Martin Gauger, den Beamteneid auf Hitler abzulegen, und wurde deshalb entlassen. Als der Krieg ausbrach, wurde ihm klar, daß dieser Krieg nicht als Verteidigungskrieg gelten konnte, und er weigerte sich, seiner Einberufung Folge zu leisten. Auf Anraten seiner Freunde floh er in die Niederlande, wurde nach dem Einmarsch der deutschen Truppen jedoch verhaftet und etwa ein Jahr später im Konzentrationslager Buchenwald ermordet.[28] Ein anderes Beispiel ist Hermann Stöhr, Offizier im Ersten Weltkrieg und Sekretär des Internationalen Versöhnungsbundes. Als er den Wehrdienst verweigerte und verhaftet wurde, lehnte Bischof Marahrens, der über diesen Fall informiert worden war, es ab, sich vermittelnd einzusetzen.[29] Auch der österreichische Bauer Franz Jägerstätter, der gegen den Rat seines Pfarrers den Wehrdienst verweigert hatte, bezahlte dafür, von seinen geistlichen Ratgebern im Stich gelassen, mit seinem Leben.[30] Schwer verfolgt wurden die Zeugen Jehovas, weil sie Eid und Kriegsdienst ablehnten. Von über 6000 Mitgliedern wurden mehr als 5900 verhaftet, und über 2000 mußten ihr Leben lassen. Zu ihnen zählte Jonathan Stark, der als Siebzehnjähriger 1943 zum Arbeitsdienst eingezogen und drei Tage später von der Gestapo geholt wurde, weil er den Eid auf Hitler nicht ablegen wollte.[31] Auch jener Bauernsohn aus dem Sudetenland und sein Freund, die sich Anfang 1944 weigerten, der SS beizutreten, weil sie wußten, was dort von ihnen verlangt würde, sind hier zu erwähnen.[32]

In einem Krieg kann auch die Weitergabe geheimer Nachrichten als Äußerung passiven Widerstandes gelten. Und zwar besonders die Übermittlung derartiger Informationen an Personen und Instanzen außerhalb des eigenen Landes. Dabei kann es sich um Spionage handeln, aber das ist längst nicht immer der Fall. Ein bekanntes Beispiel ist das des Generals Oster, der dem niederländischen Militärattaché in Berlin den Zeitpunkt des deutschen Angriffs auf Holland mitteilte. Manche deutschen Bürger, die die

Motive eines solchen Handelns zu wenig berücksichtigen, bezeichnen eine derartige Tat zu Unrecht als Landesverrat. Auch die Mitteilungen Kurt Gersteins über die Vergasung der Juden in den Vernichtungslagern sind dafür ein Beispiel.[33]

Die letzte Form passiven Widerstands, die hier behandelt wird, ist die der Desertion. Ihr kann die Absicht zugrunde liegen, sich den Kampfhandlungen zu entziehen. Mit dem weiteren Fortschreiten des Krieges versteckten sich deutsche Soldaten immer häufiger in schwer zugänglichen Gebieten, in Deutschland beispielsweise im Harz. Ein weiterer Beweggrund könnte in dem Bestreben liegen, die Kampfkraft der Hitlergegner zu verstärken. So schlossen sich z. B. auf dem Balkan und in Frankreich deutsche Soldaten dem einheimischen Widerstand an. Eine eigene Gruppe stellen jene dar, die sich in Kriegsgefangenschaft der Gegenpartei anschlossen. Ich denke dabei an die Offiziere des ‚Nationalkomitees Freies Deutschland' in Rußland und an Soldaten und Offiziere in England. Ein Sonderfall ist der des Majors Kuhn, der nach dem 20. Juli 1944 zu den Russen überlief, um der Verhaftung zu entgehen.[34]

Die letzte und radikalste Phase in der Entwicklung des Widerstandes ist die des aktiven Widerstandes. Dabei wird das Regime als solches abgelehnt, und man kämpft für eine Alternative. Ein gewaltsamer Umsturz ist das kurzfristige Ziel, eine neue Regierung mit einem neuen Programm das längerfristige. Zur Realisierung des letzteren bildet das Erreichen des ersteren die notwendige Voraussetzung. Andererseits darf aber kein politisches Vakuum entstehen. In diesem Zusammenhang läßt sich ein militärisch-technischer von einem politischen Aspekt unterscheiden. Zum ersten gehören die Bildung von Kampfgruppen oder Stoßtrupps, die Durchführung einer speziellen Ausbildung, das Anlegen von Waffen- und Munitionsvorräten, das Sammeln militärischer Nachrichten, die Ausführung von Attentaten und schließlich der Staatsstreich; zum zweiten die Bildung einer Übergangsregierung und die Erarbeitung eines neuen Regierungsprogramms, nicht bis in alle Details ausgefeilt, sondern in klaren Grundzügen.

Weil der Großteil der Arbeiter infolge der unter Hitler – dank einer Verbesserung der Konjunktur – erreichten Vollbeschäftigung als Masseninstrument des Widerstandes ausfiel, und auf Grund des Umstandes, daß die Parteiführer über eine ungeheure Macht verfügten, verblieb fast als einzige Möglichkeit einer wirkungsvollen Bekämpfung die Einschaltung von Einheiten der Armee. Von dieser Hilfe hing faktisch alles ab; jeder Widerstand im nationalsozialistischen Deutschland, der ohne die Armee gegen die Diktatur mit ihren Machtmitteln angehen wollte, konnte höchstens auf kleine lokale Erfolge hoffen.

Es existierten in den Reihen des Widerstandes kaum echte Kampfgruppen oder Stoßtrupps. Zwar waren vor Hitlers Machtübernahme Organisationen wie das ‚Reichsbanner', der ‚Rote Frontkämpferbund' und die ‚Eiserne Front' gegründet worden, und man hatte in diesen Kreisen kleinere Mengen an Waffen und Munition gesammelt, aber nach dem Januar 1933 hören wir darüber nur noch wenig. In Einzelfällen hatten bestimmte Gruppen in diesen paramilitärischen Verbänden sowie in späteren Organisationen wie ‚Neu Beginnen' eine Spezialausbildung erhalten, aber solche Fälle blieben eine Ausnahme. Bei den Vorbereitungen für einen Staatsstreich im Jahr 1938[35] ist zum erstenmal von einer durch den ehemaligen Freikorpsführer Heinz gebildeten Gruppe früherer Mitglieder des ‚Stahlhelms' die Rede. Bei späteren Vorbereitungen – Ende 1941, Anfang 1943 und im Jahr 1944 – wird gleichfalls von Stoßtrupps gesprochen.[36] Auch bei der ‚Weißen Rose'[37] und in einzelnen Gruppen gegen Kriegsende, unter anderem in Bayern,[38] bemühte man sich, Waffen zu sammeln.

Im Lauf der Jahre wurden verschiedene Attentatsversuche[39] auf Hitler unternommen. Als er später nur noch selten in der Öffentlichkeit auftrat, wurde es wesentlich schwieriger, und schließlich, als er sein schwer bewachtes Hauptquartier fast nie mehr verließ, beinahe unmöglich. Daß erste Attentatsversuche, zumindest soweit sie bekannt wurden, lange auf sich warten ließen, ist mit darauf zurückzuführen, daß man ursprünglich plante, Hitler festzunehmen, ihn auf Grund eines psychiatrischen Gutachtens abzusetzen und vor Gericht zu stellen.[40] Im November 1939 erbot sich der Diplomat Erich Kordt, Hitler mit der Pistole zu erschießen. Aber Oster, der für den Fall einer günstigen Gelegenheit selbst schon einen Scharfschützen zum militärischen Abwehrdienst hatte abkommandieren lassen, riet ab. Er war der Meinung, Kordt würde Hitler niemals alleine zu einem Gespräch antreffen, und inmitten von Leibwächtern und Adjutanten hätte er auch nicht den Hauch einer Chance.[41] Auch Rittmeister von Breitenbach, der im Frühling 1944 hin und wieder an Besprechungen im Führerhauptquartier teilnahm, mußte erkennen, daß es nicht einmal möglich wäre, unbemerkt seine Pistole zu ziehen.[42] Darum hatte man bereits früher beschlossen, einen anderen Weg einzuschlagen. Im März 1943 hatte Rudolf-Christoph von Gersdorff einen neuen Versuch, diesmal mit Sprengstoff, vorbereitet. Hitler sollte eine Ausstellung russischer Beutewaffen besichtigen, und Gersdorff sollte ihn dort führen. Ehe aber der Zeitzünder – eingestellt auf 10 Minuten – eine Detonation ausgelöst hatte, war Hitler bereits wieder verschwunden.[43] Im selben Monat hatten auch Fabian von Schlabrendorff und Henning von Tresckow einen Versuch unternommen, indem sie in Hitlers Flugzeug ein Päckchen mit einer Zeitbombe schmuggelten. Bei dieser Gelegenheit versagte aber der Zündmechanismus.[44] Axel von dem Bussche, der in Polen Massenexekutionen von Juden miterlebt und erfahren hatte, daß die Befehle dazu von Hilter selbst stammten, wollte Sprengstoff in einer neuen Uniform verbergen, die Hitler vorgeführt werden sollte. Aber Hitler verschob den Vorführungstermin dauernd, bis Bussche wieder an die Front mußte. Darauf sollte Ewald von Kleist dessen Aufgabe übernehmen. Bei einem Luftangriff auf Berlin verbrannten aber die neuen Modelle, und das Ganze wurde endgültig abgeblasen.[45]

Der bekannte Versuch des Grafen Stauffenberg vom 20. Juli 1944 war bereits dessen dritter Attentatsversuch auf Hitler. Vorbereitungen zu einem Staatsstreich wurden 1938, im Winter 1939/40, Ende 1941, im Frühjahr und Sommer 1943 sowie 1944 getroffen. In einem anderen Kapitel werden wir darauf noch ausführlicher zurückkommen. Mehr oder minder erfolgreiche lokale Aufstände waren die Ereignisse in Paris am 20. Juli 1944[46] und jene in Bayern in den letzten Kriegstagen.[47]

Schließlich noch ein Wort über den politischen Aspekt des aktiven Widerstandes. In den ersten Jahren nach 1933 läßt sich in den Organisationen der Arbeiterbewegung vielfach nur ein auf das eigene Lager beschränkter ‚parteipolitischer' Widerstand feststellen. Unter bestimmten Gruppen von Parteimitgliedern bestand bereits vor 1933 eine gewisse Bereitschaft zur Zusammenarbeit in Form einer Einheitsfront, ein Zusammengehen beider Hauptströmungen wurde jedoch erst später erwogen, dann aber von den Parteivorständen abgelehnt. Im bürgerlichen Lager war es nicht viel anders. Hier kam es erst im Lauf des Jahres 1938 durch die Zusammenarbeit von Beck, Goerdeler und anderen zu einem ersten politischen Gedankenaustausch. Angeregt und intensiviert durch die Kontakte zwischen der Goerdeler-Gruppe und dem Kreisauer Kreis Ende 1942, wurden im Lauf des Jahres 1943 ausgedehntere Überlegungen zu den notwendigen Maßnahmen angestellt und ein mehr oder weniger gemeinsames Konzept über den einzuschlagenden Kurs entwickelt. Nicht jeder war jedoch mit diesem Kurs einverstanden. Aus dieser Perspektive sind auch Reichweins und Lebers Sondierungen zur kommunistischen Seite hin zu verstehen.

Dieses Kapitel galt dem Versuch, die Probleme zu veranschaulichen, mit denen der deutsche Widerstand sich auseinanderzusetzen hatte. Zugleich wollte es einen kurzen Überblick über die verschiedenen Formen und die Entwicklungen in den Kreisen des Widerstandes geben.

2. Humanitärer Widerstand

Ehe die verschiedenen Richtungen und Gruppen des deutschen Widerstandes behandelt werden, soll in diesem Kapitel von einer Form des Widerstandes die Rede sein, der in Deutschland in breiten Kreisen praktiziert worden ist. Viele hielten es für ihre Pflicht, Verfolgten und anderen in Not Geratenen zu helfen. Dabei spielten weder Rang noch Stand eine Rolle. Offiziere, Geistliche, Sozialdemokraten und Kommunisten, Männer und Frauen, Jung und Alt betätigten sich dabei und arbeiteten manchmal zusammen.

Als unmittelbar nach der Machtübernahme der Regierung Hitler die ersten Verhaftungen stattfanden, entwickelten sich spontan mehrere Formen humanitärer Hilfe. Jugendliche wagten sich in die Nähe der Gefängnisse, um herauszufinden, wer verhaftet worden war und wo sich der Betreffende befand; für die Angehörigen wurde, zunächst noch mit Listen, Geld gesammelt. Die ersten Untergetauchten erhielten Quartier.[1] Es wurden Fluchtwege zusammengestellt, um Gefährdete ins sichere Ausland zu bringen.

Je stärker dieses Hilfswerk angekurbelt wurde, desto mehr Menschen konnte geholfen werden. Mehrere internationale Organisationen aus dem Ausland nahmen Kontakt mit Mitgliedern in Deutschland auf. Auf diese Weise konnten Gefährdete in die Tschechoslowakei oder nach Frankreich gebracht werden. Besondere Aktivität entwickelte hierbei die ‚Internationale Rote Hilfe'.[2] Daneben existierten verschiedene regionale Gruppen und Organisationen. Bis Anfang 1937 arbeitete zum Beispiel eine Hilfsorganisation in der Lausitz, die ihre Gelder aus der Tschechoslowakei erhielt.[3] Ein anderes Beispiel war die Gruppe von Ewald Behrendt aus Südwestdeutschland. Sie brachte allein im Jahr 1936 Hunderte von Deutschen über die Schweizer Grenze. Selbst in den Kriegsjahren hat diese Gruppe noch existiert und sogar alliierte Piloten über die Grenze gebracht.[4]

Eine stark bedrohte Gruppe waren die Juden. Unmittelbar nach der Regierungsübernahme setzten Maßnahmen der neuen Machthaber zu dem Zwecke ein, sie als Gruppe sukzessive von ihren Mitbürgern zu isolieren. Am 1. April 1933 erfolgte eine zentral gesteuerte Boykottaktion gegen jüdische Ladeninhaber. Obwohl diese Drohgebärden vielfach noch nicht ganz ernst genommen wurden, verschärfte sich die Lage der jüdischen Geschäftsbesitzer, weil sie ihre Kundschaft dahinschwinden sahen. Auch Juden in anderen Berufen bekamen das zu spüren. Man vermied es, mit Juden in Kontakt zu treten, geschweige denn, ihnen zu helfen, wenn es auch Ausnahmen von dieser Regel gegeben hat. Die 91jährige Großmutter Bonhoeffers war nicht die einzige, die am 1. April 1933 ruhig die SA-Posten passierte.[5] Der jüdische Geschäftsinhaber Isaac Cohen aus Nordhorn, dessen Leben von einem SA-Mann bedroht wurde, wurde damals von einem Nachbarn, der selbst Parteimitglied war, gerettet.[6] Und auch von anderen Menschen wissen wir, daß sie damals oder später Juden geholfen haben. Mit der Verkündung der Nürnberger Rassengesetze 1935 war ja ein weit größerer Kreis gefährdet. So hielt Oberst Wilhelm Staehle in seiner Berliner Dienstwohnung verschiedene Juden versteckt.[7] Der Rechtsanwalt Hans Lukaschek verschaffte ihnen Papiere, suchte ihre Deportation zu verhindern und holte bei verschiedenen Instanzen Erkundigungen ein.[8] Helmuth von Moltke verhalf Juden zur Flucht, nahm ihre geschäftlichen Interessen wahr und suchte notfalls sogar die Gestapo auf, um den Aufenthaltsort irgendeines Menschen herauszubekommen.[9] Und so hat es eine ganze Anzahl Helfender gegeben. Allein in Berlin wurden Tausende von Juden versteckt. Auf breiter Ebene setzte diese Hilfe im Herbst 1938 ein, zur Zeit der ‚Reichskristallnacht'.[10] Bei Razzien wurden überall jüdische Männer verhaftet. Dennoch wurden auch viele von ihnen gewarnt, so daß sie bei Freunden oder Fremden untertauchen konnten. Bekannten gegenüber sprach man von einem überraschenden Familienbesuch vom Lande.[11]

Verschiedene illegale Gruppen spezialisierten sich auf diese Form des Widerstandes. So etwa die 07-Gruppe in Bayern,[12] die Juden und andere Verfolgte versteckte, ihnen Lebensmittel und

Papiere besorgte und sie über die Grenze schaffte. Dasselbe geschah in den Kriegsjahren mit Kriegsgefangenen und Zwangsarbeitern. In Berlin arbeitete 1942 und 1943 die ‚Europäische Union', die die notwendigen Papiere selbst herstellte, Juden mit gefälschten Ausweisen versorgte und außer Lebensmitteln auch Lebensmittelmarken ‚organisierte'. Ein Gestapospitzel konnte sich aber in diese Organisation einschleichen, und im September 1943 wurden nahezu alle Mitarbeiter verhaftet.[13] Eine sehr aktive Gruppe im Bereich des humanitären Widerstandes war die Berliner Onkel-Emil-Gruppe.[14] Ihre Mitglieder hatten zahlreiche jüdische Freunde, von denen ein Teil schon vor der ‚Reichskristallnacht' ins Ausland ausweichen konnte. Sie halfen ihnen bei der Beschaffung der notwendigen Papiere und kümmerten sich um ihren Besitz und ihre zurückgebliebenen Angehörigen. Nach Einführung der Lebensmittelrationierung sammelten sie in ihrem Bekanntenkreis Lebensmittelmarken für diese Angehörigen. Da es zu gefährlich war, Untergetauchte über längere Zeit an ein und derselben Adresse unterzubringen, wurden diese Menschen von einer zur anderen Adresse geschleust. Manchmal verbrachten sie die eine Nacht hier, die nächste dort. Dank ‚organisierter' und gefälschter Papiere, die mit eindrucksvollen Stempeln versehen waren, kamen zahlreiche Menschen zu den notwendigen Dokumenten. Als infolge der Luftangriffe das Einwohnermeldeamt durcheinandergeriet, beantragte man Ausweise und Lebensmittelkarten für Leute, deren Häuser angeblich zerbomt waren, so daß sie alles verloren hatten. Als die Lebensmittelkarten immer rarer wurden, behalf man sich mit Einbrüchen in den Ausgabestellen. Die Onkel-Emil-Gruppe blieb bis Kriegsende aktiv und wurde nicht entdeckt.

Im März 1943 ereignete sich in Berlin noch ein merkwürdiger Auflauf. Lange Zeit waren die jüdischen Partner aus Mischehen verschont geblieben. Eines Sonntags wurden sie plötzlich abgeholt. Noch am gleichen Tag versammelten sich Tausende nichtjüdischer Frauen vor dem Gebäude in der Rosenstraße, wo man ihre Männer gefangenhielt. Stundenlang protestierten sie dort, bis die SS, die es nicht wagte, Maschinengewehre einzusetzen, diese Männer wieder freiließ.[15]

Von kirchlicher Seite wurde gegen das viele Unrecht nur selten protestiert. Wenn auch einzelne hin und wieder von einem Bischof oder Oberen gestützt wurden, ist doch leider nur allzu wahr, was der Jesuitenpater Alfred Delp einmal bekannte: Die Kirche habe angesichts dessen, was Polen und Juden angetan wurde, und angesichts der Schrecknisse in den Konzentrationslagern geschwiegen.[16] Hans Bernd von Haeften hat die Haltung der Kirche mit der des Pharisäers im Gleichnis vom barmherzigen Samariter verglichen.[17] Vielleicht hat sich dieses Schweigen am deutlichsten in jenem Augenblick manifestiert, als überall in Deutschland in der ‚Reichskristallnacht' die Synagogen brannten; Dompropst Lichtenberg aus Berlin, Pfarrer von Jan aus Württemberg sowie einige Pfarrer aus Bentheim[18] gehörten damals zu den wenigen, die öffentlich Solidarität mit ihren jüdischen Mitbürgern bekundeten. Trotz des Versagens der Kirche als Institution in diesem Punkt gab es einzelne, Geistliche und Laien, die aus eigener Initiative ihrem bedrängten Nächsten geholfen haben.

Auf evangelischer Seite wäre zunächst die Initiative für ein deutsches Hilfskomitee aus dem Kreis der deutschen Abteilung des Weltbundes der Kirchen zu erwähnen.[19] Einem der deutschen Pioniere der ökumenischen Bewegung, F. Siegmund-Schultze,[20] wurde die Vorbereitung anvertraut. Es wurden dann Verbindungen angeknüpft mit den Niederlanden, England und Schweden. Zeitweise bestand die Absicht, in Amsterdam ein Büro zu eröffnen, um den auswandernden Deutschen jüdischer Abstammung weiterzuhelfen. Wegen der Schwierigkeiten innerhalb der Evangelischen Kirchen in Deutschland hat es der Initiativkreis dann nicht gewagt, den Plan weiter zu verfolgen. Sehr aktiv auf diesem Gebiet war die kleine Gruppe der Quäker. Gemeinsam mit amerikanischen, englischen und niederländischen Quäkern wollte sie die Wahrheit über die Konzentrationslager herausfinden. In Amsterdam wurde ein Auffangzentrum für deutsche Flüchtlinge geschaffen, und im Osten der Niederlande eine deutsche Schule mit einem internationalen Schulvorstand gegründet.[21] Im September 1938 richtete die Leitung der Bekennenden Kirche ein eigenes Büro zur Hilfe für nichtarische Christen ein, später bekannt unter dem Namen ‚Büro Grüber'. Die Leitung wurde dem Berliner Pfarrer H. Grüber anvertraut. Grüber stand ein Kreis von Mitarbeiterinnen und Mitarbeitern zur Seite. In verschiedenen Teilen Deutschlands hatte er Verbindungsleute, die gefährdeten evangelischen Nichtariern zu helfen versuchten. Nach der ‚Reichskristallnacht', die schon monatelang vorbereitet worden war,[22] trat für viele ein regelrechter Notstand ein. Während einer gemeinsamen Beratung von Grüber und seinen Mitarbeitern mit englischen und deutschen Quäkern, mit der Schwägerin von Bischof Bell, Miss Livingstone, und Vertretern eines niederländischen evangelischen Hilfskomitees, wurde beschlossen, in Berlin ein zentrales Büro für die Auswanderung nichtarischer Christen zu gründen.[23] Das niederländische Komitee schickte dorthin einen ständigen Vertreter. Mit Hilfe der ausländischen Hilfskomitees, später auch des Ökumenischen Rates in Genf, konnte eine – freilich kleine – Zahl der Gefährdeten auswandern. Als die Maßnahmen des Regimes zur fast vollständigen Isolierung geführt hatten, konnte man nur noch geheime Hilfe leisten, was unter großer Selbstaufopferung geschah, wobei Berlin zum Zentrum der meisten Hilfsaktionen wurde. Sowohl Grüber wie seine nächsten Mitarbeiter und Mitarbeiterinnen landeten dafür im Konzentrationslager.

Aus evangelischen Kreisen wären in diesem Zusammenhang an einzelnen Namen noch zu erwähnen der Gefängnispfarrer Harald Poelchau aus Berlin,[24] Frau Staritz aus Breslau und Pfarrer Reimer aus Naseband.[25] Wie sich ein Gemeindekreis der Bekennenden Kirche zu einem Mittelpunkt humanitärer Hilfe für Juden entwikkeln konnte, beweist die Gruppe von Gertrud Staeven, Helene Jacobs, Melanie Steinmetz und anderen aus Berlin-Dahlem, die Juden zum Untertauchen verhalf, ihnen falsche Ausweise beschaffte und sie mit Lebensmitteln versorgte. Diese Gruppe war in den ersten Kriegsjahren aktiv, bis sie schließlich im Sommer 1943 entdeckt wurde.[25]

Auf katholischer Seite waren es vor allem Gertrud Luckner aus Freiburg, Dompropst Lichtenberg und Frau Sommer aus Berlin, die manchen Verfolgten, vor allem Juden, geholfen haben. Gertrud Luckner konnte sich dabei auf einen speziellen Auftrag der deutschen Bischöfe berufen.[27] Sie brachte Juden an sichere Orte und besaß in Süddeutschland einen ganzen Kreis von Mitarbeitern. In der Freiburger Gegend befand sich zum Beispiel ein Kloster, das als vorläufige Station zum Untertauchen diente. Von dort aus wurden die Juden über die Schweizer Grenze gebracht. Zu ihren Kontaktpersonen gehörten unter anderen der bereits erwähnte Alfred Delp aus München und der Rechtsanwalt Hans Lukaschek aus Breslau. Doch sie bekam immer mehr Schwierigkeiten mit der Gestapo, und 1943 schlossen sich hinter ihr die Tore des Konzentrationslagers Ravensbrück.

In Berlin hatten Dompropst Lichtenberg und Frau Sommer – unterstützt durch den Bischof Graf von Preysing, den einzigen der deutschen Bischöfe, der sich von Anfang an klar gegen den Nationalsozialismus und seine Praktiken gewandt hatte – ein eigenes Hilfsbüro für Verfolgte eingerichtet.[28] Lichtenberg hatte es gewagt, 1935 bei Göring gegen die Zustände im Konzentrationslager Esterwegen zu protestieren. Nach der ‚Reichskristallnacht' hatte er öffentlich für seine jüdischen Mitbürger gebetet. Trotz seines hohen Alters wurde er im Oktober 1941 verhaftet und zu 2 Jahren Gefängnis verurteilt. Kaum wieder auf freiem Fuß, wurde er erneut verhaftet und sollte nach Dachau überstellt werden. Auf dem Transport dorthin starb er.

Es fällt auf, daß die Kirchen, im Gegensatz zu ihrem Verhalten gebenüber der Judenverfolgung, sofort gegen die Tötung Geisteskranker und Invalider protestierten,[29] und zwar mit Erfolg! Wenn die Erklärung für diesen Protest darin zu suchen ist, daß hier eine Gruppe des eigenen Volkes bedroht wurde, dann zeigt diese Haltung überdeutlich, wie partikularistisch die meisten führenden kirchlichen Persönlichkeiten noch dachten. Bekannt, ja berühmt wurden die Predigten des Bischofs von Münster, Graf Galen, im Jahre 1941 zu diesem Thema, in denen er vehement gegen die ergangenen Befehle protestierte.[30] Abschriften dieser Predigt kursierten in ganz Deutschland und gelangten sogar ins Ausland. Infolge der allgemeinen Erregung und der eingegangenen Proteste sah Hitler sich gezwungen, die Aktionen noch im August 1941 einzustellen.

Während des Krieges wurde es sehr viel schwieriger, Verfolgten zu helfen. Wer dabei erwischt wurde, hatte auf Grund des Kriegszustandes mit viel härterer Bestrafung zu rechnen. Jedoch wurde in einigen Ausnahmefällen die Verfolgtenhilfe sogar von militärischer Seite unterstützt. Es ist bekannt, daß in der Wehrmacht besonders unter den älteren Offizieren, vielleicht als Nachwirkung des Kirchenkampfes, starke Reserven bestanden hinsichtlich der von der Gestapo und SS angewandten Methoden. So wurden Hans von Dohnanyi und Helmuth von Moltke in ihrem Bemühen, alles Menschenmögliche gegen verbrecherische Befehle zu unternehmen, von ihrem Chef Canaris ausdrücklich ermuntert und abgeschirmt. Über seinen Schwager Bonhoeffer erhielt Dohnanyi im Oktober 1941 aus Kreisen der Bekennenden Kirche einen Bericht über Deportationen von Juden aus Berlin und anderen Städten. Dohnanyi leitete diesen Bericht über Oster an Beck weiter, in der Hoffnung, damit die Generäle zu einem Eingreifen bewegen zu können.[31] Dohnanyi war auch an der Hilfsaktion ‚Sieben' beteiligt, bei der fünfzehn Berliner Juden mit ihren Familien als angebliche Abwehragenten in die Schweiz gebracht wurden.[32] Eine größere Zahl von Juden – mehrere Hundert – konnten durch die Aktion ‚Aquilar' gerettet werden; sie durften, wiederum als ‚Agenten' getarnt, über Spanien nach Südamerika ausreisen.[33] Helmuth von Moltke, der zur völkerrechtlichen Gruppe der Abwehr gehörte, bemühte sich, soviel er konnte, die Vorbereitung und Durchführung von verbrecherischen Befehlen für den Bereich der Wehrmacht zu verhindern, was – wenn überhaupt – meistens nur zeitweise gelang. Dabei setzte er sich auch für Geiseln und alliierte Kriegsgefangene ein, ließ die dänischen Juden vor einer von Hitler befohlenen Razzia warnen und rettete das Leben des norwegischen Bischoffs Berggrav, indem er zusammen mit Bonhoeffer im April 1942 auf dem Höhepunkt des Konflikts zwischen Besatzungsregime und Kirche nach Oslo eilte und durch Berichterstattung an Canaris eine Internierung Berggravs erreichte.[34] Das war eine jener sehr begrenzten Möglichkeiten, über die die Wehrmacht zu jener Zeit verfügte. Es bedurfte eines unglaublichen persönlichen Einsatzes, um damals solche Dinge durchzusetzen.

Eine ganz spezifische Bedeutung hat die Geschichte Kurt Gersteins.[34] Er gehört zu jenen tragischen und schillernden Gestalten, wie sie eigentlich nur in einer Zeit und Situation wie der seinigen möglich waren. Vielen ist er erst als eine der Hauptfiguren in Hochhuths ‚Stellvertreter' bekannt geworden. Ohne Zweifel sind es der Kirchenkampf und die Gleichschaltung der evangelischen Jugendorganisationen gewesen, die Gersteins Widerspruch herausforderten. Als seine Schwägerin als „Euthanasieopfer" vergast worden war, entschloß Gerstein sich, der SS beizutreten, um zu erfahren, welche Graumsamkeiten dort begangen wurden. So wurde er 1942 in Belzec und Treblinka Zeuge der Vergasung Tausender von Juden. Er lebte in der Hoffnung, daß das Bekanntwerden im Ausland die Liquidierungen aufhalten könne. Weitaus die meisten derjenigen, denen er seine Entdeckung mitteilte, weigerten sich jedoch, seine Geschichte zu glauben. Außerdem wurde er selbst immer mehr in den verbrecherischen Apparat hineingezogen. Die französischen Militärbehörden glaubten 1945 seine Geschichte nicht und betrachteten ihn sogar als einen der Organisatoren des Ausrottungssystems. Sie ließen ihn nach Paris bringen, wo er am 25. Juli 1945 Selbstmord beging. Er war der Zeit der Doppeldeutigkeit schließlich selbst zum Opfer gefallen.

Der besondere Charakter der Formen des humanitären Widerstandes brachte es mit sich, daß die meisten, die in solcher Weise Hilfe leisteten, unbekannt geblieben sind.

3. Der Widerstand der Jugend

Ebensowenig wie bei den Erwachsenen ließ sich bei der Jugend in Deutschland von einem einmütigen Widerstand gegen den Nationalsozialismus sprechen. Das war auch nicht wahrscheinlich. Jugend ist Neuem gegenüber stets aufgeschlossen, und die Jugendbewegung, die in Deutschland einen besonders starken Einfluß ausgeübt hat, trug sehr klare Züge einer Protestbewegung gegen die ältere Generation.[1] Außerdem herrschte unter den Jüngeren gleichfalls große Uneinigkeit, und die vielen Streitereien trübten den Blick für die drohende Gefahr. Daß der Nationalsozialismus eine große Gefahr darstellte, machte sich nur eine kleine Minderheit klar. Bestimmte Vorstellungen des Nationalsozialismus – der Gedanke der Volksgemeinschaft, der Dienst am Staat, den sie mit der ‚Gemeinschaft' gleichsetzten, der Appell an die Jugend – lockten viele Jugendliche an.

Im Gegensatz zum Nationalsozialismus als solchem übte die Hitlerjugend (HJ) vor 1933 nur geringe Anziehungskraft aus, und zwar deshalb, weil sie eine von Erwachsenen gegründete und geführte sowie den Richtlinien einer Partei unterworfene Organisation war; und das waren nun gerade zwei Dinge, die der Großteil der deutschen Jugend ablehnte. Man wollte einen eigenen Verband, mit dem man sich identifizieren konnte. Von Parteien hingegen erwartete man nur Uneinigkeit. Die Jugendlichen wollten die Unterschiede vielmehr durch eine geschlossene Einheit in der eigenen Gruppe überbrücken, die beispielgebend nach draußen wirken sollte. Worte wie Nation, Volksgemeinschaft und Staat besaßen für sie einen romantischen Gehalt. Diesen Umstand nützte der Nationalsozialismus auf schlaue Weise aus.

Nur eine Minderheit der deutschen Jugend hat Widerstand geleistet. Dieser aber hat nicht erst 1942 mit der Studentengruppe der ‚Weißen Rose' aus München seinen Anfang genommen. Bereits

1933 leisteten eine Menge Jugendlicher Widerstand, und damals schon gab es die ersten Opfer.[2] Regelrechte Straßenkämpfe wurden zwischen Jugendgruppen und der durch Polizei und SS verstärkten HJ ausgetragen. Ganze Gruppen wurden von der Gestapo verhaftet. Bei Neuwied befand sich sogar ein eigenes Konzentrationslager für Jugendliche unter zwanzig Jahren.

Der erste Widerstand erhob sich bei jenen, die einer politischen Jugendorganisation angehörten oder die in ihrer Gruppe die politische Entwicklung genau verfolgt hatten. Nur solche Jugendliche waren einigermaßen auf das Kommende vorbereitet. Die meisten von ihnen kamen zum Widerstand, weil ihre eigenen Organisationen verboten wurden. Viele blieben in diesem ‚pädagogischen' Widerstand stecken, aus dem sich gleichwohl bei verschiedenen Gruppen eine politische Bewußtwerdung entwickelte, welche der Widerstand der Erwachsenen kaum zu integrieren verstand. Willy Brandt wies bereits 1937 darauf hin, daß dieser Jugendwiderstand ein prächtiges Reservoir für die ganze illegale Bewegung bilde. Dieselbe Kluft zwischen Jungen und Alten, die eine Stärkung der Demokratie während der Weimarer Republik verhindert hatte, erschwerte auch während des Dritten Reiches, von wenigen Ausnahmen abgesehen, eine Zusammenarbeit.

Aus den politischen Jugendorganisationen, besonders denen der Arbeiterschaft, entwickelten sich die ersten jugendlichen Widerstandsgruppen. So organisierte eine sozialistische Widerstandsgruppe aus Frankfurt einen Fluchtweg ins Ausland für Personen, die von der Gestapo gesucht wurden. Aus benachbarten Orten nach Frankfurt gebracht, wurden sie dort bei Privatleuten ‚einquartiert' und dann über die Grenze geschafft.

In Berlin kamen Ende Februar 1933, am Tag des Reichstagsbrandes, insgeheim etwa 200 Jugendliche verschiedener Organisationen zusammen. Sie beschlossen einmütig, sich nicht mit den veränderten Verhältnissen abzufinden und den Widerstand gegen die neue Regierung nicht aufzugeben. An verschiedenen Orten formierten sich aus bestehenden Organisationen Gruppen, die sich auf illegale Aktivitäten einzustellen begannen. Eine solche Gruppe, der über 100 Jugendliche zwischen siebzehn und achtzehn Jahren angehörten, existierte zum Beispiel in Frankfurt. Es handelte sich dabei um ehemalige Mitglieder einer Jugendorganisation des Beamtenbundes. Nach der Auflösung der Gewerkschaften waren sie zusammengeblieben, hatten, in kleine Gruppen aufgeteilt, regelmäßig über politische Probleme diskutiert, unternahmen an den Wochenenden gemeinsame Fahrten und hielten sich durch sportliches Training fit. Sie besaßen ein eigenes Organ, ‚Junge Kämpfer', das an Sympathisanten verkauft wurde. Aus einem Büro ihrer aufgelösten Organisation, das von der SA bewacht wurde, entwendeten sie eine Schreibmaschine zur Herstellung von Propagandamaterial. Außerdem verbreiteten sie illegal importiertes Material, unter anderem die Zeitschrift ‚Neu Beginnen'. Weil der Vater eines der Jungen bei der Polizei arbeitete, fiel dem Sohn eine Liste mit Namen und Adressen aller Polizisten in die Hände. Diese und auch andere Gruppen erhielten nun regelmäßig Material zugesandt. Alles ging gut, bis jemand, der mit der Gruppe in Berührung gekommen war, die Gestapo auf den Fall aufmerksam machte. Diese konnte einen Teil der Gruppe verhaften, die zwei Jahre bestanden hatte.

Besonders aktiv waren Gruppen der sozialistischen Arbeiterjugend. In ihren Reihen entstand die Zeitschrift ‚Blick in die Zeit'. Sie übernahm unter anderem Artikel aus ausländischen Zeitungen, in denen über die Situation in Deutschland geschrieben wurde. Eine Zeitlang konnte dieses Blatt noch legal erscheinen. Auch bildeten sich zahlreiche Gruppen, deren Mitglieder verschiedenen Organisationen angehört hatten, etwa den Jugendorganisationen der kommunistischen und sozialdemokratischen Partei und anderen Arbeiterorganisationen. Daß ein kleiner Anlaß genügte, den Argwohn der SA oder Gestapo zu wecken, erlebte der 23jährige Anton Schmaus, Mitglied der Jugendabteilung des ‚Reichsbanners' und aktiver Teilnehmer an Aufmärschen und der Verbreitung von Propagandamaterial.[3]

Zu den Widerstandsgruppen der ersten Stunde gehörte auch die ‚Schwarze Jungmannschaft', die ihre Mitglieder in allerlei illegalen Aktivitäten schulte und ein eigenes Organ, ‚Die Unerbittlichen', besaß. Mit falschen Ausweisen versehen, konnten die Angehörigen dieser Gruppe eine ganze Menge antinazistisches Material verbreiten und herausgeben, unter anderem einen Band satirischer Gedichte. Nach einigen Monaten aber gelang es der Gestapo, verschiedene Mitglieder aufzuspüren und zu verhaften.

Als die HJ zur einzigen zugelassenen Jugendorganisation wurde, geriet eine größere Zahl von Jugendlichen in Konflikt mit dem Regime. Es begann mit der Ernennung Baldur von Schirachs zum Reichsjugendführer. Dieser erhielt damit die Verfügungsgewalt über alle Jugendorganisationen und konnte unliebsame Vereinigungen nach Belieben verbieten, was er auch bald tat. Viele Organisationen wurden aufgelöst. Durch einen Vertrag mit dem neuen Reichsbischof erreichte Schirach überdies, daß die evangelischen Jugendorganisationen ihre Aktivitäten auf rein kirchliche Angelegenheiten begrenzten. Infolge des Konkordats war eine ähnliche Begrenzung auf katholischer Seite viel schwieriger.

Das Verbot ihrer Organisationen rief bei vielen Jugendlichen einen Sturm des Protests hervor. Soweit man diese Organisationen nicht völlig verboten hatte, waren sie sozusagen freiwillig in die HJ überführt worden. Viele Mitglieder freier Jugendbünde wehrten sich gegen diese Maßnahme. Sie weigerten sich, die Uniformen und Abzeichen ihrer Organisation abzulegen und trugen sie weiterhin bei geheimen Zusammenkünften. Sie wollten nicht im größeren Ganzen aufgehen. Als zum Beispiel eine Gruppe aus Kassel erfuhr, daß ihre Organisation aufgelöst worden war, räumte sie nachts ihr Heim aus, ehe die Nazis alles mitnehmen konnten. Um gegen Schwierigkeiten gefeit zu sein, fälschte man Mitgliedsausweise der HJ und gab diese auch an andere weiter. Eines Tages sah sich die Gruppe nach einer Zusammenkunft einem Überfall der HJ ausgesetzt. Das ganze artete zu einer regelrechten Straßenschlacht aus, die sich über eine Stunde hinzog. In Kassel kam es im Winter 1934 zu einem regelrechten Aufstand gegen die HJ. Das Jugendheim und die örtliche Dienststelle gingen in Flammen auf, Dokumente und Möbel wurden auf die Straße geworfen. Verschiedene Polizeifahrzeuge, die Verstärkung herbeischafften, wurden umgestürzt. Schließlich konnten die Jungen sich gegen die Übermacht nicht mehr halten und ergaben sich. Über hundert Jugendliche wurden aufs Revier gebracht, dort verprügelt und dann nach Hause geschickt.

Vielerorts wurden Heime der HJ überfallen, die sich dann ihrerseits wieder rächte. Überdies stellte sich heraus, daß eine ganze Reihe von HJ-Mitgliedern – an manchen Orten sogar 30 Prozent – heimlich noch verbotenen Organisationen angehörten. Einige dieser illegalen Gruppen haben noch lange weiterexistiert. In Frankfurt beispielsweise schlossen sich Mitglieder freier Jugendbünde, die eine graphische Lehre durchmachten, zusammen. Sie waren 14 und 15 Jahre alt. Als einige von ihnen, der Treue zu den alten Bünden verdächtigt, von der Gestapo zum Verhör abgeholt wurden, bestärkte das ihre Ablehnung des Regimes nur umso mehr. Gemeinsam zelteten sie an Wochenenden und kamen heimlich zur Lektüre verbotener Bücher zusammen. Sie bewahrten Zeitschriften und andere Besitztümer ihrer Bünde wie Reliquien und hatten ein eigenes Organ, den ‚Fahrtenbummler'. Außerdem unterhielten sie Beziehungen zu anderen Gruppen. Aus Gründen der Vorsicht stand dabei immer nur einer in Kontakt mit einer fremden Gruppe. Dieser Verbindungsmann wiederum besaß von der anderen Gruppe auch lediglich eine einzige Kontaktadresse. Das Risiko lag in der Verhaftung des Kontaktmannes. Denn dadurch wurde die Verbindung unterbrochen. Auf diese Weise schlossen sich Gruppen aus Frankfurt, Freiburg und anderen Orten zusammen. Die Frankfurter Gruppe errichtete 1936 ein eigenes Heim in einem abgelegenen Teil des Taunus. Dorthin konnten Gruppen aus anderen Orten kommen, und dort ließen sich gefährdete Personen unterbringen. Hier trainierte man die Taktik für Gestapoverhöre und verabredete, was man unter solchen Umständen aussagen würde.

Schwieriger wurde alles, als 1936 die Zwangsmitgliedschaft bei der HJ eingeführt wurde. Schon vor dieser Zeit pflegte die HJ Jugendlichen, die noch nicht Mitglied waren, „Letzte Aufrufe“ zuzustellen, die im Falle einer Verweigerung der Mitgliedschaft vom Vater unter Nennung des Arbeitsplatzes und unter Angabe der Gründe unterzeichnet zurückgeschickt werden mußten. Wegen der damit verbundenen Konsequenzen waren die meisten, wohl auch auf Drängen ihrer Eltern, diesen Aufrufen gefolgt, und durch diesen Massenzulauf hatte sich die HJ von einem unbedeutenden Jugendverband zu einer Riesenorganisation entwickelt. Uniform, Lieder, Fahnen und Abzeichen wurden einheitlich festgelegt. An die Stelle von Fahrten in kleinen Gruppen traten Massenlager, und bald rückte eine paramilitärische Ausbildung in den Mittelpunkt. Widerstand wurde noch härter als früher bestraft. Die SS war mit zur Kontrolle eingeschaltet. Während man zunächst bestrebt war, die Jugendlichen durch die Übernahme von Bräuchen und Symbolen aus der Jugendbewegung anzulocken, wurden fremde Einflüsse nun streng ausgeschaltet. Diese Maßnahmen provozierten aber wiederum starken Widerstand. Die Jugendlichen fühlten ihre Freiheit noch mehr eingeengt. Auf die unterschiedlichsten Arten versuchten sie, sich dem zu entziehen. Sie traten erlaubten Organisationen bei, zum Beispiel Sportvereinen, und hielten weiterhin ihre geheimen Zusammenkünfte ab.

Und wie war es um die Haltung der katholischen Jugend bestellt?[4] Nach der Machtergreifung wurde die Arbeit der katholischen Jugendorganisationen von der HJ mit stillschweigender Unterstützung der Regierung zunehmend behindert. Manche Erwachsene, auch bekannte Geistliche, erwogen bereits einen Kompromiß und eine Art Föderation mit der HJ. Seitens der Jugendlichen erfolgten jedoch scharfe Proteste. Die Absicht der neuen Bewegung, alle katholischen Jugendlichen in die HJ zu locken, mißlang. Kurz darauf begannen die Überfälle, und die ersten Opfer waren zu beklagen. 1934 wurde Adalbert Probst, ein prominenter Jugendführer, von der Gestapo im Zusammenhang mit dem sogenannten Röhm-Putsch ermordet. Ansichtskarten mit seinem Porträt wurden unter der katholischen Jugend verbreitet, und man verehrte ihn als Märtyrer. In ihren Berichten sprach die Gestapo von einer wachsenden Unruhe.

Einen Brennpunkt des Widerstandes bildete die Zeitschrift ‚Junge Front', die zuletzt eine Auflage von 300000 Exemplaren erreichte.[5] Darin wurde eindeutig gegen den Nationalsozialismus und Maßnahmen des Regimes Stellung genommen. Chefredakteur der Zeitschrift war Johannes Maassen, der selbst aus dem Kreis ‚Neudeutschland', der katholischen Jugendorganisation für

Mittelschüler, stammte. Wegen seiner klaren Sprache wurde das Blatt immer wieder mit Erscheinungsverboten belegt. Nachdem Baldur von Schirach einmal geäußert hatte, die einzige junge Front Deutschlands werde von der HJ gebildet, wurde der Name in ‚Michael' umgeändert. Anfang 1936 erfolgte das endgültige Verbot. Kurz darauf wurden 50 bekannte katholische Jugendführer verhaftet. In den Jahren 1937 und 1938 wurden alle katholischen Jugendorganisationen verboten. Schon in den Jahren davor hatten sie nicht mehr öffentlich auftreten dürfen. Überall bildeten sich nun illegale Gruppen, was vor allem den Aktivitäten von Johannes Maassen zu verdanken war. Auch die Geistlichen versuchten, die Jugendlichen auf diese oder jene Weise zusammenzuhalten. Eine große Anzahl von Ministranten waren in Wirklichkeit Mitglieder illegal existierender Jugendgruppen. Eigene Jugendgottesdienste wurden stark besucht. Als der Kampf zwischen der katholischen Kirche und dem Regime immer schärfere Formen anzunehmen begann, half die Jugend, soviel sie nur konnte. Man unterstützte Verfolgte, es wurden Predigten des Bischofs Galen und andere Schriften verbreitet.

In der Frankfurter Bernhardinusgemeinde versammelte sich regelmäßig eine Gruppe von Jugendlichen im Pfarrhaus. Ihr Führer, Bernhard Becker, war ein junger Maler, der an der Kunstakademie studierte. Als einziger der 720 Studenten hatte er den Mut, sich zu weigern, eine militärische Uniform im Dienst des Nationalsozialismus zu tragen. Deshalb war ihm damals sein Stipendium entzogen worden. Becker sprach mit den Jungen über verschiedene Themen und wich dabei politischen Gesprächen nicht aus. Nach dem Verbot der katholischen Jugendorganisationen traf sich die Gruppe in Beckers Atelier. Aus ihren Gesprächen ist abzulesen, daß der etwas verschwommene und romantische Charakter des Jugendwiderstandes bei dieser Gruppe zu einer klaren politischen Einsicht gereift war. Ihnen war die Notwendigkeit eines Widerstandes gegen das Regime bewußt geworden, der es nicht bei Worten bewenden ließ. Ehe aber Taten folgen konnten, griff die Gestapo ein. Sie hatte auf irgendeine Weise von der Existenz der Gruppe erfahren, und einige Beamte hatten offensichtlich einmal an der Tür gehorcht und alles mitgehört. Ende 1937 wurde die Gruppe festgenommen. Wie ein Schwerverbrecher, an Händen und Füßen gefesselt, wurde Bernhard Becker ins Gefängnis eingeliefert. Kurz danach teilte die Gestapo seinem Bruder mit, er habe Selbstmord begangen ...

Infolge der großen Uneinigkeit innerhalb der evangelischen Kirche hatten die evangelischen Jugendlichen viel größere Mühe, ihren Standort zu bestimmen.[6] Schon bald durften ihre Organisationen sich nur noch auf kirchlichem Gebiet betätigen. Regelmäßig wurden ihre Heime von der HJ geplündert. Viele Gruppen bestanden jedoch noch illegal. Sie wurden von der Zeitschrift ‚Jungenwacht' unterstützt, die sich bis 1938 halten konnte. Eine andere wichtige Stütze war die Bekennende Kirche, die ein eigenes Jugendorgan, die ‚Junge Kirche', besaß. Vielerorts gehörten auch Jugendliche der Bekennenden Kirche an. Es wurden im Lauf der Zeit innerhalb dieser Organisation Jugendabteilungen gegründet. Im Mittelpunkt stand dabei der grundsätzliche Gegensatz zwischen Christentum und Nationalsozialismus. Die Jugendlichen verbreiteten Predigten Niemöllers und andere Schriften. Zur Gründung einer regimefeindlichen politischen Organisation kam es aber auch bei der evangelischen Jugend nicht.

Der Jugendwiderstand erhielt auch Unterstützung aus dem Ausland. Dort lebten ausgewichene Deutsche, die selbst mit der Jugendbewegung zu tun gehabt hatten und manchmal noch mit Jugendgruppen in Kontakt standen. Im Ausland wurden Zeitschriften wie die ‚Kameradschaft' verlegt, die zu illegalen Gruppen des ‚Jungnationalen Bundes' Verbindung unterhielt. Pfingsten 1935 trafen in den Niederlanden die Führer mehrerer illegaler Gruppen zusammen. Als etwa 30 Mitglieder dieser Gruppe verhaftet worden waren, wurde im Juni 1937 in Essen der Prozeß gegen diese Gruppen mit großem Tamtam inszeniert. Während des Prozesses starb plötzlich einer der Hauptangeklagten, der sich allzu tapfer verteidigt hatte.

Einer der ausgewichenen Jugendführer war Theo Hespers. Er stammte aus der katholischen Jugendbewegung. Von den Niederlanden aus baute er in verschiedenen Städten illegale Gruppen auf und brachte sie miteinander in Kontakt. Hespers war einer der Redakteure der ‚Kameradschaft', einer Zeitschrift, die an allen Grenzstationen erhältlich war. Als Treffpunkte und Verbindungsmöglichkeiten dienten Klöster entlang der Grenze, die noch aus der Zeit des Kulturkampfes stammten. Ein anderer aktiver ausgewichener Jugendführer war Karl Paetel. Aus Stockholm, Brüssel und Paris erreichten seine Schriften die Jugend in Deutschland. Auf ähnliche Weise ging Walter Hammer in Dänemark vor. Mit Kriegsbeginn und vor allem nach der Besetzung verschiedener Nachbarländer durch die deutschen Truppen brachen jedoch die meisten Kontakte zusammen.

Je länger das nationalsozialistische Regime an der Macht war, desto mehr veränderten sich die Methoden des Widerstandes von seiten der Jugend. Eine wichtige Funktion besaßen die ‚Reinhart-Briefe', die auf verschiedene Möglichkeiten des Widerstands hinwiesen und vor bestimmten Gefahren warnten. An gut sichtbaren Orten wurden Flugblätter angebracht, in denen zum Beispiel in großen Buchstaben die Lektüre einer Nazizeitung empfohlen, dazwischen aber in kleineren Buchstaben allerhand Kritik geäußert wurde. Auch mit Grammophonplatten wurde gearbeitet, die mit dem Ausschnitt einer Hitlerrede begannen, im weiteren aber einen antinationalsozialistischen Text brachten.

Vieles veränderte sich infolge des Krieges. Die älteren Jugendlichen wurden eingezogen und hielten nur noch über Rundbriefe mühsam den Kontakt miteinander aufrecht. Aber der Krieg hatte noch andere Folgen. Neue Gruppen traten an die Stelle der alten. Sie waren härter in ihrem Widerstand. Inzwischen war offenkundig geworden, welche Verbrechen das Regime begangen hatte. Einzelheiten über Vorgänge in Konzentrationslagern und über die Judenverfolgung waren bekannt geworden und hatten große Verbitterung hervorgerufen. Verschiedene Gruppen verlegten sich auf Sabotageakte und konspirierten über den Sturz des Regimes. Information verschaffte man sich durch das Abhören ausländischer Sender; Wellenlängen und Sendezeiten teilte man anderen Interessenten mit. So gab es beispielsweise die Gruppe um Herbert Baum, der auch Jugendliche jüdischer Abstammung angehörten.

Als das Regime im Frühjahr 1942 im Berliner Lustgarten eine Propagandaausstellung gegen Rußland eröffnet hatte, entschlossen sie sich zur Brandstiftung. Heftige Diskussionen darüber, ob diese Aktion den Einsatz der ganzen Gruppe wert sei und ob sich daran ausgerechnet eine jüdische Gruppe beteiligen sollte, scheinen der Aktion vorangegangen zu sein. In der Tat wurde ein Teil der Ausstellung angezündet, zwei Tage später jedoch waren alle Beteiligten verhaftet. Ganz offensichtlich war ein Spitzel am Werk gewesen.

Eine weitere Gruppe wurde 1942 von der Gestapo ausgeschaltet. Ihre wichtigste Figur war Günther Hübener, damals 17 Jahre alt. Mit zwei anderen gehörte er den Zeugen Jehovas an, einer von den Nationalsozialisten unerbittlich verfolgten Gruppe. Hübeners Bruder hatte aus Frankreich ein Radio mitgebracht, das Günther reparierte. Dabei fing er einen deutschen Sender aus London auf und verfolgte fortan dessen Berichte. Auf einer Schreibmaschine tippte er das Gehörte ab und verbreitete gemeinsam mit anderen diese Nachrichten. Die Jungen deponierten Dutzende von Blättern in Hausgängen und Briefkästen. Die Gestapo war höchst erstaunt, als sie entdeckte, daß hinter dem Ganzen 16- und 17jährige Jungen steckten. Günther selbst wurde hingerichtet, die anderen erhielten Gefängnisstrafen zwischen vier und zehn Jahren.[7]

Andere Gruppen führten den Widerstand fort. Im gleichen Jahr, in dem die obengenannten Gruppen entdeckt und zerschlagen wurden, begann die Aktivität der ‚Weißen Rose' in München.[8] Mittelpunkt der Gruppe war Hans Scholl, ein Medizinstudent. Wie so viele andere seiner Generation war er 1933, von den Parolen berauscht, Mitglied der Hitlerjugend geworden. Zunächst hatten ihm das ganze Gerede über Vaterland, Kameradschaft und Volksgemeinschaft und die mit Fahnen und Trommeln marschierenden Kolonnen imponiert. Das Verbot, nicht-deutsche Lieder zu singen, der Besuch auf einem der Nürnberger Parteitage, Gerüchte über Judenverfolgung und Konzentrationslager und die Lektüre von Predigten des Münsteraner Bischofs Graf Galen ließen jedoch allmählich Zweifel in ihm aufkommen. Über diese Dinge sprach er mit einigen anderen Studenten, von deren Zuverlässigkeit er sich überzeugt hatte. Das waren Alexander Schmorell, der Sohn eines Münchner Arztes, Christoph Probst, ein Student, der bereits verheiratet war, und Willy Graf,[9] der aus Saarbrücken kam. Sie fanden Rat und Hilfe bei Kurt Huber, einem Professor der Philosophie, in dem sie einen Regimegegner erkannt hatten. Er nahm auf ihre Einladungen hin regelmäßig an ihren Gesprächen teil.

Im Frühjahr 1942 wurden die ersten Flugzettel verbreitet. Darin wurden die Verbrechen des Hitlerregimes beim Namen genannt und angeprangert, wurde deutlich gemacht, daß das deutsche Volk durch die Vernichtung der Juden bleibende Schuld auf sich geladen hatte, und wurde die Frage nach der Apathie eines ganzen Volkes gestellt, das so etwas geschehen ließ. Schließlich wurden alle dazu aufgerufen, auf jede erdenkliche Weise passiven Widerstand zu leisten und Sabotage zu üben, um dadurch den Nationalsozialismus zu Fall zu bringen. Hans und seine Freunde gingen in ihren neuen Aktivitäten vollständig auf. Dann traf aber die Nachricht ein, daß sie wieder für mehrere Monate an die Ostfront mußten.

Nach ihrer Rückkehr beschlossen sie, ihre Aktivitäten fortzusetzen und noch intensiver als zuvor zum Widerstand aufzurufen. Ihre Zielvorstellung war, daß der Krieg beendet werden mußte. Das bedurfte jedoch sorgfältiger Planung, auch in psychologischer Hinsicht. Es mußten Flugblätter zusammengestellt werden, die die Menschen von der Notwendigkeit überzeugen sollten, daß das nationalsozialistische Regime zu verschwinden hatte. Dazu mußten an verschiedensten Orten Gruppen gebildet werden. Jede Gruppe sollte über einen Vervielfältigungsapparat und über Geld verfügen, um die Flugblätter auf dem Postweg zu versenden. Sie selbst wollten diese Aufgabe in München übernehmen. Man beschloß, Kontakt mit Bekannten in anderen Universitätsstädten aufzunehmen. Um Weihnachten 1942 traf Willy Graf einen alten Bekannten, Willy Bollinger, und dieser sagte den Aufbau einer gleichgerichteten Gruppe in Saarbrücken zu. Um den Kontakt zwischen den Gruppen zu ermöglichen, beschaffte er falsche Urlaubsscheine und Fahrtausweise. Außerdem sorgte er für Pistolen. Sein Bruder Heinz sollte in Freiburg gleichfalls eine Gruppe aufstellen. Auch mit Hamburg, Berlin und Köln wurden Kontakte geknüpft.

Es gab unter den Bekannten, die in die Pläne eingeweiht waren, auch solche, die warnten. Sie schlugen vor, so lange abzuwarten, bis das Regime zusammenbreche, und dann aktiv zu werden. So gut solche Warnungen auch gemeint sein mochten, auf die Freunde blieben sie ohne Wirkung. Ihr Plan stand fest. Vergeblich versuchte Michael Brink, ein ehemaliger Jugendführer beim ‚Neudeutschland', Kontakt zwischen dieser Gruppe und dem Kreisauer Kreis herzustellen. Er bemühte sich, ein Treffen zwischen Professor Huber und einem der Münchner Kreisauer, dem Jesuitenpater Alfred Delp, zu arrangieren, der selbst ebenfalls zum ‚Neudeutschland' gehört hatte.[10] Brink wollte dadurch verhindern, daß die Gestapo der Gruppe auf die Spur kommen würde. Das Treffen wurde jedoch mehrmals verschoben, und infolge des schnellen Reagierens der Gestapo war es schließlich zu spät. Inwieweit auch andere Kontakte dabei eine Rolle spielten, ist ungewiß. Offensichtlich hatten Alexander Schmorell und Hans Scholl Ende 1942 in Berlin ein Gespräch mit dem dem bürgerlichen Widerstand nahestehenden Polizeipräsidenten, Graf Helldorf.

Eines Tages wurde Hans gewarnt, daß die Gestapo ihm auf der Spur sei. Dennoch entschloß er sich zu bleiben, alles Weitere abzuwarten und inzwischen noch möglichst viel zu tun. Am 18. Februar gingen Hans und Sophie zur Universität. Sie hatten einen Koffer mit Flugblättern bei sich. In der Universität legten sie die Flugblätter in den Gängen aus, wo Hunderte von Studenten sie beim Vorlesungswechsel lesen konnten. Vom 2. Stock warf Sophie den Rest in den Lichthof hinunter. Doch der Hausmeister hatte sie beobachtet, schloß die Tür und alarmierte die Gestapo. Diese brachte Hans und Sophie ins Gefängnis, und dort begannen die Verhöre. Bald darauf wurden auch andere verhaftet, darunter Christoph, Willy, Alex und Professor Huber. Es gab nichts zu leugnen. Hitler ordnete einen öffentlichen Prozeß vor dem sogenannten Volksgerichtshof unter Leitung des berüchtigten Freisler an. Um kein unnötiges Aufsehen zu erregen, wurde die Gruppe in drei Teile aufgespalten. Zuerst wurden Hans und Sophie Scholl und Christoph Probst abgeurteilt. Zur zweiten Gruppe gehörten Professor Huber, Alexander Schmorell, Willy Graf und vier weitere Studenten. Besonderen Eindruck hinterließen die Worte Hubers. Die drei ersten dieser Gruppe wurden zum Tode verurteilt; drei der Studenten erhielten Gefängnisstrafen, einer wurde aus besonderen Gründen freigesprochen. Die sieben Angeklagten im dritten Prozeß, fast durchweg Studenten, wurden zu Gefängnisstrafen verurteilt. Damit waren die Aktivitäten der ‚Weißen Rose' in München beendet. Tausende mußten ihre Flugblätter gelesen haben. Ein Mitglied des Kreisauer Kreises brachte eines davon nach Berlin. Dieses Exemplar nahm Helmuth von Moltke auf einer Dienstreise mit nach Skandinavien. In Norwegen ließ er es übersetzen, und der Text wurde daraufhin in der illegalen norwegischen Presse veröffentlicht.[11] In Hamburg existierte schon länger eine aus Akademikern und Studenten gebildete Gruppe, die die Münchener Flugblätter weitergab.[12] 1944 entdeckte die Gestapo auch diese Gruppe und verhaftete 30 Mitglieder. Etwa die Hälfte von ihnen wurde noch rechtzeitig von den anrückenden Alliierten befreit.

Zwei Einzelfälle stellen schließlich das wachsende politische Bewußtsein der deutschen Jugend in den Kriegsjahren unter Beweis. Im ersten Fall handelt es sich um einen Bauernsohn aus dem Sudetenland, der im Februar 1944 hingerichtet wurde, weil er sich geweigert hatte, der SS beizutreten. Im Abschiedsbrief an seine Eltern schrieb er, er habe sich geweigert, weil er über die SS Bescheid wisse und so etwas nicht auf sein Gewissen nehmen könne.[13] Im zweiten Fall geht es um Friedrich Karl Klausing, der ursprünglich den evangelischen Pfadfindern angehört hatte, später aber in die HJ eingetreten war. Als Fähnrich machte er den Polen- und Frankreichfeldzug mit und wurde zum Offizier befördert. Wegen schwerer Verwundungen, die er in Rußland erlitten hatte, wurde er nach Deutschland versetzt. Dort traf er einen alten Freund, der ihn dazu bewegte, sich dem Widerstand anzuschließen. Er wurde Adjutant von Graf Stauffenberg, erlebte trotz Krankheit die Ereignisse des 20. Juli in der Bendlerstraße in Berlin, konnte aber nach dem Scheitern des Putsches entkommen. Da er nicht fliehen wollte und auch nicht zum Selbstmord bereit war, stellte er sich am nächsten Morgen der Gestapo, um das Los seiner Kameraden zu teilen. Am 8. August 1944 gehörte er zu der ersten Gruppe der verurteilten Militärs und wurde noch am gleichen Tag umgebracht.[14]

4. Der kommunistische Widerstand

Daß eine große Zahl von Kommunisten zu den erbittersten Gegnern des Naziregimes gehört hat, ist unbestritten. Jedoch wurde die Gefahr der nationalsozialistischen Bewegung von vielen Kommunisten lange Zeit weit unterschätzt.[1] Die Kommunisten sahen in den Sozialdemokraten, die sie als ‚Sozialfaschisten' bezeichneten, schlimmere Feinde als in den Nationalsozialisten selbst. Das hing mit der auf dem VI. Weltkongress der Komintern beschlossenen ‚Links-Orientierung' zusammen und führte auch dazu, daß die Kommunistische Partei Deutschlands, deren Wählerschaft seit 1930 erheblich angewachsen war, keinen grundsätzlichen Unterschied machte zwischen politischen Entwicklungen auf Reichsebene und der Existenz einer demokratischen Koalitionsregierung in Preußen mit den Sozialdemokraten Braun und Severing in führenden Positionen. Sie verband sich im Jahre 1931 sogar mit den Rechtsextremisten zu einer Aktion, die einen Volksentscheid gegen die Regierung in Preußen herbeiführen sollte. Damit trug die KPD zum Untergang der Demokratie in Deutschland bei. Zwar verlor sie deswegen Wählerstimmen, aber die Position der demokratischen Minderheitsregierung war erheblich untergraben. Dazu kam, daß im bürgerlichen Lager wegen der vielen Aktionen der Partei Furcht vor einem kommunistischen Aufstand herrschte. Dies war jedoch ein – auch von Kommunisten genährter – Mythos, denn die internen Verhältnisse in der KPD waren wegen der starken Mitgliederfluktuation in mancher Hinsicht instabil, und es war der Partei kaum gelungen, größere nichtkommunistische Gruppen an sich zu binden.

Wenn sich auch der eine oder andere Parteiführer 1929/30 der Gefahr bewußt wurde, die von seiten der NSDAP drohte, so schwankte die Parteiführung in ihrer Taktik doch zwischen einem ‚ideologischen' Abwehrkampf gegen die Nationalsozialisten und einer ‚nationaleren' Propaganda, deren Ziel es war, der NSDAP Wähler aus der Arbeiterbewegung abzugewinnen.

Während vor allem die kleineren Gruppen zwischen der kommunistischen und sozialdemokratischen Partei auf eine Einheitsfront gegen den Nationalsozialismus drängten, lehnten die großen Parteien dies ab. Zu spät gingen die Kommunisten, die eigentlich nur eine Einheitsfront auf unterer Ebene wünschten, auf solche Bestrebungen ein, die innerhalb der SPD besonders von Friedrich Stampfer befürwortet wurden.[2] Diese Uneinigkeit und Feindlichkeit innerhalb der Arbeiterbewegung haben wesentlich zum Sieg des Nationalsozialismus beigetragen.

Aus dem bisher Gesagten geht die Ausgangsposition der KPD am Ende der Weimarer Republik klar hervor. Nach den Landtagswahlen in Preußen im April 1932, als die Koalitionsregierung ihre Mehrheit verlor, weigerte sich die KPD, durch Stimmenthaltung eine Minderheitsregierung Braun-Severing zu tolerieren. Zwar bezeichnete man den Papen-Staatsstreich am 20. Juli 1932 als „faschistische Militärdiktatur", nannte aber die Sozialdemokratie immer noch den „aktivsten Faktor" oder die „Stütze" des Faschismus. So ist es nicht verwunderlich, daß trotz der Bemühungen der KPD, unter den Parolen „Einheitsfront" und „Antifaschistische Aktion" im Winter 1932/33 Anhänger zu gewinnen, die Voraussetzungen einfach fehlten, *gemeinsam* die wachsende nationalsozialistische Gefahr zu bekämpfen. Als von seiten der KPD am 30. Januar 1933, dem Tag der Machtübernahme Hitlers, zu einem Generalstreik und zu Massendemonstrationen aufgerufen wurde, gelang es nicht, diese Initiative zu einer gemeinsamen Abwehraktion der deutschen Arbeiterbewegung auszubauen, wenn auch an verschiedenen Orten Kommunisten und Sozialdemokraten zusammengingen.[3]

Während sich nun die Partei völlig überrascht intern auf die Illegalität vorzubereiten anfing – zahlreiche Funktionäre rechneten noch mit einer Periode der Legalität oder Halblegalität –, nutzte sie nach außen noch alle ihr verbliebenen Propagandamöglichkeiten im Hinblick auf die Märzwahlen. Als sehr nachteilig für die Partei erwies sich der Umstand, daß die politische Abteilung der Polizei ziemlich genau über Tun und Lassen der kommunistischen Führer Bescheid wußte. Bei Hausdurchsuchungen und einem Überfall im Karl-Liebknecht-Haus 1931 und 1932 waren wichtige Dokumente und fast das gesamte Archivmaterial, zu dem auch Untertauchadressen gehörten, beschlagnahmt worden.

Dann kam auch noch der Reichstagsbrand, der als Vorwand für das Verbot der Kommunistischen Partei und die Verhaftung ihrer Funktionäre diente. Außerdem fiel der Polizei ein geheimes Spionagearchiv in die Hände, und Überläufer gaben wertvolle Tips. Mehr als die Hälfte der Spitzenfunktionäre wurden verhaftet oder ermordet. In der Hauptsache betraf es Funktionäre der mittleren und unteren Parteiebene. Anfang März 1933 wurde sogar der bedeutendste Parteiführer, Ernst Thälmann, verhaftet. Der rücksichtslose Aktivismus der Partei rächte sich jetzt. Viele Funktionäre wichen auf Befehl oder aus eigenem Antrieb ins Ausland aus. Inzwischen bemühten sich einige Parteiführer, die zerstreute Partei wieder aufzubauen und Kontakte mit noch existierenden Parteiabteilungen zu knüpfen. Dabei entstanden Spannungen zwischen dem provisorischen Parteiführer, Walter Ulbricht, und John Schehr, dem Organisator der illegalen KPD. Letzterer wurde jedoch im November 1933 nach der Rückkehr von einer Moskaureise verhaftet. Der auch zum Politbüro gehörende Wilhelm Pieck, der im Sommer 1933 ausgewichen war, hatte in Paris eine Auslandsleitung aufgebaut. Andere sammelten sich in Prag, wie Ulbricht, der etwa 1936 ebenfalls nach Paris ging.

Der zentralistische Aufbau der KPD und die Verhaftung eines großen Teils des Parteikaders erschwerten den Übergang in die Illegalität. Andererseits stärkte die Märtyrerrolle, die der Partei durch den Reichstagsbrand zugefallen war, wieder ihr Ansehen. Georgi Dimitroff, ein hoher Kominternfunktionär, war kurz nach dem Reichstagsbrand unter Beschuldigung der Mittäterschaft verhaftet und im darauffolgenden Prozeß mitangeklagt worden. Es schien, als hätten die Kommunisten den mutigen Versuch gewagt, das Fanal zum Sturz des neuen Regimes zu geben. Trotz aller damit verbundenen Nachteile hielt die Partei vorläufig an ihrem zentralistischen Aufbau fest, was ein hohes Maß an Opferbereitschaft forderte. Komintern, Inland- und Auslandsleitung setzten ihre Mitglieder schonungslos ein.

Eine wichtige Funktion in der Übergangsphase vom Aktivismus zum Widerstand kam der illegalen Presse zu.[4] Bereits Ende 1932 war der Auftrag erteilt worden, Vorbereitungen zur illegalen Herstellung von Propagandamaterial zu treffen. Daraufhin war ein Produktions- und Vertriebsapparat für ganz Deutschland aufgebaut worden mit einer speziellen Abteilung, die mittels Kurieren die Verbindung zwischen den einzelnen Abteilungen und dem Ausland herstellte. Allein in Berlin besaß die KPD zehn Druckereien. Nach der Verhaftungswelle von 1933 wurde das Material vorwiegend außerhalb Berlins gedruckt. Neben dieser ‚gesteuerten' Aktivität waren eine Zahl von Abteilungen und Gruppen dazu übergegangen, selbst Material zusammenzustellen und zu vervielfältigen. Darin wurden lokale Ereignisse aufs Korn genommen, und man bemühte sich, auf unterschiedliche Weise die Unzufriedenheit anzuheizen. Dabei wurden in unzähligen Flugblättern bessere Arbeits- und Lebensbedingungen, soziale Rechte und demokratische Freiheiten gefordert. Damals war die politische Polizei Preußens hinter den Kommunisten aufgrund einer speziellen Anweisung Görings besonder her. Also forderte auch die Propagandatätigkeit viele Opfer. 1933 fanden allein in Berlin mehrere hundert Prozesse gegen Kommunisten statt.

Ein weiteres Ziel der KPD in den Jahren nach 1933 war die Erneuerung der kommunistischen Aktivität in den Betrieben. Vor 1933 war der kommunistische Einfluß in den Betrieben nicht stark gewesen. Das Gros der Parteimitglieder war arbeitslos. Die mit der KPD zusammenarbeitenden ‚Roten Gewerkschaften' hatten nur einen mäßigen Anhang. In der Illegalität sollten jetzt die Betriebe zu Zentren der illegalen kommunistischen Arbeit werden. Zuerst mußte dazu aber ein neuer Kader formiert werden. Darüber verstrich natürlich eine gewisse Zeit. Dazu kam, daß nur eine Minderheit der Kommunisten in die Illegalität gegangen war. Die anderen hatten sich mit der Niederlage abgefunden oder hatten sich Naziorganisationen angeschlossen. In den Betrieben wurden Obmänner aufgestellt, die einen Kern von Antinazis um sich sammeln sollten. Nachdem sie anfänglich versucht hatten, die noch nicht verbotenen Gewerkschaften – die allgemeine und die christliche – durch einen Zustrom von Kommunisten zu verstärken, konzentrierte man sich bald wieder auf Gründung und Ausbau der ‚Roten Gewerkschaften'. Von einer großen Aktivität konnte zunächst noch keine Rede sein. Bei den Betriebsratswahlen im März und April 1933, mit ihrem für die Nazis so vernichtenden Ergebnis, stimmten nur fünf Prozent der Arbeiter für die Listen der ‚Roten Gewerkschaften'. Noch im Sommer 1934 arbeitete erst ein Viertel der Mitglieder der illegalen KPD in Betrieben.

In der zweiten Hälfte des Jahres 1934 waren in den Reihen der KPD vereinzelt Stimmen zu hören, die für eine Einheitsfrontpolitik plädierten. Damit wurde eine Umstellung befürwortet, wie sie namentlich aus dem Kreis der ‚Revolutionären Sozialisten' unter Hinweis auf Frankreich vorgeschlagen worden war. Die Mehrheit der KPD-Führung wollte jedoch die alte Isolierungstaktik fortsetzen und war nur bereit, auf lokaler Ebene Ausnahmen zuzulassen. Immerhin wurden, angefangen mit Hessen-Frankfurt im September 1934, in mehreren Bezirken Aufrufe in diesem Sinne formuliert. Erst als die Komintern sich für diesen neuen Kurs entschied, wagte Ulbricht, sich der Minderheit anzuschließen. Eine gemeinsame Sitzung von Komintern und Politbüro der KPD im Januar 1935 in Moskau brachte dann das Ergebnis, daß die Einheitsfrontpolitik zur offiziellen Politik der Komintern und der ihr angeschlossenen Parteien wurde, wenn auch die Mehrheit der KPD-Führung noch immer auf der alten Taktik bestand. Dennoch konnte sie nicht umhin, in einer Tagung mit Funktionären aus verschiedenen Teilen Deutschlands am 30. Januar 1935 die neuen Richtlinien zu übernehmen. Etwa zur selben Zeit begannen manche Kommunisten, die Kirchen mit anderen Augen zu betrachten, und zeigten Sympathie für die Bekennende Kirche und für den katholischen Widerstand. Auffallend war, daß Kommunisten die Gottesdienste mißliebiger Geistlicher besuchten und bei der Verbreitung kirchlicher Schriften mithalfen, die sich gegen den Nationalsozialismus wandten.

Von dem Kurswechsel der Komintern war auch die Organisationsform des kommunistischen Widerstandes unmittelbar betroffen. Anstelle der zentralen Organisationen wurden kleine, als Zellen bezeichnete Gruppen gebildet, die von speziell ausgebildeten Instrukteuren geleitet wurden. Der Aufbau dieser Zellen erfolgte zunächst in den örtlichen Abteilungen, später auch in den Betrieben. Gelegentlich drang diese Aktivität auch nach außen. Als die Nazis nach drei Jahren dem Ausland demonstrieren wollten, daß ganz Deutschland hinter ihnen stehe, und mit großem Pomp die Olympischen Spiele vorbereiteten, brach bei der Auto-Union in Berlin plötzlich ein Streik aus.[5] Die Werksleitung hatte eine Kürzung der Stundenlöhne bekanntgegeben. Diese Maßnahme, die allgemeine Unzufriedenheit hervorrief, wurde von kommunistischen Obmännern als Motiv benutzt, zu einem Streik aufzurufen. Auf diese Weise wollte man den vielen in der Stadt anwesenden ausländischen Journalisten und Besuchern zeigen, daß nicht alle deutschen Arbeiter mit dem System sympathisierten. Die Polizei schirmte den Betrieb von der Außenwelt ab. Versuche, die Arbeiter zu überzeugen, halfen so wenig wie Drohungen. Als schließlich bereits ein beträchtlicher Auflauf entstanden war, weil die Arbeiter der nächsten Schicht vor den Fabriktoren standen, mußte die Werksleitung nachgeben, um zu verhindern, daß der Streik allgemein bekannt wurde. Um Situationen wie diese künftig zu vermeiden, versuchte man dann, durch die Einstellung von geheimen Gestapoagenten die Arbeiter einzuschüchtern.

Eine weitere Maßnahme der kommunistischen Parteiführung war die Auflösung der illegalen Führungsgremien in Deutschland. Ihre Aufgaben wurden von im Ausland arbeitenden Grenzstellen und Abschnittsleitungen übernommen. Sie sollten den Kontakt mit einem bestimmten Teil Deutschlands aufrechterhalten. So wurden fortan die Parteiabteilungen und Parteigruppen von Amsterdam, Straßburg, Luxemburg, Kopenhagen und Prag, später auch von Paris und Stockholm aus dirigiert, wobei das Zentralkomitee in Moskau die Koordination übernahm. So schleusten beispielsweise niederländische Kommunisten Propagandamaterial nach Deutschland, unterhielten Kontakt mit mehreren Gruppen im benachbarten deutschen Gebiet und brachten Deutsche, die

Spezialaufträge hatten oder zu einem Treff nach Holland kamen, über die Grenze. In der Grenzregion gab es Kontaktadressen, an denen Material deponiert oder Deutsche eine Zeitlang untergebracht werden konnten. Durch eine eigene Organisation wurden sie dann weiter versorgt, bis sie wieder zurückgingen.

Ein Gebiet mit vielen illegalen Grenzübergängen war das bergige und bewaldete Grenzland zur Tschechoslowakei. Hier gab es zahlreiche Möglichkeiten, unbemerkt von Patrouillen über die Grenze zu gelangen. Es war sogar eine eigene Grenzorganisation gegründet worden, die dabei Hilfe leistete. In diesem unzugänglichen felsigen Gebiet, das von Wachposten gegen unliebsame Überraschungen abgeschirmt war, wurden Flugblätter hergestellt und über die Grenze gebracht. In umgekehrter Richtung wurden Verfolgte in Sicherheit gebracht.[6]

Die Gegend um Aachen war gleichfalls ein Knotenpunkt von Fluchtwegen und Kontakten zum Ausland. In Gestapoberichten wird mehrfach darauf hingewiesen. Viel Material wurde hier eingeschmuggelt, und trotz aller Verhaftungen wurden immer wieder Kontakte geschaffen. Regelmäßig passierten Kuriere und Funktionäre die belgische Grenze. Etwa 1935/36 hat jedoch die Gestapo durch Unterwanderung und Spitzel fast den ganzen Kurierdienst mit Holland und Belgien zerschlagen. Das gleiche gilt für die Gruppen, zu denen die Kuriere gehörten. Zeitweise berichtete die Gestapo überhaupt nichts mehr über illegale KPD-Gruppen.

Als 1939 der Krieg ausbrach und ein Nachbarstaat Deutschlands nach dem anderen besetzt wurde, war eine Organisation durch Abschnittsleitungen im Ausland unmöglich geworden. Überdies waren die noch existierenden Gruppen in Deutschland ziemlich isoliert und wußten kaum etwas von Parteianweisungen. Auch herrschte in deutschen kommunistischen Kreisen Beunruhigung über den Hitler-Stalin-Pakt. Deswegen wurde der Beschluß gefaßt, in Deutschland wieder eine Inlandsleitung aufzubauen. Dabei schienen ausführliche Informationen erforderlich zu sein. Deshalb beschloß das Zentralkomitee, Vertreter in verschiedene Gegenden Deutschlands zu entsenden, um dort die nötige Aufklärung zu betreiben und den Widerstand zu organisieren. Das Ziel dabei war, Kontakte zu knüpfen, um dadurch mit der Zeit eine Führungszentrale zu schaffen. Als Willi Gall aus Kopenhagen nach Berlin kam – es war noch im Mai 1939[7] –, traf er in dem Viertel Adlershof noch eine intakte Gruppe an. Als er zum zweiten Mal dort eintraf, überraschte ihn der Krieg. Er verdeutlichte den Parteistandpunkt und forderte zu Aktionen in den Betrieben auf. Noch wirksamer als früher hoffte man sich dadurch die allgemeine Unzufriedenheit nutzbar machen zu können. Auch eigenes Propagandamaterial wurde hergestellt, später als regelmäßig erscheinende und gedruckte Zeitung, die ‚Berliner Volkszeitung', die in Hunderten von Exemplaren verbreitet wurde. Als Anfang 1940 Gall verhaftet wurde, war ein neuer Verbindungsmann nötig. Die Wahl fiel auf Wilhelm Knöchel.[8]

Knöchel war Bergarbeiter und langjähriges Mitglied der KPD. Nach einer Ausbildung in Moskau hatte er zunächst für die kommunistische Gewerkschaftsinternationale gearbeitet und 1935 in Hamburg einen illegalen Apparat aufgebaut. Als er im gleichen Jahr in das Parteipräsidium gewählt wurde, erhielt er den Auftrag, in Amsterdam ein neue Parteiführung aufzubauen. Bei den Vorbereitungen in Amsterdam fand er viel Unterstützung bei Daan Goulooze, der dort im Auftrag der Komintern einen selbständigen Apparat errichtet hatte. Über eine eigene Sende- und Empfangszentrale stand man in Kontakt mit Moskau und hielt durch Kuriere Verbindung zu mehreren westeuropäischen Hauptstädten, vor allem zum Führer jener Organisation, die unter dem Decknamen ‚Clement' in Brüssel arbeitete.

Von Amsterdam aus wurde zunächst der Kontakt zum Rheinland und von da aus schließlich auch nach Berlin gelegt, wo noch Reste bislang unentdeckter Gruppen operierten. Einige ausgewichene Deutsche kehrten nach Deutschland zurück und erhielten von Goulooze über weibliche Kuriere regelmäßig die erforderlichen Geldmittel. Anfang 1942 ging auch Knöchel nach Berlin. Über Personal der internationalen Züge und über Rheinschiffer wurde der Kontakt aufrechterhalten. Auch von Stockholm verlief – wenn auch lockerer – eine Verbindungslinie nach Berlin. Schwedische Seeleute sorgten für die Übermittlung verschiedener Berichte und Materialien aus Stockholm über Delfzijl in die Niederlande. Die Nachrichten Knöchels an Goulooze wurden von diesem nach Moskau gefunkt. Deutsche illegale Zeitungen erreichten über Delfzijl Stockholm und Moskau, so daß sie über den Rundfunk und das Blatt der Komintern regelmäßig zitiert werden konnten.

In Berlin war Knöchel sehr aktiv. Im Mai 1942 fand im Rheingebiet sogar eine Art Geheimkonferenz unter seiner Leitung statt. Moskau hielt es nun für wünschenswert, den direkten Funkkontakt zu Knöchel aufzunehmen, um so mehr, als die Verbindung Berlin–Amsterdam ziemlich häufig unterbrochen war. Einer von Gouloozes Amsterdamer Gehilfen wurde im Rahmen des ‚Arbeitseinsatzes' nach Berlin dirigiert. Arbeit, ein Zimmer und falsche Papiere hatte man ihm in Berlin beschafft. Dort kam er mit Teilen des Sendegeräts an, der Rest sollte über Rheinschiffer nachfolgen. Der Plan scheiterte jedoch, da Knöchel im Januar 1943 verhaftet wurde. Als Knöchel sich nach schwerer Folterung bereit zeigte, für die Gestapo zu arbeiten, und ein ‚Rußlandspiel' drohte, geriet der ganze Apparat in Gefahr. Aber Gouloozes Mann in Berlin schöpfte Verdacht. Unter dem Vorwand, Urlaub zu nehmen, versuchte er, in die Niederlande zurückzukehren, um die anderen zu warnen; da nahm die Gestapo ihn fest. Ende 1943 scheint noch Kontakt zwischen Gruppen in Berlin und einem Vertreter des Zentralkomitees aus Stockholm, Mewes, bestanden zu haben.[9]

Es gab aber neben dem Kominternapparat noch andere Kontakte nach Deutschland. Die sowjetrussische Regierung besaß eigene Nachrichtendienste im Rahmen einer zunächst aus Brüssel, später aus Paris gelenkten Organisation, die ihre Zweigstellen in allen westeuropäischen Ländern hatte und von Trepper, einem Polen jüdischer Abstammung, geleitet wurde. Später erhielt sie von der Gestapo den Namen ‚Rote Kapelle', unter dem sie bekannter wurde.[10] Die deutsche Abteilung – unter Leitung des Luftwaffenoffiziers Harro Schulze-Boysen und dem Beamten des Wirtschaftsministeriums Arvid von Harnack, der aus einer berühmten deutschen Familie stammte[11] – bestand aus zwei getrennten Organisationen, einer großen, die sich mit dem Widerstand in

Deutschland befaßte, und einer kleineren, die den Funkkontakt zum Ausland, unter anderem nach Moskau, hielt. In ihrer Widerstandsorganisation hatten die beiden führenden Köpfe viele Mitglieder unterschiedlichster Herkunft und Richtungen um sich geschart. Ein Gestapobericht, zusammengestellt als Prozeßgrundlage gegen über 100 verhaftete Mitglieder, spricht von mehr als 20 Prozent Berufssoldaten und Beamten, von 21 Prozent Künstlern, Schriftstellern und Journalisten, von 13 Prozent Arbeitern und Mittelständlern und von 29 Prozent Akademikern und Studenten. Sie alle waren davon überzeugt, daß das illegale Deutschland mit der Sowjetunion zusammenarbeiten müsse. Darüber wurde in kleineren Gruppen diskutiert, und es wurden Flugblätter und Broschüren verbreitet. Mit ihrem Organ ‚Die innere Front' und anderen Flugblättern versuchten sie, Verbindung zu ausländischen Arbeitern herzustellen.

Offensichtlich setzte sich im Laufe der Jahre innerhalb dieser größeren Widerstandsorganisation eine kleine Gruppe zusammen, die den Auftrag hatte, den Funkkontakt mit dem Ausland zu unterhalten. Seit 1941 scheint regelmäßiger Kontakt mit Belgien, den Niederlanden und der Sowjetunion bestanden zu haben. 1942 ortete die deutsche Gegenspionage den Brüsseler Sender, konnte dort Kontaktpersonen verhaften und war inzwischen über aufgefangene Berichte auch hinter Namen und Adressen der Berliner Gruppe gekommen. Darauf erfolgten im August zahlreiche Festnahmen. Man folterte die Häftlinge schwer, um noch andere Namen aus ihnen herauszupressen. Vom Ausmaß dieser Organisation war die Gestapo vollkommen überrascht. Hitler befahl, die große Gruppe in verschiedene kleine aufzuteilen, um unerwünschte Reaktionen in Deutschland zu unterbinden. Dutzende von Angeklagten, darunter 19 Frauen – auch die Frau Harnacks, eine Amerikanerin –, wurden zum Tod durch den Strang verurteilt. Diese stark auf die Sowjetunion orientierte Gruppe kann nur teilweise als kommunistisch gelten.

Von den in den Kriegsjahren in Deutschland existierenden kommunistischen Gruppen seien hier noch vier erwähnt: Die Gruppe von Robert Uhrig in Berlin, Theodor Neubauer und Magnus Poser in Thüringen, Georg Schumann und Otto Engert in Leipzig und Anton Saefkow, Franz Jacob und Bernhard Bästlein in Berlin. Die meisten dieser kommunistischen Führer hatten selbst zunächst jahrelang in Gefängnissen und Konzentrationslagern verbracht, ehe sie gleich nach ihrer Entlassung ihre alte illegale Aktivität wieder aufnahmen. Uhrig[12] hatte 1938 in Berlin damit angefangen und sich vor allem auf die Bildung kommunistischer Gruppen in den Betrieben konzentriert. Seit 1941 arbeitete er mit der Gruppe des ehemaligen Freikorpsführers Römer zusammen. Gemeinsam gaben sie ein eigenes Organ ‚Informationsdienst' heraus, das bis Anfang 1942 fast regelmäßig in monatlichem Abstand erschien. Die Gruppe, die 1940 etwa 100 und 1942 200 Mitglieder zählte, nahm auch mit anderen Gruppen Kontakt auf, unter anderem mit der Gruppe Schulze-Boysen und von Harnack. Aber auch mit Gruppen anderer Städte stand man in Verbindung. Anfang 1942 kam die Gestapo dieser Gruppe auf die Spur. Sie verhaftete Uhrig und viele Mitglieder, von denen einige erst 1944 hingerichtet wurden. Der Rest schloß sich der Gruppe Anton Saefkows an.

Die Gruppe Neubauer und Poser in Thüringen[13] bestand aus Mitgliedern früherer Arbeiterorganisationen, stand aber auch mit einer Gruppe der Universität Jena in Verbindung. In verschiedenen Betrieben verfügte sie über Kontaktpersonen. Sie unterhielt auch Verbindung zu einer Gruppe im Konzentrationslager Buchenwald, half mit Lebensmittelpaketen, übermittelte Propagandamaterial und schmuggelte sogar Waffen ins Lager. Die Gruppe in Leipzig, mit ihren Führern Schumann und Engert,[14] hatte ebenfalls Kontakte zu Betrieben, stand daneben aber auch mit russischen Kriegsgefangenen und ausländischen Arbeitern in Verbindung. Ihre Fühler erstreckten sich auch in andere Städte, so gab es zum Beispiel Kontakte zur Gruppe Schulze-Boysen und später zur Gruppe Saefkow in Berlin[15] sowie zu der Thüringer Gruppe. Auf diese Weise wäre allmählich von der Basis her, durch Kontakte zwischen den kommunistischen Gruppen in den verschiedenen Gebieten, wohl so etwas wie eine neue Inlandsleitung entstanden. Dieses Ziel ist aber offensichtlich nicht erreicht worden. In die Gruppe Saefkow hatte die Gestapo einen Spitzel einschleusen können, und zwar zu einem Zeitpunkt, als die Gruppe gerade mit Sozialdemokraten jener Gruppe in Verbindung gekommen war, die den Staatsstreich vom 20. Juli vorbereitete. Am 22. Juni 1944 fand im Haus eines Arztes ein erstes Gespräch zwischen den Sozialdemokraten Julius Leber und Adolf Reichwein und den Kommunisten Saefkow und Jacob statt. Es nahm auch noch ein dritter ‚Kommunist' teil, der sich später als Spitzel entpuppte. Vor dem zweiten Treffen wurden alle Teilnehmer von der Gestapo verhaftet. Die war jedoch auch vielen Mitgliedern der Gruppe Saefkow auf die Spur gekommen.[16] Zahlreiche Festnahmen folgten. Seither ist es in Berlin nicht mehr zur Bildung großer Gruppen gekommen.

Besondere Erwähnung gebührt dem Schiksal der ‚Kommunistischen Partei Deutschland (Opposition)' (KPO),[17] des sogenannten rechten Flügels der offiziellen kommunistischen Partei, der eine wichtige Rolle bei der Führung der Partei nach dem Sturz von Paul Levi gespielt hatte, später – 1928 – ausgeschlossen worden war und eine selbständige Organisation gebildet hatte. Hier zeigt sich nämlich, daß eine kleinere Gruppe mit aktiven Mitgliedern noch allerhand erreichen konnte. In der ersten Zeit nach der Machtergreifung Hitlers arbeiteten die verschiedenen Abteilungen relativ unbehelligt weiter. Bei ihnen war kaum von Überläufern die Rede, und nur Beauftragte der Parteileitung wichen nach Frankreich aus, wo sie das sogenannte ‚Auslandskomitee' (AK) bildeten. Über Kuriere stand dieses Komitee mit den Abteilungen in Deutschland in Verbindung. Die Führung lag in Händen des ‚Berliner Komitees' (BK). Es setzte sich aus drei Mitgliedern zusammen: einem politischen, einem organisatorischen und einem Gewerkschaftsfunktionär. Im Gegensatz zu den großen Arbeiterorganisationen waren nur wenige Mitglieder von den neuen Machthabern inhaftiert worden. Verschiedene Abteilungen besaßen eine Zeitlang noch eigene Organe. Bei der Arbeit gab es vor allem drei Schwerpunkte: Vermittlung von Information über das Regime und dessen Praktiken, Verbesserung der illegalen Methoden und Information über die Diskussionen innerhalb der Arbeiterbewegung in der Emigration. 1933 und Anfang 1934, vor der Röhmaffäre, zeigte man sich noch recht optimistisch und erwartungsvoll hinsichtlich der Uneinigkeit im nationalsozialistischen Lager. Besser als andere Arbeiterorganisationen wußte man sich der veränderten Lage anzupassen. Eine ungeheure Menge an Propagandamaterial wurde von den Mitgliedern dieser Organisation verbreitet, wobei man sehr umsichtig vorging. In Straßburg fanden einige Zusammenkünfte des ‚Auslandskomitees' mit Vertretern der Abteilungen statt, und das ‚Berliner Komitee' hielt zwei ähnliche Zusammenkünfte im Riesengebirge ab. Sehr aktiv waren die Abteilungen Frankfurt, Hamburg, Leipzig und Stuttgart. In mehreren Betrieben, zum Beispiel in der Berliner Metallindustrie, wurden illegale Gewerkschaftskader aufgestellt, aus denen später freie Gewerkschaften entstehen sollten. Bei dieser Arbeit, an der sich auch zahlreiche ehemalige SPD-Mitglieder beteiligten, bestand loser Kontakt zur KPD. 1935 und 1937 erfolgten zahlreiche Verhaftungen und anschließende Verurteilungen. Bewußt wurde die Zusammensetzung des ‚Berliner Komitees' regelmäßig verändert. Als bei Kriegsausbruch die Frankreichkontakte entfielen, wurde alles viel schwieriger. Man begann, mehr mit Mitgliedern anderer Arbeiterorganisationen zusammenzuarbeiten. So spielte beispielsweise der KPD-Funktionär Otto Engert eine wichtige Rolle im kommunistischen Widerstand in Leipzig.

Unzureichend ist bis heute der Einfluß der 1943 in der Sowjetunion gegründeten Organisation ‚Nationalkomitee Freies Deutschland' auf kommunistische Gruppen in Deutschland untersucht worden.[18] Wenn diese deutschen Gruppen auch manchmal sehr isoliert wirkten und von einer regelmäßigen Verbindung mit der Parteizentrale keine Rede gewesen sein wird, scheinen doch immerhin verschiedene Gruppen existiert zu haben, die sich nach dem Moskauer Vorbild ‚Freies Deutschland' nannten. So erfolgte zum Beispiel im Januar 1944 in Leipzig die Gründung einer Dachorganisation dieses Namens.[19] Vorher bestanden in kommunistischen Kreisen allerdings noch erhebliche Meinungsunterschiede hinsichtlich der Kriegsziele und des nachkriegsdeutschen Grundgesetzes. Nach der Kapitulation Stalingrads, 1943, hatte eine kommunistische Widerstandsgruppe in Köln, die großenteils aus Arbeitern bestand,[20] eine Organisation ‚Freies Deutschland' gegründet, um Unterstützung von Regimegegnern außerhalb der Reihen der Arbeiterschaft zu erhalten. Dieser Versuch war in der Tat erfolgreich, denn schon bald zählte die Gruppe über 200 Mitglieder, deren überwiegender Teil nicht der kommunistischen Partei angehörte.

In den kriegswichtigen Betrieben forderten sie zu Sabotage- und Verzögerungsaktionen auf. Soldaten wurden zur Desertion bewegt, eine Menge Propagandamaterial wurde verbreitet, man unterstützte ausländische Zwangsarbeiter und Kriegsgefangene. Die schweren Luftangriffe der Alliierten, die die deutsche Zivilbevölkerung zermürben und zum Bruch mit dem Hitlerregime bewegen sollten, hatten bekanntlich zum Gutteil einen Gegeneffekt. Auch in Köln wurde die Arbeit dieser Gruppe dadurch eher behindert als gefördert. Dazu kam, daß die Gestapo von der Existenz dieser Gruppe erfahren hatte, seit sie auf breiter Basis arbeitete. Eine steigende Zahl von Verhaftungen machte auf die Dauer die weitere Arbeit unmöglich.

Als die Rote Armee die deutsche Ostgrenze überschritten hatte, sprangen über verschiedenen Gebieten Geheimagenten per Fallschirm ab, um den kommunistischen Widerstand zu organisieren. In Mecklenburg übernahm Sobottka[21] diese Aufgabe und spielte eine wichtige Rolle bei der Kapitulation von Greifswald. Es gelang ihm, den deutschen Kommandanten über Mittelsleute dazu zu bewegen, sich zu ergeben und die Stadt nicht zu verteidigen.

In vielen deutschen Städten und Gegenden wurden während der letzten Kriegstage oder nach dem Einmarsch der Alliierten Aktionsausschüsse gebildet. Wenn auch die meisten innerhalb weniger Wochen von den Besatzungsmächten im Osten wie im Westen verboten wurden, waren sie doch in ihrer Zusammensetzung eine breite Einheitsfrontbewegung, die sich nicht auf den linken Flügel und auch nicht auf das kommunistische Lager beschränkte.[22]

5. Der sozialdemokratische Widerstand

Die Sozialdemokraten[1] betrachteten sich als die eigentlichen Verteidiger der Weimarer Republik, mit der sie sich von Anfang an identifiziert hatten. Sie hatten den Kern der paramilitärischen Organisation ‚Reichsbanner'[2] und später der ‚Eisernen Front', dem Gegenstück zu der von der NSDAP und der Hugenberggruppe gegründeten ‚Harzburger Front', gebildet. Diese Organisationen riefen zu Massendemonstrationen gegen die nationalsozialistische Gefahr auf, übernahmen den Schutz sozialdemokratischer Zusammenkünfte und Gebäude und besaßen Kerntruppen, die von früheren Reichswehroffizieren und Polizeifunktionären eine militärische Ausbildung erhalten hatten. Hie und da verfügte man sogar über Waffen, obwohl die Parteiführung Waffenbesitz verboten hatte. Bis zum Staatsstreich von Papens, der 1932 die demokratische Regierung Braun in Preußen stürzte, war auf die preußische Polizei Verlaß. Dennoch waren verschiedenen Orts Vorkehrungen für den Ernstfall getroffen worden. In Magedeburg wurde eine Organisation aufgebaut, die sich darauf vorbereitete, Bahnknotenpunkte zu besetzen, Straßen zu sperren und Telefonleitungen zu kappen, und dabei handelte es sich durchaus nicht um einen Einzelfall. In Berlin standen Studentengruppen und Mitglieder der sozialistischen Arbeiterjugend parat zum Eingreifen. Auf Drängen einzelner jüngerer Mitglieder hatte die Partei ein eigenes Funknetz aufgebaut, um beim Ausfall der normalen Verbindungen den Kontakt zwischen Partei und Abteilungen aufrechterhalten zu können. Auf einer Havelinsel bei Berlin stand dieser Sender in einem kleinen Blockhaus.

All diese Aktivitäten waren aber kaum koordiniert; die meisten Vorkehrungen wurden nicht von der Parteiführung, sondern von örtlichen Abteilungen getroffen. Ein Großteil der Mitglieder jener Organisationen, die die ‚Eiserne Front' gegründet hatten, war bereit, sich zur Verteidigung von Republik und Demokratie einzusetzen. Besonders enttäuschend war die völlige Passivität der Parteiführung. Sie trug entscheidend dazu bei, daß von Papen im Juli 1932 in Preußen seinen Staatstreich ausführen konnte, ohne auch nur einen Schuß abzufeuern. Damals wäre vielleicht noch eine Möglichkeit zum Widerstand gewesen, und es war für viele eine bittere Erfahrung, daß die Führung das Zeichen dazu nicht gab, obwohl Einheiten von ‚Reichsbanner' und ‚Eiserner Front' bereitstanden. Einige Tage zuvor hatte sich bereits auf einer gemeinsamen Zusammenkunft von Partei und Gewerkschaften abgezeichnet, daß letztere durch die Krise so geschwächt waren, daß sie sich zur Organisation eines Massenstreiks außerstande sahen. Viele ältere Parteifunktionäre konnten sich einen gewaltsamen Widerstand außerhalb des normalen parlamentarischen und grundgesetzlichen Rahmens kaum vorstellen und vertrauten auf die verfassungsmäßig garantierten Rechte.[3]

Wenn auch sogleich nach Bekanntgabe der Machtergreifung Hitlers am 30. Januar 1933 Massendemonstrationen der Arbeiter zustandekamen, zeigte sich die Führung wiederum unentschlossen. Zwar teilte sie am 31. Januar den Funktionären ihrer einzelnen Ortsgruppen mit, alles sei vorbereitet und man sei fest entschlossen, das Signal zu einer zentralen Aktion zu geben; dennoch blieb dieses Signal aus. In Erwartung dieses Zeichens wurden im ganzen Land die notwendigen Vorbereitungen getroffen. Es wurden Waffen gesammelt. Durch Massenaufzüge zeigte man, daß man nicht einfach aufgeben wollte. Am 7. Februar demonstrierten 20000 Sozialdemokraten in Berlin.[4] In Lübeck waren es am 19. Februar 15000. Der Staatsapparat stand nun aber im Dienst der Nazis, und die ersten sozialdemokratischen Führer wurden verhaftet. Unter diesen Umständen wagten die Parteiführer es nicht, das Zeichen zum Widerstand zu geben. Sie verließen sich auf die versprochenen Wahlen und hofften auf eine kurze Lebensdauer des neuen Regimes.

Als Ende März der Reichstag einberufen wurde, um der neuen Regierung auf dem Gesetzesweg Vollmachten einzuräumen, erschien die sozialdemokratische Fraktion trotz aller Warnungen in dem von SS und SA bewachten Reichstagsgebäude mit 94 Abgeordneten. Damals waren bereits 25 ihrer Mitglieder verhaftet. Sie stimmte als einzige Fraktion gegen das Ermächtigungsgesetz. Die kommunistische Partei war damals bereits ausgeschaltet. Bei dieser Gelegenheit führte der Fraktionsvorsitzende Otto Wels vor den anwesenden ausländischen Diplomaten aus, der Gesetzentwurf und das Auftreten der Regierung stehe in eklatantem Widerspruch zu allen Auffassungen von Freiheit und Recht und die Sozialdemokraten protestierten dagegen öffentlich. Das war sehr mutig.

Für die Nationalsozialisten lieferte das einen Grund mehr, die Kraft dieser Partei zu brechen. Viele ihrer Führer waren bereits festgenommen oder wurden verhaftet, sofern sie nicht ins Ausland ausweichen konnten. Im Mai wurden die sozialdemokratischen Gewerkschaften aufgelöst, die ihre Existenz durch eine organisatorische Trennung von der SPD zu retten gesucht hatten. Diese von den Nazis als Hilflosigkeit ausgelegte Maßnahme wurde mit sofortigem Verbot und Auflösung quittiert. Das gleiche Schicksal ereilte im Monat darauf die sozialdemokratische Partei. Ein Teil der Führung ging ins Ausland und versuchte von Prag aus, die Partei weiter zu lenken. Das Gros der Parteimitglieder wollte nun, da von der Führung keinerlei Zeichen zum Widerstand gekommen war, Leben und Existenz nicht aufs Spiel setzen und verhielt sich passiv. Andere versuchten, sich den neuen Verhältnissen anzupassen.

Nicht alle Parteimitglieder reagierten jedoch auf diese Weise. In einigen Fällen versuchte man auf der Grundlage der Parteiorganisation Ortsgruppen in Fünferzellen aufzuteilen. Das begann bereits 1932. So wurden im Gebiet Leipzig etwa 250 solcher Zellen gebildet. In Hannover hatten im Herbst 1932 etwa 250 Personen eine Art Lehrgang für illegale Arbeit besucht, wo sie auch darin geschult wurden, Verhöre durchzustehen. Seit August 1933 verfügte diese Gruppe, unter Führung von Werner Blumenberg, auch über ein eigenes Organ, die ‚Sozialistischen Blätter'. Dank dieser Vorbereitungen konnte sie sich bis zum Sommer 1936 halten. Als man Kontakt mit anderen Städten herzustellen suchte und der Gestapo mehrmals Exemplare der Zeitschrift in die Hände fielen, wurde das der Gruppe zum Verhängnis. Zahlreiche Festnahmen erfolgten. Reste der Gruppe arbeiteten aber weiter, auch noch während des Krieges.

Charakteristisch für die sozialdemokratische Illegalität in den ersten Jahren war die Existenz vieler Gruppen und Grüppchen, die fast keinerlei Verbindung untereinander besaßen, auf ihre Aufgabe mangelhaft vorbereitet waren und schon bald von der Geheimpolizei entdeckt wurden. Man traf sich in Kegel- und Schachklubs, in Gesangs- und Wandervereinen, und Kenner hatten wenig Mühe, den wahren Charakter dieser Art von Zusammenkünften zu durchschauen. Diese ersten illegalen Gruppen, die praktisch keine Vorstellung von dem Risiko besaßen, das sie eingingen, rechneten noch mit einem baldigen Ende des Hitlerregimes.

Die ausgewichenen Mitglieder der Parteiführung versuchten zunächst von Prag aus, nach dem Münchner Abkommen dann aus Paris und später aus London, mit Ortsgruppen und Mitgliedern in Kontakt zu bleiben. In den deutschen Nachbarstaaten wurden mit Hilfe der sozialdemokratischen Parteien dieser Länder Grenzsekretariate mit Kontaktadressen in Grenznähe eingerichtet. Ein weitverzweigter Nachrichtendienst wurde organisiert, auf den verschiedensten Wegen wurden Nachrichten aus Deutschland über die allgemeine und besondere örtliche Lage geschmuggelt, die sodann an die Presse der demokratischen Länder weitergegeben wurden. Die Genossen in Deutschland erhielten Gelder, Flugblätter und Vervielfältigungsapparate. Auch die internationale Transportarbeitergewerkschaft in Amsterdam war hierbei sehr aktiv. Verschiedentlich fanden an den Wochenenden im Ausland Besprechungen statt.[5]

In den Niederlanden war Ernst Schumacher Grenzsekretär. Sein Büro befand sich in Amsterdam. Er unterhielt mehrere Verbindungen mit Deutschland, half geflüchteten Landsleuten weiter und ließ allerhand Material nach Deutschland schmuggeln. Seine Aktivitäten wurden aber von der niederländischen Regierung schwer behindert. Sie ließ sogar verschiedene geflüchtete Deutsche wieder zurück über die Grenze schicken, wo sie von der Gestapo in Empfang genommen wurden.[6] Von einem Grenzsekretariat in Karlsbad aus wurde mit Unterstützung der tschechischen sozialdemokratischen Partei ein illegaler Parteiapparat im Gebiet von Chemnitz aufgebaut.[7]

Dem sozialdemokratischen Widerstand im weiteren Sinne können auch Gruppen zugerechnet werden, die sich durch ihren Namen und den Inhalt ihrer Flugblätter deutlich von der alten Partei distanzieren wollten. So bildete sich in Berlin der ‚Rote Stoßtrupp'[8] aus Mitgliedern der sozialdemokratischen Studentenorganisation. Anfang 1933 stießen junge sozialdemokratische Arbeiter zu dieser Gruppe. Führer dieser Gruppe waren Rudolf Küstermeier und Karl Zinn. Ihre Zeitschrift erklärte, sowohl die sozialdemokratische als die kommunistische Partei hätten aus politischen und organisatorischen Gründen Fehler begangen. Nun müsse eine neue revolutionäre Arbeiterbewegung gebildet werden, die bereit sei, aus den Fehlern der Vergangenheit zu lernen und Freiheit und Leben für die proletarische Revolution einzusetzen. Man müsse jeglicher reformistischen Politik abschwören und sich ganz neu auf die dringend notwendige revolutionäre Politik besinnen. Diese Gruppe, die sich als eine Art Sammelbecken sämtlicher aktiven Elemente verstand, rekrutierte ihre Anhänger aus allen Organisationen der Arbeiterbewegung. Es dauerte aber nicht lange, bis sie entdeckt wurde. Ende 1933 konnte die Gestapo infolge von Verrat oder Unvorsichtigkeit einige Mitglieder bei der Verteilung der Zeitschrift überraschen. Darauf folgten weitere Festnahmen, und die Gruppe wurde zerschlagen.

Eine andere von der alten Parteilinie abweichende Gruppe war ‚Neu Beginnen'.[9] Bereits 1929 hatten sich junge kritische Sozialdemokraten und Kommunisten in einer Gruppe zusammengeschlossen, um für eine Erneuerung der Arbeiterbewegung zu kämpfen. Um bei den Parteien keinen Argwohn zu erwecken, und auch im Hinblick auf die drohende nationalsozialistische Gefahr, geschah alles unter strikter Geheimhaltung. Sowohl aus der KPD wie aus der SPD wurden Gleichgesinnte angezogen. Bereits 1932 waren die Mitglieder in Fünfergruppen unterteilt worden und allerhand Maßnahmen für den Fall einer nationalsozialistischen Machtergreifung getroffen. Führung und Mitglieder konnten auch 1933 nahezu unbehelligt weiterarbeiten. In anderen Städten entstanden ähnliche Gruppen. Die Organisation trat in Verbindung zur Sozialistischen Arbeiterinternationale und richtete 1933 in Prag ein Büro ein. Karl Frank, der Leiter dieses Büros, sollte die notwendigen Gelder für die Arbeit in Deutschland beschaffen und außerhalb Deutschlands über die Verhältnisse im Dritten Reich aufklären.

Als das Programm dieser Gruppe, in Karlsbad gedruckt, unter dem Titel ‚Neu Beginnen' veröffentlicht wurde, fand es innerhalb und außerhalb Deutschlands große Aufmerksamkeit. Die scharfe Analyse der Situation innerhalb der Arbeiterwelt und die Vorschläge zur Bekämpfung des Nationalsozialismus fanden viele Sympathisanten. In Deutschland bildeten sich um eingeschmuggelte Exemplare Diskussionszirkel, die sich dieser Gruppe zuzählten. Ziel der Gruppe war es, einen illegalen Kader der Arbeiterbewegung zu bilden, Verbindungen zum Ausland aufrechtzuerhalten und Schulungen in illegaler Arbeit durchzuführen. Das alles sollte als Vorbereitung für jenen Augenblick dienen, an dem das Regime zusammenbrechen würde. ‚Neu Beginnen' war stark dezentralisiert. Die einzelnen Gruppen hatten ihre eigenen Auslandsverbindungen und wußten meistens wenig von der Existenz der übrigen. Als die SPD-Führung Ende 1934 die Zuschüsse strich, weil ihr die Gruppe zu kritisch erschien, schlugen verschiedene führende Persönlichkeiten vor, ins Ausland zu gehen und dort das Ende des Regimes abzuwarten.

Dagegen erhob sich vor allem bei der Berliner Gruppe heftiger Widerstand. Ein Teil der Führung wich ins Ausland aus, aber die Zurückgebliebenen setzten die Arbeit fort. Aus noch unbekannten Gründen konnte die Gestapo Ende 1935 einige Mitglieder verhaften. Da diese alles ziemlich harmlos darstellten und nur leichte Strafen erhielten, hemmte das zwar die Aktivität, jedoch nicht in dem Ausmaß, daß nun alles zu Ende gewesen wäre. Vergeblich drängte die Berliner Gruppe über ihren Auslandsvertreter Frank darauf, daß sich die ausgewichenen deutschen Arbeiterführer in einer Einheitsfront zusammenschließen sollten, was als Rückkoppelungseffekt einen Zusammenschluß der illegalen Gruppen in Deutschland zur Folge hätte.

Als die Schwierigkeiten, die sich auf Grund der Festnahmen ergeben hatten, wieder überwunden waren, wurde die Arbeit fortgesetzt. Man suchte Anschluß an die aus SPD- und Gewerkschaftsfunktionären bestehende ,Volksfront'-Gruppe unter Führung von Otto Brass und Hermann Brill. Die Gruppe war Anfang 1935 mit dem Ziel gegründet worden, die Betriebsratswahlen dieses Jahres dahingehend zu beeinflussen, daß ausgesprochene Nazikandidaten keine Chance erhielten. Als im Mai 1936 in Frankreich die Volksfront bei den Wahlen den Sieg davontrug und auch in Spanien eine Volksfrontregierung gebildet wurde, entschloß sich die Gruppe, jetzt auch in der Illegalität in Deutschland auf dieses Ziel hinzuarbeiten. Auf der Suche nach Unterstützung reiste Otto Brass nach Prag, wo er zwar bei der SPD-Führung auf wenig Gegenliebe stieß, aber Verbindung mit Frank, dem Kontaktmann von ,Neu Beginnen', aufnahm, der ihn über die Existenz dieser Gruppe informierte und ihn an die damaligen Leiter, Kurt Schmidt und Fritz Erler, verwies. So kam es zu einer Zusammenarbeit zwischen beiden Gruppen. 1938 wurde ein gemeinsames Programm unter dem Titel ,Deutsche Freiheit' veröffentlicht, das unter anderem die Notwendigkeit unterstrich, der ideellen Ablehnung des Regimes eine politische Form zu geben. Ehe beide Gruppen, durch gegenseitige Hilfe gestützt, ihre Aktivitäten fortsetzen konnten, wurden ihre führenden Persönlichkeiten im Herbst 1938 verhaftet. Damit zeichnete sich ihr allmähliches Ende ab. Die letzten Zellen wurden 1944 ausgeschaltet.

Andere Gruppen konnten überhaupt nicht so lange durchhalten. Der Welle illegaler Aktivitäten in den ersten Jahren war ein Strom von Verhaftungen gefolgt, der die meisten Aktivitäten beendete. So waren die Jahre 1935 und 1936 eine Periode der Stagnation. Als verschiedene sozialdemokratische Führer aus der Haft entlassen wurden, kam man gemeinsam zu der Einsicht, daß die bislang verfolgte Methode dem Gegner praktisch keine Nachteile eingetragen, sondern nur eigene Opfer gefordert hatte. Man wollte künftig in sehr kleinen Gruppen miteinander arbeiten und miteinander Kontakt halten. Die Arbeiter allein waren nicht imstande, einen Staatsstreich herbeiführen. Das Hitlerregime konnte nur mit

Hilfe der Armee vernichtet werden. Darum war es wünschenswert, Kontakte mit Gleichgesinnten aus Gruppen außerhalb des Bereichs der Arbeiterschaft und namentlich mit Persönlichkeiten aus der Armee aufzunehmen. Zu den aus Konzentrationslagern entlassenen sozialdemokratischen Führern gehörten Wilhelm Leuschner,[10] Julius Leber,[11] Carlo Mierendorff[12] und Theo Haubach.

Wie war es inzwischen den kleineren selbständigen sozialistischen Organisationen ergangen? Die größte von ihnen war die Sozialistische Arbeiterpartei (SAP),[13] die 1931 als selbständige Organisation aus Mitgliedern des linken Flügels der SPD und früheren Kommunisten entstanden war. Stets hatte sie sich für eine Einheitsfront aller Arbeiterorganisationen eingesetzt und es den großen Parteien verübelt, daß sie durch ihre vielen Gegensätze einen Sieg des Nationalsozialismus nur begünstigten. Das blieb auch nach dem Januar 1933 die Parteiauffassung. Nun konnte die SAP eine entscheidende Rolle bei der so notwendigen Erneuerung innerhalb der Arbeiterbewegung spielen. Verschiedene Funktionäre wichen im Auftrag der Partei ins Ausland aus, darunter auch der Vorsitzende der Sektion Lübeck, Willy Brandt, der nach Oslo ging. In Paris wurde eine ‚Auslandsleitung' gegründet, die im Sommer 1933 eine Broschüre mit dem Titel ‚Der Sieg des Faschismus in Deutschland und die Aufgaben der Arbeiterklasse' herausgab; darin war eine klare Analyse des Nationalsozialismus enthalten. Als kleine Organisation konnte die SAP auf die besondere Treue ihrer Mitglieder zählen, außerdem ließ sie sich leichter in kleine Gruppen (Zellen) aufteilen. Obgleich viele örtliche Funktionäre bald festgenommen wurden, unterblieben zentral gelenkte Aktionen gegen die Partei. Ihr Ruf nach einer Einheitsfront fand bei ehemaligen Mitgliedern der SPD und KPD großen Widerhall. Die Jugendabteilung war besonders aktiv, setzte aber durch einige gewagte Großaktionen ihre Existenz aufs Spiel. So wurden in der Nacht zum 1. Mai 1933 vor den Großbetrieben Dresdens Flugzettel verstreut oder über Zäune und Fabrikmauern geworfen. Für die Gestapo war es ein leichtes, das Zentrum der Aktion aufzudecken, was schließlich zur Festnahme von annähernd 100 Mitgliedern führte. In Breslau löste die Veröffentlichung einer Erinnerungsausgabe der eigenen Zeitschrift, die anläßlich des Todes des früheren Vorsitzenden in einem Konzentrationslager in 10000 Exemplaren verbreitet wurde, eine Reihe von Verhaftungen aus. In Berlin wurden durch Verrat an einem Tag die Landes-, Partei- und Jugendführung und später, ebenfalls 1933, die Abteilungsführung aufgerollt.

Aus solchen negativen Erfahrungen zogen die Abteilungen ihre Konsequenzen. Man verzichtete künftig auf Großaktionen, die Abteilungen wurden in Fünfergruppen, später in Dreiergruppen unterteilt. Nur der Gruppenleiter stand mit einer Person der nach demselben Prinzip organisierten Führung und mit einer anderen Gruppe in Kontakt. Kuriere besorgten den Kontakt mit anderen Abteilungen, mit der Führung in Berlin und, über Gruppen in den deutschen Nachbarländern, mit der ‚Auslandsleitung' in Paris. Das Propagandamaterial wurde nicht mehr in Deutschland, sondern im Ausland hergestellt und nach Deutschland geschmuggelt. Über diese Kanäle kam auch finanzielle Hilfe für die Abteilungen und für die Familien von Verhafteten. Der ‚Auslandsleitung' angehörende Funktionäre reisten sogar nach Deutschland, um beim Aufbau der illegalen Organisation zu helfen, so zum Beispiel Willy Brandt im Herbst 1936. Seit 1938 gestalteten sich die Kontakte mit dem Ausland immer schwieriger, und die organisierte Widerstandsaktivität nahm ab. Nur die Verbindung mit Schweden blieb die ganze Zeit über aufrechterhalten. Schwedische Transportarbeiter, Seeleute und Pfarrer leisteten dabei Hilfe.

Auch der von Leonhard Nelson gegründete ‚Internationale Sozialistische Kampf-Bund' (ISK)[14] hatte in den Jahren vor 1933 energisch auf eine Einheitsfront der Arbeiterbewegung gedrängt. Schon bald nach dem Januar 1933, hie und da auch früher, bereitete man sich auf das Kommende vor. Auf einem illegalen Treffen, Ostern 1933 in Berlin, wurde die Organisation offiziell aufgelöst, und man beschloß, sie illegal weiterarbeiten zu lassen. Auch sie hatte, wie die SAP, wenig unter Festnahmen zu leiden. Eine strenge Auslese bei der Aufnahme bewirkte eine starke Bindung der einzelnen Mitglieder an ihre Organisation. Vor allem Willy

Eichler hatte sich um den Aufbau der Organisation sehr verdient gemacht. Ende 1933 mußte Eichler emigrieren und baute in Paris mit weiteren ausgewichenen Mitgliedern eine ‚Auslandszentrale' auf. Bei einer Zusammenkunft in der Nähe von Amsterdam, Ende 1933, wurde das Verhältnis zwischen der ‚Auslandszentrale' und der Landesleitung geregelt. An der Spitze der Landesleitung stand Helmut von Rauschenplat. Vor allem die jüngeren Mitglieder spielten in der illegalen Arbeit eine wichtige Rolle. In Saarbrücken hatte sich eine enge Zusammenarbeit mit der Internationalen Transportarbeitergewerkschaft (ITF) entwickelt, deren Generalsekretär der Niederländer Edo Fimmen war. Beide Organisationen waren von der Notwendigkeit einer Erneuerung der Arbeiterbewegung überzeugt. Sowohl die finanzielle Unterstützung als auch die Hilfe des Apparates der ITF erwiesen sich für den ISK als außerordentlich bedeutsam. Gemeinsam wurde ein von Rauschenplat entworfenes Flugblatt mit allgemeinen Anweisungen für illegale Arbeit herausgegeben und verbreitet. Daneben stellte der ISK auch eigene Flugblätter her. Sie wurden unter dem Namen ‚Reinhart-Briefe' bekannt, weil Eichler sie mit dem Pseudonym ‚Reinhart' unterzeichnete.

Während 1933 und 1935 bereits mehrere Mitglieder inhaftiert worden waren, begann die Gestapo Ende 1937 mit einer umfassenden Aktion. Zunächst kamen die Gruppen im Rheinland an die Reihe, die 1936 mit der Führung der illegalen Organisation der Eisenbahnbeamten unter Hans Jahn Kontakt aufgenommen hatten. Dieser Kontakt war durch Vermittlung Fimmens zustandegekommen. Ende 1936 hatten zwei Vertreter der AL an einer illegalen Zusammenkunft von Eisenbahnbeamten in Arnheim teilgenommen. Man tauschte Erfahrungen über die verschiedenen Gruppen aus und kam überein, daß ein Kurier der Eisenbahnbeamten regelmäßig die ‚Reinhart-Briefe' mitnehmen würde. Aber bereits die erste Sendung wurde entdeckt, und über den Bahnbeamten kam die Gestapo auf die Spur des ISK. Eine Reihe von Festnahmen waren die Folge. Dadurch wurde der ISK seiner Führung beraubt; von organisiertem Widerstand war nun keine Rede mehr. Durch Rheinschiffer wurden noch bis Kriegsausbruch Exemplare der ‚Reinhart-Briefe' nach Deutschland geschmuggelt. Mit Beginn des Krieges im Westen, 1940, verließ Eichler Paris und wählte London als Basis, wo er sich über BBC noch regelmäßig an die Mitglieder des ISK wandte.

Durch das Amsterdamer Sekretariat der Internationalen Transportarbeitergewerkschaft (ITF) unter Edo Fimmen wurden auch illegale Aktivitäten früherer Gewerkschaftsfunktionäre stimuliert.[15] Unter den zahlreichen internationalen Organisationen war die ITF eine der wenigen, die möglichst viele illegale Aktivitäten in Deutschland gefördert hatte. Im September 1933 reiste der Leiter des ITF-Büros, Jacobus Oldenbroek, nach Deutschland, um zu sehen, was dort von den Gewerkschaften noch übrig war und wie es um die Bereitschaft zu illegaler Arbeit stand. Dabei suchte er Wilhelm Voss und Adolf Kummernuss auf, die in Stettin beziehungsweise Hamburg eine illegale Gruppe gebildet hatten. In der ersten Zeit wagte man es noch, im Gruppenverband zusammenzukommen. Oldenbroek besuchte eine Zusammenkunft der Voss-Gruppe und nahm auch an einem Treffen der Gruppe Kummernuss in Hamburg-Rahlstedt teil. Voss kam regelmäßig zu Gesprächen mit Fimmen nach Amsterdam. Man plante eine Zusammenkunft von Kontaktpersonen der verschiedenen Gruppen, mit denen die ITF in Verbindung stand.

Inzwischen war die ITF auch mit Hans Jahn, dem früheren Vorsitzenden der Gewerkschaft der Eisenbahner, in Kontakt gekommen. Jahn hatte vor 1933 zu denjenigen gehört, die eine aktivere Politik gegen den Nationalsozialismus und einen Generalstreik im Fall eines nationalsozialistischen Staatsstreichs befürworteten. Dazu hatte er alle Vorbereitungen getroffen. Aus dieser Zeit verfügte er noch über eine Reihe von Verbindungen. Ostern 1935 kamen über 30 Mitarbeiter der Gruppen von Voss, Kummernuss und Jahn auf verschiedenen Wegen nach Roskilde. An dem Treffen nahmen auch Vertreter der Transportarbeitergewerkschaften aus anderen Ländern teil. Die Teilnahme von Ausländern diente einerseits dazu, diese davon zu überzeugen, daß es auch in Deutschland noch Widerstand gab, andererseits, um den Deutschen zu beweisen, daß sie nicht im Stich gelassen wurden. Auf dieser von Fimmen geleiteten Zusammenkunft wurden Nachrichten über die Situation in Deutschland ausgetauscht, und man suchte nach Mitteln und Wegen für illegale Aktivitäten. Alle wurden zu größter Vorsicht ermahnt und auf eine lange Dauer des Hitlerregimes vorbereitet. Im Lauf des Jahres 1935 entdeckte die Gestapo aber die Gruppen von Voss und Kummernuss und verhaftete verschiedene Mitglieder. Die Gruppenaktivitäten waren damit großenteils beendet.

Der Zweite Weltkrieg verstärkte bei leitenden Persönlichkeiten des sozialdemokratischen Widerstandes die Tendenz, neue Querverbindungen herzustellen, weitere Anhänger zu gewinnen und auf Massenaktivitäten zu verzichten. Führend dabei war Wilhelm Leuschner, der von Berlin aus ein Netz von Mitarbeitern und Vertrauensleuten aufzubauen wußte. Außerdem gelang es kleinen lokalen und regionalen Gruppen, ihre Arbeit trotz ungeheurer Verluste fortzuführen, wobei sie ihre Tätigkeit ausdehnten auf Angehörige sonstiger Organisationen der deutschen Arbeiterbewegung, auf Zwangsarbeiter und Kriegsgefangene.

Aus der deutschen Arbeiterbewegung und ihren verschiedenen Organisationen stammten nicht nur die Widerstandskämpfer der ersten Stunde. Aus ihrem Lager kamen überhaupt die meisten Widerständler und Widerstandsgruppen, wie lokale und regionale Studien bestätigen.[16]

6. Die Bekennende Kirche

Noch immer ist die Annahme weit verbreitet, die Kirche als solche habe Widerstand geleistet. Das entspricht nicht den Tatsachen und kann auch von der evangelischen Kirche[1] keineswegs behauptet werden. Als ehemalige Staatskirche hing sie noch stark an nationalen Traditionen. In erdrückender Mehrheit hatten ihre Führer den Ereignissen des Januar 1933 zugejubelt. Eine starke Bindung an die Weimarer Republik hatte nie bestanden. Diese war schließlich ein Erbe der Revolution von 1918, welche das geliebte Kaiserreich und den Bund zwischen Thron und Altar zerstört hatte. Weimar wurde von manchen Protestanten in Deutschland als das Produkt des internationalen Marxismus betrachtet, gegen den sich alle wohlmeinenden konservativ-nationalen Kräfte zu stemmen hatten.[2] Mit der Machtübernahme der Regierung Hitler erhoffte man den Anbruch eines zweiten protestantischen Reiches, und in einer starken emotionalen Aufwallung, die man auch als ‚Pfarrernationalismus' bezeichnet hat, erstrebten viele eine Synthese von Volk und Kirche. Man wollte Volkskirche sein und bekannte sich zur Wiedergeburt der Nation. Vor diesem Hintergrund betrachtet, ist es eigentlich ein Wunder, daß bereits so früh, noch im gleichen Jahr 1933, eine Gegenbewegung entstand: die Bekennende Kirche. Das war durchaus keine Selbstverständlichkeit. Es waren vor allem die Maßnahmen der neuen Regierung,[3] die zu dieser Gegenbewegung führten.

Überdies verzögerten und behinderten zwei Umstände das Aufkommen dieser Bewegung. Erstens herrschten erhebliche Meinungsunterschiede hinsichtlich der erforderlichen Maßnahmen gegenüber den Nazis und ihren Handlangern innerhalb der Kirche, den ‚Deutschen Christen'. Eine große, übrigens sehr uneinige Mittelgruppe suchte den Kompromiß, war bestrebt, ihr zu radikal erscheinende Beschlüsse zu unterlaufen oder ihre Durchführung zu verhindern. Von 1933 bis 1945 gab es kaum einen Augenblick, in dem man einig zusammenstand. Gerade diese internen Gegensätze erleichterten es den Nationalsozialisten, ihren Einfluß innerhalb der Kirche zu verstärken. Dazu kam der Umstand, daß die evangelische Kirche auch organisatorisch keine Einheit darstellte, sondern eigentlich eine Föderation selbständiger Landeskirchen war, deren Entstehung auf die Zeit vor 1871 zurückging. Dadurch war es der evangelischen Kirche schon formell letztlich unmöglich, daß die Kirche als Einheit auftrat.

Auch beim kirchlichen Widerstand läßt sich ein Entwicklungsprozeß feststellen. Zunächst schien es sich nur um einen innerkirchlichen und theologischen Gegensatz, um unterschiedliche Richtungen innerhalb der Kirche zu handeln. Im Anfang hatte fast niemand daran gedacht, sich gegen den Staat – eben die Obrigkeit – zu wenden. Sprach der neue Reichskanzler nicht öffentlich aus, daß das ‚positive Christentum' eine der Grundlagen des neuen Staates sei? Besuchten SA und verwandte Organisationen nicht in geschlossenen Formationen Gottesdienste? Hie und da war von zahlreichen neuen Gemeindemitgliedern die Rede. Die Zeremonie in der Garnisonskirche von Potsdam[4] machte vor allem in diesen Kreisen tiefen Eindruck. Langsam erst dämmerte es einer Minderheit, daß es sich hier nicht nur um einen kirchlichen Gegensatz, sondern um einen Kampf zwischen Heidentum und Christentum handelte, der auch auf politischer Ebene ausgetragen werden mußte.

Schon 1932 hatten die ‚Deutschen Christen', wie die Gruppe evangelischer Nationalsozialisten hieß, von sich reden gemacht. Sie hatten sich 1932 zusammengeschlossen und gegen Ende dieses Jahres mit einer eigenen Liste an den Kirchenwahlen teilgenommen. Viel hatte das noch nicht zu bedeuten. Aber das änderte sich nach der Machtübernahme im Januar 1933. Nun forderten sie, die Kirchen sollten sich den Veränderungen im Staat anschließen, die Landeskirchen sich zu einer Reichskirche vereinigen, die nach dem Führerprinzip strukturiert und frei von Juden sein sollte. Im April 1933 hielten sie eine Konferenz ab, auf der zahlreiche Naziprominenz erschien und der Rundfunk sich an der Verbreitung ihrer

Ideen beteiligte. Ihr Leiter, Hossenfelder, forderte bei allen kirchlichen Versammlungen die Anwesenheit mindestens eines ‚Deutschen Christen'. Ende April ernannte Hitler den völlig unbekannten ostpreußischen Wehrkreispfarrer Ludwig Müller zu seinem ‚Vertrauensmann und Bevollmächtigten in Angelegenheiten der evangelischen Kirche'. Als sich die Kirchenführer, um nicht ihr Gesicht zu verlieren, zur Errichtung der Reichskirche entschlossen, wurde bei den Wahlen für einen Reichsbischof nicht Müller, sondern Friedrich von Bodelschwingh aus Bethel gewählt. Einer seiner Mitarbeiter war Martin Niemöller, der gleichfalls aus Westfalen stammte. Niemöller[5] hatte bereits einen bewegten Lebenslauf hinter sich. Als Marineoffizier war er im Ersten Weltkrieg ein erfolgreicher U-Bootkapitän gewesen. Von der neuen Republik hielt er nicht viel, und nach einem Intermezzo als Bauernknecht begann er, Theologie zu studieren. 1924 wurde er Pfarrer. Niemöller hatte gerade eine neue Gemeinde in Berlin erhalten, als von Bodelschwingh ihn zum Mitarbeiter wählte. Ein erbitterter Gegner des Nationalsozialismus war er noch nicht. Bald wurde er zu einer der zentralen Figuren des Kirchenkampfes und im Ausland zum Symbol dieser Märtyrerkirche.

Die ‚Deutschen Christen' machten sich nun deutlich bemerkbar und forderten kirchliche Wahlen, um in der Kirche die Mehrheit zu erhalten. Ihr Versuch, auch die Judenfrage in der Kirche zur Diskussion zu stellen, rief in dieser Zeit die ersten Proteste hervor. Georg Schulz verfaßte einen Aufruf; elf westfälische Pfarrer arbeiteten eine Erklärung aus, in der sie diese Forderung als Ketzerei verurteilten. Genauso verhielten sich Heinrich Vogel und Dietrich Bonhoeffer.[6] Bonhoeffer, aus einem liberalen Akademikermilieu stammend – sein Vater war ein bekannter Professor für Psychiatrie –, selbst außerordentlich begabt (mit 21 Jahren promoviert, mit 24 Jahren Universitätsdozent), hatte Theologie studiert und damit eine ganz andere Richtung als sein Vater und seine Brüder eingeschlagen. Über die Theologie kam er zur Kirche, die in dieser Familie eigentlich keine Rolle spielte. Durch berühmte Professoren geprägt, war er 1933 Dozent an der Berliner Universität und Studentenpfarrer. Gemeinsam mit einigen Studenten opponierte er dort gegen die ‚Deutschen Christen'. Denn er durchschaute schon bald die Absichten der nationalsozialistischen Machthaber. Vor allem die Maßnahmen gegen die Juden erweckten seinen Abscheu. In seinen Augen war das bereits eine ausreichende Legitimation für den kirchlichen Widerstand. Das wollten viele seiner Landsleute mit ihrem latenten Antisemitismus nicht einsehen. Es kostete ihn ungeheure Mühe, schließlich eine Minderheit von der Rechtmäßigkeit dieses Standpunktes zu überzeugen. Bonhoeffer sollte sich zu einem bedeutenden Theologen der Bekennenden Kirche entwickeln, dessen Werk auch nach dem Krieg großes Interesse fand. Bonhoeffer gehörte zu den Wenigen, die spürten, daß kirchlicher Widerstand erst ein Anfangsstadium darstellte und daß es damit nicht sein Bewenden haben durfte. Über seinen Schwager, Hans von Dohnanyi, war er mit der Gruppe von Oster in der Abwehr in Kontakt gekommen. Damit seine Auslandserfahrungen und Beziehungen auch dem Widerstand zugute kamen und er bei seiner kirchlichen Arbeit vor allzu großer Belästigung seitens der Gestapo verschont blieb, erhielt er zu Beginn des Krieges eine Anstellung als Geheimagent, als V-Mann. Mit Papieren der Abwehr konnte er ins Ausland reisen, besuchte 1941 unter anderen Barth und Visser't Hooft in der Schweiz und hatte 1942 eine Begegnung mit Bischof Bell von Chichester in Stockholm. Bei einer großen Aktion des SD gegen die Abwehr, im April 1943, wurde er verhaftet und gegen Kriegsende hingerichtet. Zweifellos ist er eine faszinierende Persönlichkeit, nicht nur wegen seiner ungewöhnlichen Laufbahn, sondern vor allem auch wegen der Entwicklung seines Denkens.[7]

Kehren wir zurück zu den Entwicklungen von 1933. Im Juli kam es in Berlin zu einem dramatischen Treffen. Am 19. Juni hielten die ‚Deutschen Christen' eine Versammlung in der Aula der Universität ab. Man erhoffte eine massenhafte Beteiligung der Studenten. Als eine Resolution zugunsten der ‚Deutschen Christen' vorgeschlagen wurde, verließen etwa 90 Prozent der Anwesenden den Saal, unter ihnen Mitglieder der NSDAP und Studenten in SA-Uniform. Einige Tage danach, am 22. Juni, benützte der Minister für kirchliche Angelegenheiten diese Auseinandersetzung als Vorwand zur Ernennung eines preußischen Regierungsbeamten, der dem Kirchenkampf ein Ende bereiten sollte. Damit hatte der Staat eingegriffen. Alle führenden Funktionäre, unter ihnen Dibelius, wurden ihrer Ämter enthoben; kirchliche Dienststellen wurden von der SA besetzt. Auf Befehl der neuen Kirchenführer mußten überall Dankgottesdienste abgehalten werden. Bodelschwingh protestierte sogleich und legte sein Amt nieder. Die abgesetzten Kirchenführer riefen zu Gebetsgottesdiensten auf. SA-Leute verhafteten als erstes Opfer des Kirchenkampfes Pfarrer Großmann aus Berlin-Steglitz, der sich geweigert hatte, dem Befehl zum Dankgottesdienst nachzukommen. An mehreren Orten widersetzten sich Pfarrer und Gemeinden der Entwicklung. Man wandte sich an Hindenburg, der bei Hitler auf Mäßigung drängte. Die Regierungsbeamten wurden zurückgezogen und die abgesetzten Geistlichen wieder in ihren Funktionen bestätigt. Scheinbar hatte sich die Opposition durchgesetzt. Inzwischen hatten die Nazis aber die Neuorganisation der Reichskirche festgelegt; sie wurde von Hitler selbst proklamiert, der darüber hinaus kurzfristig Kirchenwahlen ansetzte. Dadurch erhielt die Opposition wenig Chancen; außerdem wurde sie auf mancherlei Weise behindert. So konnten die ‚Deutschen Christen' einen großen Sieg erringen. Verschiedene Pfarrer, darunter Niemöller und Bonhoeffer, fragten sich, ob man einer solchen Kirche eigentlich noch weiter angehören könne. Ausländische Kirchenführer wie Erzbischof Eidem aus Uppsala und Bischof Bell von Chichester zeigten sich über die Entwicklung der kirchlichen Angelegenheiten in Deutschland besorgt und bemühten sich mehrfach, zugunsten der kirchlichen Opposition, also der späteren Bekennenden Kirche, zu intervenieren.

Anfang September fand in Berlin die sogenannte ‚Braune Synode' statt, zu der die Mehrzahl der Abgeordneten in Uniform erschien. Hitlers Bevollmächtigter wurde zum Landesbischof ernannt. Eine ständige Verwaltung sollte die Befugnisse der Synode übernehmen, und nichtarische Pfarrer und andere Funktionäre sollten ausgeschaltet werden. Vergeblich protestierte die Opposition. Die Vorschläge wurden diskussionslos angenommen. Unter

Führung des Präses der westfälischen Synode, Pfarrer Koch, verließen daraufhin 71 Abgeordnete den Sitzungssaal.

Einige Wochen nach diesen Ereignissen wurde ein Aufruf Niemöllers verbreitet, der selbst der Synode beigewohnt hatte; Niemöller appellierte darin an die Pfarrer, sich in einem ‚Notbund' zusammenzuschließen, und wies auf die in der Gemeinde herrschende Unruhe und auf die Unfähigkeit der Führer und Kirchenorgane hin, die Pläne der ‚Deutschen Christen' zu vereiteln. Grundlage der neuen Organisation sollten die Bibel und die reformatorischen Bekenntnisschriften sein. Ausdrücklich wurde festgestellt, daß es sich nicht mit dem Glaubensbekenntnis vereinbaren lasse, innerhalb der Kirche einen Unterschied zwischen Juden und Nichtjuden zu treffen. Das Echo auf diesen Aufruf war ungeheuer. Im Verlauf einer Woche hatten sich bereits 1300 Pfarrer Niemöller angeschlossen, und gegen Ende des Jahres waren es 6000, mehr als ein Drittel aller Pfarrer. Obwohl sich diese Zahl aus verschiedenen Gründen wieder reduzierte, blieben es bis Kriegsende etwa 5000.

Inzwischen hatte auch das Ausland gegen die Pläne der ‚Deutschen Christen' protestiert, die Kirche von Juden zu säubern. Deshalb hatte sich das Außenministerium in Berlin eingeschaltet und verlangt, daß dieser Punkt auf der bevorstehenden Synode der neuen Reichskirche in Wittenberg von der Tagesordnung gestrichen werde. Zu seiner Information wollte das Ministerium einen Beobachter auf die Synode schicken. Der ‚Notbund' hatte ein Schreiben an die Synode gerichtet, in dem er gegen die Verfolgung von Pfarrern und gegen die Judenverfolgung protestierte. Nachdem Bischof Müller auf der Synode die eingegangenen Proteste mit keinem Wort erwähnt hatte, wurden Abschriften dieses Schreibens des ‚Notbundes' verbreitet und an den Bäumen angeschlagen. Zur Enttäuschung der Mitglieder des ‚Notbundes' wurde Ludwig Müller einstimmig – auch von den Bischöfen der sogenannten noch ‚intakten' Landeskirchen Württembergs und Bayerns – zum Reichsbischof gewählt. Faktisch hatte die Reichssynode von Wittenberg damit das Werk der ‚Braunen Synode' von Preußen fortgesetzt. Über Mangel an Stoff hatte die Opposition nicht zu klagen.

Anfang November wurde Niemöller als ungeeignet für die kirchliche Erneuerung abgesetzt, nach Protesten jedoch in seinem Amt bestätigt, wiederum abgesetzt und schließlich in Pension geschickt. Mit überwältigender Mehrheit beschloß seine Gemeinde, ihm treu zu bleiben, und so predigte er weiter und verrichtete seine sonstige seelsorgerliche Arbeit wie bisher. Am 13. November fand im Berliner Sportpalast eine Demonstration der ‚Deutschen Christen' statt. 20000 Personen waren anwesend. Eindrucksvolle Fahnen wurden unter Posaunenklängen geweiht. Vor etwa 2000 Anwesenden hatte ein gewisser Krause, Synodale und überzeugter Nazi, das Alte Testament und Teile des Neuen Testaments als Aberglauben und minderwertige Lektüre bezeichnet und an ihrer Stelle den heldischen Jesus gepredigt. Keiner der Anwesenden protestierte. Dagegen erhob sich nach Bekanntwerden ein Sturm des Protests, und es waren nicht nur Mitglieder des ‚Notbundes', die so reagierten, sondern auch eine Reihe von ‚Neutralen'. Reichsbischof Müller als höchster verantwortlicher Funktionär der Kirche sah sich nun einer recht einmütigen Front gegenüber, wodurch seine Position unhaltbar wurde. Von allen Seiten forderte man seinen Rücktritt. Als Hitler, den diese Aufregung beunruhigte, 1934 eine gemeinsame Delegation der Opposition und der ‚Deutschen Christen' empfing, kam es zwar zu einem inszenierten Duell Görings und Hitlers mit Niemöller, aber niemand wagte die Frage Hitlers, ob mit dem Rücktritt Müllers die Ruhe wiederhergestellt sei, direkt zu beantworten. Noch hatte Müller gesiegt. Am gleichen Abend noch fand bei Niemöller eine Haussuchung statt, in der Hoffnung, ihn irgendeines Unrechts überführen zu können. Nach verschiedenen Versprechungen Müllers stellten sich die Führer aller Landeskirchen sogar hinter den Reichsbischof, ein beschämendes Schauspiel. In einem scharfen Protest namens des ‚Notbundes' verurteilte Niemöller diese Kapitulation und bezeichnete sie als eine Verleugnung des Evangeliums. Niemöller war in jenen Jahren einer der bedeutendsten Führer des kirchlichen Widerstandes. Bonhoeffer befand sich zu diesem Zeitpunkt in England, und andere waren noch zu kompromißbereit.

Inzwischen war es in verschiedenen Gegenden zur Bildung einer

,Freien Synode' gekommen. Die erste derartige freie Synode war im Januar 1934 in Barmen zusammengetreten. Sie hatte eine von dem Theologen Karl Barth entworfene Erklärung angenommen und ein Flugblatt über die Verfehlungen der ,Deutschen Christen' verbreiten lassen. In Westfalen hatte sich die Mehrheit der provinzialen Synode unter Führung von Pfarrer Koch geweigert, die Befehle der neuen Machthaber auszuführen. Daraufhin hatte die Gestapo die Zusammenkunft beendet. Am Nachmittag traten die meisten Synodalen, verstärkt durch Abgesandte von Gemeinden, welche den ,Notbund' unterstützten, als westfälische ,Freie Synode' zusammen. Zwei Tage darauf, an einem Sonntag, wurde in Dortmund an drei Stellen eine Massenversammlung veranstaltet, an der sich nach polizeilichen Schätzungen etwa 30000 Personen beteiligten. In anderen Orten Westfalens fanden ähnliche Versammlungen statt. Die ,Deutschen Christen' reagierten mit einer Gegenkundgebung, auf der Reichsbischof Müller sprach. Anfang März war in Berlin und Brandenburg eine freie Synode zusammengetreten. Kurz darauf wurde auch in Schlesien dazu aufgerufen.

Aus den Versprechungen, die Müller den Führern der Landeskirchen gemacht hatte, war nichts geworden. Darauf erklärten die Bischöfe Meiser und Wurm, den Kampf gegen Müller fortsetzen zu wollen. Vergebens versuchte Hitler, sie davon abzubringen. Ausführlich publizierten sie in ihren Presseorganen ihre Einwände gegen die laufende Entwicklung. Ein von Müller abgesetzter Kirchenfunktionär wurde gerichtlich rehabilitiert. Als Müller darauf einen Aussöhnungsversuch unternahm, mußte er sowohl von seiten der Deutschen Christen als auch des ,Notbundes' Kritik einstecken, und das Resultat seines Versuches war gleich Null. Neben den ,Freien Synoden' entwickelten sich als regionales Pendant zum ,Pfarrernotbund' die ,Bruderräte', welche sich schließlich zu einem ,Reichsbruderrat' zusammenschlossen. Als Reichsbischof Müller sich in die württembergische Kirchenarbeit einmischte – Bischof Wurm verantwortete sie als Landesbischof –, bewirkte er damit einen Zusammenschluß der Landeskirchen von Württemberg und Bayern mit den ,Freien Synoden'. Im April 1934 erklärten die

Führer dieser Kirchen auf einem Treffen in Ulm, daß sie sich als rechtmäßige Erben der evangelischen Kirche betrachteten.

Ende Mai trat in Barmen die erste nationale ‚Freie Synode' zusammen. 138 Abgeordnete von 19 Landeskirchen waren zugegen. Einstimmig lehnte man jegliches Verhandeln über institutionelle Fragen mit der Führung der Reichskirche ab und versagte dieser außerdem das Recht, eigenmächtige Veränderungen einzuführen. Die Synode gab drei Erklärungen ab: Ein Aufruf an die Gemeinden und ihre Mitglieder forderte zur Treue gegenüber der Bibel und den reformatorischen Bekenntnisschriften auf; eine theologische Erklärung wies auf die Offenbarung Gottes in Jesus Christus hin und verwarf andere Offenbarungen, grenzte Kirche und Staat gegeneinander ab und wehrte sich gegen das Streben nach einem totalen Staat, in dem auch die Kirche aufgehen sollte; in einer juristischen Erklärung wurden die Gründe für das Handeln der Synode dargelegt. Dies Treffen in Barmen bildete einen Höhepunkt des Kirchenkampfes. Trotz aller Unterschiede hatten sich Personen verschiedener Richtungen im Kampf gegen die drohende Gefahr zusammengeschlossen. Die berühmt gewordene theologische Erklärung erteilte eine klare Antwort auf die von den ‚Deutschen Christen' vorgebrachten Fragen und Meinungen. Inwieweit diese Erklärung als Form eines aktuellen Bekenntnisses gelten kann, wird bis zum heutigen Tag diskutiert. Daß sie diese Bedeutung in den Jahren des Dritten Reiches hatte, steht jedoch außer Frage.

Wie reagierte die Gegenpartei? Gegen verschiedene Synodalen wurden Maßnahmen eingeleitet; außerdem berief die Führung der Reichskirche eine Nationalsynode nach Berlin ein, wobei eigenmächtig 27 bestellte Abgeordnete ersetzt wurden. Nachdem man auf diese Weise die Opposition mundtot gemacht hatte, wurden auf der Synode eine Reihe von Veränderungen beschlossen, wogegen die anwesenden Oppositionellen vergeblich protestierten. Nun mußten nur noch die ‚intakten' Landeskirchen von Württemberg und Bayern zerschlagen werden, dann war auf kirchlichem Gebiet die Gleichschaltung vollzogen. Zunächst wurden die Berliner Beschlüsse als auch auf die Landeskirchen anwendbar erklärt, wogegen die Landesbischöfe Protest einlegten. Unerwartet erschien daraufhin der Jurist der Reichskirche, Jäger, in Stuttgart. Bischof Wurm habe Kirchengelder veruntreut. Noch am gleichen Tag wurde Wurm vom Reichsbischof entlassen. Andere Entlassungen folgten; der Reichsbischof setzte einen kirchlichen Kommissar ein, der vorläufig die Amtsgeschäfte führen sollte. Die Mehrzahl der Pfarrer und Kirchenmitglieder weigerten sich aber, seinen Anweisungen zu folgen. Es kam zu Demonstrationen und Petitionen für Wurm. Darauf wurde Wurm unter Hausarrest gestellt. Durch ein eigenes Reichsgesetz wurden institutionelle Veränderungen möglich. Eine nur aus ‚Deutschen Christen' bestehende ‚Landessynode' verfügte Wurms Pensionierung. Der Reichsbischof und prominente ‚Deutsche Christen' sprachen auf zahlreichen Versammlungen, an denen verschiedene Naziorganisationen geschlossen teilnehmen mußten. Trotz allen Drucks und Terrors blieb der Widerstand jedoch stark. Es kam zu wiederholten Demonstrationen vor der Wohnung des entlassenen Bischofs. Gleichzeitig war in Bayern eine ähnliche Aktion gegen Bischof Meiser angelaufen. Hier wurde der Angriff von Gauleiter Julius Streicher eröffnet, der einen bestellten Leserbrief an eine Nürnberger Zeitung hatte schicken lassen. Dadurch war man hier besser auf das Kommende vorbereitet, da ein Angriff aus dieser Richtung eine fast geschlossene Gegenfront erzeugte. Aufs ganze gesehen aber entwickelten sich die Dinge in Bayern auf dieselbe Weise. Auch hier hielten die meisten Pfarrer ihrem Landesbischof die Treue und weigerten sich, den Kommissar anzuerkennen. Überall, wo Meiser sich blicken ließ oder predigte, strömten die Menschen zusammen und kam es zu Kundgebungen. Daraufhin wurde er ebenfalls unter Hausarrest gestellt. Da die bayerischen Autoritäten vorher nicht von Berlin informiert worden waren, eröffneten sich hier der Opposition mehr Möglichkeiten. Abgesandte aus den protestantischen Gebieten Bayerns reisten nach München, um zu protestieren und zu demonstrieren. Am 21. Oktober lief in München sogar ein Sonderzug aus Nürnberg ein, voll mit singenden und protestierenden Nürnbergern. Selbst nach Berlin wurden Delegationen entsandt. Wer würde gewinnen? Unerwartet kam aus Berlin die Mitteilung, daß Jäger seine Funktion niedergelegt habe, und Wurm und Meiser wurden zu einer Unterredung mit Hitler eingeladen.

Ungefähr gleichzeitig war in Berlin-Dahlem die zweite nationale ‚Freie Synode' zusammengetreten. Der ‚Reichsbruderrat' sandte einen Brief an die Gemeinden in Württemberg und Bayern, in welchem er diese zum Durchhalten und zur Unterstützung ihrer Bischöfe aufforderte. Diese Synode verkündete das kirchliche Notrecht und brach endgültig mit der Reichskirche und dem Reichsbischof. Alle Pfarrer und Gemeindeglieder wurden aufgerufen, den Anweisungen der Reichskirchenführung keinen Gehorsam mehr zu leisten.

Im Verlauf des Gesprächs mit den freigelassenen Bischöfen Wurm und Meiser hatte Hitler durchblicken lassen, daß ihn nichts an Reichsbischof Müller binde. Daraufhin hatten die Führer der Landeskirchen, soweit sie der kirchlichen Opposition angehörten, in einem Schreiben an Innenminister Frick die Entlassung Müllers gefordert. Müller selbst wollte indessen von Rücktritt nichts hören und wurde zunächst noch von seinen Oberen gedeckt. Er versuchte sich zwar unter dem Eindruck der juristischen Rückendeckung, die verschiedene seiner Gegner vor Gericht erhalten hatten, etwas zurückzuhalten: Bestimmte Maßnahmen wurden widerrufen. In Bayern, Württemberg und Hannover wurden die Landesbischöfe wieder in ihren Ämtern bestätigt. Dennoch bedurfte es in Württemberg noch zweier Gerichtsurteile, ehe die vom Reichsbischof eingesetzten Kommissare ihre Plätze räumten. In den Kreisen der Bekennenden Kirche bedauerte man vielfach, daß die Landesbischöfe ihre Funktionen wieder übernahmen, anstatt ihre Landeskirche zur ‚Freien Kirche' zu proklamieren.

Inzwischen war das Präsidium der nationalen ‚Freien Synode' auf dem Wege zur Schaffung eigener kirchlicher Organe fortgefahren. In einem Aufruf forderte es die Gemeinden auf, mit der Reichskirche zu brechen und der Freien Synode zu folgen. Der ‚Reichsbruderrat' und die Landesbischöfe von Württemberg, Bayern und Hannover bildeten im November 1934 eine vorläufige fünfköpfige Kirchenleitung, der auch Landesbischof Marahrens von Hannover angehörte. Von Anfang an hatten diese Männer eine schwere Aufgabe übernommen. Reichsbischof Müller stellte sich sofort gegen sie. Ein Gerichtsurteil gab der vorläufigen Führung aber die nötige juristische Grundlage. Laut Anordnung des Innenministers durften die kirchlichen Organe nur solche Mitteilungen oder Artikel zu kirchlichen Fragen publizieren, die von der Leitung der Reichskirche abgesegnet waren. Dadurch sah sich die Bekennende Kirche schon bald genötigt, ihre Beschlüsse, Predigten und andere Schriften illegal zu verbreiten. Seitens des Staates wurde zwar offiziell verlautbart, daß man sich nicht in den Kirchenstreit einmischen wolle, in der Praxis aber wurde die Situation für die Bekennende Kirche immer schwieriger. In verschiedenen Briefen protestierte die ,Vorläufige Kirchenleitung' gegen staatliche Einmischung in den kirchlichen Bereich. Da der Staat sie nicht anerkennen wollte, wurde sie immer mehr in die Illegalität gedrängt. Eine große Gruppe verhielt sich noch immer kompromißbereit, aber Hitler war daran nicht sehr interressiert. Andererseits sah auch Müller keine Chance für eine Verbesserung seiner Position. Dennoch waren auch innerhalb der kirchlichen Opposition die Unterschiede groß geblieben. Die ,Freien Synoden', die sich in einer wesentlich schwierigeren Lage als die intakten Landeskirchen befanden, durchschauten die nationalsozialistischen Maßnahmen früher und klarer. Sie zählten nicht mehr darauf, mit diesem Staat je zu einem Ausgleich gelangen zu können – ein Ziel, das den Landeskirchen vorschwebte. Letztere betrachteten den Streit nur unter rein religiösem Aspekt, während sich in den ,Freien Synoden' bereits eine Entwicklung hin zum Widerstand wahrnehmen ließ.[8] Dieser Unterschied erschwerte die Zusammenarbeit. So traten Niemöller und einige weitere Mitglieder im November 1934 aus dem ,Reichsbruderrat' aus, weil sie fürchteten, die vorläufige Leitung steuere Kompromisse an und wolle die Basis von Barmen und Dahlem verlassen. In einem Brief an den ,Reichsbruderrat' wies Niemöller darauf hin, daß trotz einiger Verbesserungen der kirchlichen Situation noch zahlreiche Pfarrer suspendiert, versetzt oder entlassen seien, daß dem Bruderrat angehörende Pfarrer mit hohen Geldstrafen belegt und daß bestimmten Gemeinden Subventionen vorenthalten würden.

Durch den Austritt Niemöllers und seiner Anhänger drohte ein Bruch zwischen dem ‚Reichsbruderrat', der sich eng mit Niemöller verbunden fühlte, und der vorläufigen Führung. Um dies zu vermeiden, wurde ein ausführliches Gespräch anberaumt, auf Grund dessen beide Organisationen im März 1935 enger zusammenrückten. Nachdem darauf das Verhältnis zwischen der ‚Vorläufigen Kirchenleitung' und der nationalen ‚Freien Synode' geregelt war, erkannten die Bruderräte die ‚Vorläufige Kirchenleitung' an, und Niemöller und seine Leute kehrten wieder in den ‚Reichsbruderrat' zurück. Gleichzeitig stand ein neuer Konflikt mit dem Staat bevor, als der Innenminister es untersagte, den Inhalt einer von der ‚Freien Synode' Preußens verfaßten Kanzelverkündigung zu verbreiten. Von jedem Pfarrer wurde die Zusage verlangt, daß er sich an diesen Befehl halten werde. Im Falle der Weigerung drohten Hausarrest oder Verhaftung. Besonders die Passage über das Verhältnis der Kirche zu Volk und Staat hatte das Mißfallen der Nazis erregt. In ihr wurde die Auffassung, daß die Obrigkeit ihre Macht nicht von Gott erhalten habe, sondern daß Blut, Rasse und Volkstum die entscheidenden Grundlagen seien, verworfen und gegen die totalitären Ansprüche des Staates protestiert: Gerade weil Gottes Wort nicht nur Grundlage jeglicher Autorität sei, sondern auch deren Grenzen umschreibe, sei es unrecht, die Menschen in ihrem Gewissen zu binden, wie das die heutige Autorität verlange. 500 Pfarrer, die den Text von der Kanzel verkündet hatten, wurden verhaftet. Als zahlreiche Proteste beim Ministerium eingingen, wurden die meisten Pfarrer wieder auf freien Fuß gesetzt. Bei einer Besprechung im Ministerium konnte man durchsetzen, daß der Text doch verlesen werden durfte, wenn auch mit dem Zusatz, daß darin nur die heidnischen Auffassungen Rosenbergs und nicht die Regierungspolitik angegriffen würden. Dennoch blieben die Regierungsinstanzen mißtrauisch, und im Sommer 1935 griff die Polizei häufig ein. 27 Pfarrer wurden in ein Konzentrationslager eingeliefert. Mit immer größeren Schwierigkeiten mußten auch die Führer der kirchlichen Jugendverbände rechnen. Erziehung war Staatsangelegenheit, und soweit die Jugendverbände noch existieren durften, hatten sie sich auf kirchliche Dinge zu beschränken. Von kirchlicher Seite wurde diese Auffassung zurückgewiesen. Darauf traten zahlreiche Nazifunktionäre und HJ-Führer aus der Kirche aus.

Immer klarer zeichnete sich ab, daß es sich nicht nur um einen innerkirchlichen Gegensatz handelte; immer häufiger tastete der Staat mit seinen Gesetzen das Bestehen der Kirche an. So wurden zum Beispiel 1935 auf dem Gesetzesweg die lokalen und regionalen kirchlichen Instanzen unter staatliche Kontrolle gebracht, wurde der Bekennenden Kirche verwehrt, die Gerichte anzurufen, und wurde ein Ministerium für kirchliche Angelegenheiten geschaffen, wodurch man eine eigene Organisation der Bekennenden Kirche vereitelte.

Damit wurde die Lage der deutschen Protestanten immer prekärer. Man hatte stets gelernt, der Obrigkeit und ihren Gesetzen untertan zu sein. Mußte man diese Haltung jetzt revidieren? Die meisten wollten trotz der evidenten Unrechtsmaßnahmen der Regierung nicht einsehen, daß der wahre Gegner, den es zu bekämpfen galt, der Staat war. Vor diesem Schritt scheuten die meisten zurück. Immerhin übergab die ‚Vorläufige Leitung', ein Zusammenschluß der radikaleren Richtung in der Bekennenden Kirche, Ende Mai 1936 in der Reichskanzlei eine Denkschrift, in der Ideologie und Praxis des Dritten Reiches angeprangert wurden.

Als das Ministerium für kirchliche Angelegenheiten, mit Minister Kerrl an der Spitze, seine neuen Organe, die ‚Kirchenausschüsse' unter Führung von Zoellner, präsentierte, die der Existenz der Bekennenden Kirche ein Ende machen sollten, kam es zu einem Bruch innerhalb der kirchlichen Opposition. Verschiedene Landeskirchen, darunter die Hannoversche unter Bischof Marahrens, erklärten sich zur Mitwirkung bereit. Andere, zum Beispiel die württembergische und bayerische, wollten zwar prinzipiell mitarbeiten, sahen aber angesichts des kirchlichen Streites seit 1933 so viele praktische Schwierigkeiten, daß sie sich sehr reserviert verhielten. Unter Führung Niemöllers lehnte die Mehrheit der preußischen Bruderräte jegliche Mitarbeit ab. Man wollte keine neue Staatskirche. Eine Minderheit der Bruderräte dachte anders darüber und stellte sich zur Verfügung, um die kirchlichen Organe mit eigenen Leuten besetzen zu können und damit den Einfluß der ‚Deutschen Christen' zurückzudrängen; diese Ansicht vertraten zum Beispiel die Bruderräte in Hessen und Sachsen. Bei all diesen Meinungsverschiedenheiten spielten theologische Unterschiede, etwa die zwischen Lutheranern und Reformierten, eine große Rolle. Das mußte im selben Jahr auch Karl Barth erfahren.

Entgegen sämtlichen Versuchen seit 1933, Hitlers Erscheinen als eine besondere Offenbarung Gottes in der Geschichte zu verstehen, hatte Barth[9] alle auf den Boden der christlichen Ordnung zurückgerufen. Wenn Gott sich nur in Jesus Christus offenbart, setzt er die Normen jeglichen Handelns. Nicht Hitler, sondern die Bibel bestimmt, was positives Christentum ist. Vor allem Karl Barth ist es zu verdanken, daß sich die ‚Deutschen Christen' in der evangelischen Kirche schon bald mit der Bekennenden Kirche auseinandersetzen mußten. Die Barmer Thesen stammen hauptsächlich von ihm. Durch sein beseelendes Wort inspirierte er zahlreiche Versammlungen und Beschlüsse. Seine Weigerung, den Eid auf den Führer abzulegen, kostete ihn seinen Lehrstuhl.[10] Hatte die Bekennende Kirche den Mut, Barth zum Professor an einer eigenen Hochschule zu berufen? Barth war in seinem Denken vielen zu weit voraus. Jene, die noch im Zeitalter der kirchlichen und theologischen Gegensätze lebten, fanden eine derartige Parteinahme für Barth, der in eine solche politische Frage verstrickt war, viel zu riskant. So wurde Barth praktisch gezwungen, als unerwünschte Person das Land zu verlassen. Ein trauriger Vorfall. Aus Basel unterstützte er aber weiterhin die Bekennende Kirche und bekämpfte den Nationalsozialismus. Die weitere Entwicklung des Nationalsozialismus ließ ihn den teuflischen Charakter dieser Bewegung stets klarer durchschauen. Aus einer solchen Ablehnung des Nationalsozialismus unter religiösem Aspekt war er zu einer Ablehnung auf politischer Ebene gelangt. In den Tagen des Münchner Abkommens und des Verrats an der Tschechoslowakei, im September 1938, schrieb Barth seinen berühmten Brief an Hromadtka in Prag, in welchem er jede militärische Tat zum Schutz der tschechischen Grenze zugleich als eine Tat des Schutzes der Kirche Jesu Christi bezeichnete. Während des Zweiten Weltkriegs rief Barth die Christen vieler Länder zu Wachsamkeit und Widerstand auf. Über diese Länder konnte er während der dreißiger Jahre Kontakt zu geistesverwandten und führenden Persönlichkeiten der Bekennenden Kirche aufrechterhalten.[11]

1936 war ein Krisenjahr für den kirchlichen Widerstand. Die Lutheraner hatten eine eigene Gruppe gebildet und sich zu beträchtlichen Kompromissen mit dem Ministerium für kirchliche Angelegenheiten und dem Staat bereit erklärt. Barmen und Dahlem schienen manchmal ganz in Vergessenheit geraten zu sein. Verschiedene prominente Persönlichkeiten aus dem Kreis der ‚Freien Synoden' sagten ihre Mitarbeit in der neuen kirchlichen Organisation unter Leitung Zoellners zu. Als Zoellner sich mit der Zeit gegen die extremen ‚Deutschen Christen' wandte und sich immer deutlicher vom Ministerium für kirchliche Angelegenheiten distanzierte, bekam er Schwierigkeiten mit der Gestapo und war gezwungen, seine Entlassung zu beantragen. Kurz darauf erfolgte zur allgemeinen Überraschung die Ankündigung von Kirchenwahlen, die das Zustandekommen einer gewählten nationalen Synode ermöglichen sollten. Gespannt begannen die verschiedenen Gruppierungen mit den Vorbereitungen. Viele waren noch optimistisch hinsichtlich der Chancen eines Kompromisses gestimmt, der die Einheit der Kirche wahren sollte. Nur eine Minderheit innerhalb der Kirche war bereit, kritisch zur außerkirchlichen Entwicklung während des Dritten Reiches Stellung zu nehmen.

Scharfe Konflikte rief aber in erster Linie das Auftreten des Staatssekretärs im Ministerium für kirchliche Angelegenheiten, Muhs, hervor. Zunehmende Unruhe war die allgemeine Folge. Um unter diesen Umständen die gegnerische Partei einzuschüchtern, wurden mehrere führende Persönlichkeiten der Bekennenden Kirche festgenommen,[12] darunter auch Niemöller, der sein Heim erst nach acht Jahren wiedersehen sollte. Da Niemöller eine bekannte Persönlichkeit war und seine Verhaftung nicht lange geheimgehalten werden konnte, brachte das offizielle Pressebüro darüber eine Notiz. Auf einem anderen Weg alarmierten Freunde Niemöllers über Karl Barth Bischof Bell in London, einen der

Führer der ökumenischen Bewegung. Von Bells Hand erschien bereits zwei Tage nach der Verhaftung ein unmißverständlicher Artikel in der ‚Times'. Außerdem beauftragte er einen seiner Mitarbeiter, in Berlin offiziell zu protestieren. Ende Juli erhielt Niemöller die Anklageschrift. Zum Prozeß kam es erst im Juni 1938. Im August 1937 fand vor der Kirche Niemöllers eine öffentliche Demonstration statt. Die Gemeindemitglieder und viele andere waren zu einem Gebetsgottesdienst zusammengeströmt, hatten die Kirche aber von einer Polizeipostenkette umstellt angetroffen. Darauf formierte sich ein Zug, und singend und protestierend zogen die Teilnehmer durch die Straßen. Vergeblich versuchte die Polizei, die Menge zu zerstreuen. Etwa 250 Teilnehmer wurden auf Lastwagen abtransportiert und vorläufig festgenommen. Nicht nur in Berlin, auch andernorts war es zu Festnahmen gekommen. Während die Fürbitteliste der Bekennenden Kirche 1937 erst ein Dutzend Namen aufwies, waren es 1938 über 800. Auf Befehl Himmlers wurden alle Seminare der Bekennenden Kirche geschlossen, auch das Seminar in Finkenwalde, dessen Direktor Bonhoeffer war.

Am 7. Februar 1938 begann der Prozeß gegen Niemöller. Die Verhandlungen waren nicht öffentlich, und die Presse blieb ausgeschlossen. Lediglich den Richtern war es zu verdanken, daß Vertreter der Bekennenden Kirche unter Protest des Staatsanwalts als Prozeßbeobachter teilnehmen durften. Belastungsmaterial gab es kaum, und die Erklärungen der zahlreichen Entlastungszeugen sowie das Auftreten Niemöllers selbst machten großen Eindruck. Das Urteil wurde in öffentlicher Sitzung verkündet: 7 Monate Festungshaft und eine Geldstrafe. Da die Zeit bereits durch die Untersuchungshaft verbüßt war, sollte Niemöller auf freien Fuß gesetzt werden. Während sein Haus von Blumen überquoll, wurde er jedoch beim Gerichtsgebäude von der Gestapo erwartet und noch am selben Abend in das Konzentrationslager Sachsenhausen überführt, wo er den Status eines persönlichen Gefangenen des Führers erhielt. Inner- und außerhalb Deutschlands nahm man Anteil an seinem Schicksal.

Zur selben Zeit führte eine neue, von oben gelenkte Maßnahme zu großer Uneinigkeit in den Reihen der kirchlichen Opposition. Im März 1938 erfolgte der Anschluß Österreichs an Deutschland. Im ganzen Land herrschte Jubelstimmung. Sogar prinzipielle Gegner Hitlers und des Nationalsozialismus kauften sich jetzt eine Hakenkreuzfahne, um ihren Gefühlen Ausdruck zu verleihen. Der Nachfolger Zoellners in der Kirchenorganisation, Werner, wollte diese allgemeine Begeisterung nützen, um Hitler an dessen Geburtstag melden zu können, daß alle Pfarrer im aktiven Dienst den Treueeid gegenüber dem Dritten Reich und seinem Führer Adolf Hitler geleistet hätten. Obwohl Barth zu einem klaren Nein aufgerufen hatte, legten die meisten Pfarrer, auch die der Bekennenden Kirche, den Eid ab. Ein häufiges Argument in der monatelangen Diskussion war die Entschuldigung, man dürfe sich nicht selbst alle Chancen nehmen, gegen ein neues Eingreifen des Staates protestieren zu können. Viele versuchten sich und andere dadurch zu überzeugen, daß sie eine künstliche Unterscheidung trafen zwischen jener Obrigkeit, der man zu gehorchen hatte, und der nationalsozialistischen Ideologie, die man ablehnte: Man wollte ein guter Deutscher bleiben, loyal gegenüber dem Staat.

Auf dem Gebiet der kirchlichen Opposition geschah aber noch mehr. Als Hitlers militärischer Kurs immer offenkundiger wurde und seine Truppen durch Berlin paradierten, rief die ,Vorläufige Leitung' zu einem Gebetsgottesdienst für die Wahrung des Friedens auf. Die Pfarrer Albertz und Böhm hatten die Liturgie zusammengestellt. Hier schien der Bruch mit der nationalistischen Vergangenheit der Kirche vollkommen zu sein. Gerade in jenen Tagen wurde jedoch auch der Inhalt des Briefes von Barth an Hromadtka bekannt. Das Maß war nun voll. Unter dem Vorwand, er habe einer landesverräterischen Mentalität Ausdruck verliehen, distanzierte sich die ,Vorläufige Leitung' von dem Brief Barths. Dieser ließ sich mit der Politik ein, und damit wollte man nichts zu tun haben. Dazu kam noch gegen Ende des Jahres die ,Reichskristallnacht', auf die sogar die Bekennende Kirche keine Antwort fand. 1938 war ein Tiefpunkt des Kirchenkampfes.[13]

Wie gefährdet die Lage der Kirche war, ließ sich aus der im Frühjahr 1939 veröffentlichten sogenannten Godesberger Erklärung ablesen, in der das Streben der Nationalsozialisten als eine Fortsetzung von Luthers Werk bezeichnet und ein nicht zu überbrückender Gegensatz zwischen Christentum und Judentum konstruiert wurde. Gleichzeitig wurde jegliche Form überstaatlicher und internationaler Zusammenarbeit auf kirchlichem Gebiet als politische Entartung des Christentums gewertet, die im Widerspruch zur Schöpfungsordnung stehe. Das war also der Kurs der Reichskirche. Nun ging ein Erschrecken durch die Reihen, und von allen Seiten hagelte es Proteste. Auch als der Minister deutlich machte, daß er Gegenvorschläge zurückweise, und sich hinter die Erklärung stellte, hielten die meisten Führer der Landeskirchen unter Leitung von Bischof Meiser und Wurm an ihren Einwänden fest und weigerten sich, die Erklärung zu unterzeichnen. Bedauerlicherweise hätten sie es wohl getan, wenn ihre Zusatzanträge berücksichtigt worden wären. Hier hatte der Staat einen Kompromiß verhindert, zu dem bestimmte kirchliche Gruppen, auch aus der Opposition, bereit gewesen wären. Einer klareren Sprache, die in ihrer Formulierung an Barmen erinnerte, bediente sich die preußische ‚Freie Synode'. Gleichzeitig mit der Veröffentlichung der Godesberger Erklärung hatte der Chef der Kanzlei der Reichskirche, Werner, bestimmte Maßnahmen gegen die Bekennende Kirche eingeleitet. So erhielten Gemeinden, die für die Bekennende Kirche sammelten, keine Zulagen mehr für die Pfarrerausbildung, und Niemöller wurde emeritiert. Auch dagegen protestierte die ‚Freie Synode', aber es war die Stimme einer Minderheit.

Bei Kriegsausbruch machte der Innenminister alle hohen Staatsbeamten darauf aufmerksam, daß auf Wunsch des Führers alle nicht unbedingt notwendigen Maßnahmen, welche das Verhältnis von Staat und Partei zur Kirche verschlechtern könnten, zu unterbleiben hätten. In diesen Rahmen paßten die freundlichen Antworten auf Glückwunschtelegramme kirchlicher Führer. Aber hinter diesem scheinbaren Waffenstillstand verbarg sich eine ganz andere Situation, in der die Gestapo auf Grund der Sondervollmachten während der Kriegszeit den Kampf im Verborgenen fortsetzte. Gegen Pfarrer, die in der Bekennenden Kirche eine Rolle spielten, wurden Disziplinarmaßnahmen eingeleitet. Verschiedene von ihnen wurden verhaftet. Andere konnten sich dadurch retten, daß sie Feldgeistliche wurden.

Die Unruhe stieg, als bekannt wurde, was in Polen geschehen war und was die Nazis mit dem Warthegau vorhatten.[14] Zweifellos würde das nach Beendigung des Krieges auch in Deutschland Schule machen. Und dann die Ermordung Invalider und Geisteskranker und der Mord an den Juden. Wer dazu ein Wort des Protestes äußerte, konnte der Verhaftung gewiß sein. Dennoch versiegten die Stimmen des Protestes nicht völlig. In den Jahren nach Beginn des Zweiten Weltkriegs, als die Bekennende Kirche als Gruppe nahezu verstummt war, fuhren einzelne und kleine Gruppen in dieser Arbeit fort, halfen gefährdeten Mitbürgern und warnten vor drohenden Gefahren. Was ersteres betrifft, so sind wir darauf im zweiten Kapitel bereits ausführlicher eingegangen;[15] hinsichtlich des zweiten Punktes hielt zum Beispiel Helmut Gollwitzer bei einer Predigt in Berlin im Dezember 1939 seiner Gemeinde warnend folgendes vor: ,,Gottes Wort sagt uns als Gliedern unseres Volkes, daß unser Volk eingeordnet leben soll in die Gemeinschaft der Völker, daß sein Recht nicht das alleinige Recht ist, sondern eingefügt ist in die Gemeinschaft des Lebensrechtes aller, daß das Ziel des politischen Handelns nicht der Kampf, sondern der Friede sein muß. Gottes Wort warnt uns, zu meinen, daß der Zweck die Mittel heiligt und daß Unrecht gut gedeiht. Es sagt uns, daß das Blut der Unschuldigen eine Stimme hat, die vom Lenker der Geschichte gehört wird. Wer soll dem Volk und allen, die Verantwortung tragen, dies helfende, warnende Wort sagen, wenn die Kirche es nicht tut?" Nicht weniger deutlich äußerte er sich nach dem Waffenstillstand mit Frankreich im Juli 1940: ,,Was hilft denn alles, was sonst in Deutschland geschieht, was hilft denn alles Erobern und alle große Macht, wenn die Stimme nicht mehr da ist, die allen den Ereignissen die rechte Richtung gibt, wenn dann die Ereignisse uns nur den Weg zu Gott versperren, statt daß sie uns hinführen zu ihm. Merken wir die Verantwortung. Die Bekennende Kirche soll sich nicht umstellen nach Neuem, sie soll sich ja nicht umstellen, sondern in der Richtung, in der sie dient, noch viel treuer gehen."[16]

Nachdem Niemöller als Führer des Kirchenkampfes ausgeschaltet war, wurde Bischof Wurm von Württemberg während der Kriegsjahre zu seinem Nachfolger. Mehrere Male protestierte er bei den Autoritäten gegen bestimmte Maßnahmen, so zum Beispiel 1940 gegen den Mord an Invaliden und Geisteskranken und 1941 gegen die Judendeportationen. Dabei sprach er sowohl im Namen der ‚intakten' Landeskirchen als der Bruderräte. Durch Vermittlung Bodelschwinghs, der von Bonhoeffer im Zusammenhang mit der Ermordung der Invaliden und Geisteskranken mit dessen Vater in Kontakt gebracht wurde, entwickelte sich auch eine Zusammenarbeit zwischen Wurm und Bonhoeffer. Über andere Kanäle kam Wurm mit dem politischen Widerstand in Berührung, besonders mit der Gruppe um Carl Goerdeler und dem sogenannten Kreisauer Kreis.

Ziehen wir am Ende dieses Kapitels eine Bilanz der kirchlichen Opposition in der evangelischen Kirche, dann können wir mit Ernst Wolf[17] vier Stufen unterscheiden, die sich teilweise auch zeitlich überschnitten haben: 1. Der Widerstand gegen Einbrüche in die Organisation der Landeskirchen, wobei man noch vollkommen von der Zwei-Reiche-Lehre ausging und den Kampf taktisch defensiv führte. 2. Widerstand zur Behauptung der freien Verkündigung des Wortes, wobei vor allem die Erklärung von Barmen mit ihren neuen Formulierungen des Verhältnisses Kirche – Staat als Beispiel einer grundlegenden Erneuerung der Theologie zu erwähnen ist. 3. Widerstand, der die Grenzen der Kirche überschritt. Hier entdeckte die Kirche ihre Aufgabe in der Welt und für die Welt, ihre Verantwortung für Recht und Gerechtigkeit und für menschenwürdige Verhältnisse. Verschiedene Kundgebungen ‚Freier Synoden' und die Denkschrift der ‚Vorläufigen Leitung' der Bekennenden Kirche vom Juli 1936 sind Äußerungen dieses Widerstandes. 4. Widerstand, der sich auf die politische Ebene erstreckte und sich mit Problemen wie Eides- und Wehrpflichtverweigerung und Tötung des Gegners auseinandersetzte. Hier waren einzelne wie Barth, Bonhoeffer und Martin Gauger[18] beispielhaft, aber nur wenige folgten ihnen nach. Die Bekennende Kirche entwickelte keine Widerstandslehre. Die Erneuerung konnte sich nicht kräftig genug durchsetzen. Das wurde nach dem Krieg von der evangelischen Kirche auch in der ‚Stuttgarter Erklärung' ausgesprochen.[19]

7. Der katholische Widerstand

Während man bei der evangelischen Kirche noch von einer relativ großen Gruppe sprechen konnte, die sich in Reaktion auf die nationalsozialistische Gleichschaltungspolitik selbständig zu organisieren begann, lagen die Verhältnisse bei der katholischen Kirche ganz anders. Wenn diese es auch nicht für notwendig hielt, nach dem Krieg ein Schuldbekenntnis abzulegen, so müssen wir doch feststellen, daß hier weder von der Kirche als solcher noch von einer geschlossenen kirchlichen Gruppe Widerstand geleistet wurde. Dennoch wäre es unrecht zu behaupten, es habe keinen katholischen Widerstand gegeben. Daß die Dinge sich hier anders entwickelten, hängt auch mit der anders gearteten Vorgeschichte und Position der römisch-katholischen Kirche zusammen.

Unter dem Kaiserreich hatte die katholische Kirche während der Zeit nach dem Kulturkampf, den Auseinandersetzungen mit dem preußisch-deutschen Staat Bismarckscher Prägung, die Regierung im großen und ganzen loyal unterstützt. Daß Preußen in den Jahren vor dem Ersten Weltkrieg so wenig Reformen erlebte, lag mit an der Haltung des Zentrums, das einen Staatssozialismus wie auch die ‚rote' Internationale gleichermaßen ablehnte und unter Beweis stellen wollte, daß Katholiken gute Patrioten sein konnten. Anscheinend hat der Übergang zur Republik den Katholiken trotz der Proteste und Vorbehalte von kirchlichen und politischen Führern weniger Mühe bereitet als den meisten Protestanten. Den Grund dafür werden wir vor allem in der vorherrschenden katholischen Staatsauffassung zu suchen haben, die im Prinzip nicht eine bestimmte Staatsform bevorzugen wollte, was in der Praxis eine Anpassung erleichtern konnte. Außerdem erhielten die Katholiken während der Weimarer Zeit größere Möglichkeiten denn je für eine breite Entwicklung. Das hatte eine ungeheure Aktivität auf verschiedenen Gebieten zur Folge. In Berlin wurde eine Nuntiatur eingerichtet, man schuf katholische Lehrstühle in evangelischen Gebieten, die Zahl katholischer Vereinigungen, Klöster und Ordensgeistlicher nahm erheblich zu; mit einigen Staatsregierungen (Bayern, Preußen, Baden) wurden Konkordate abgeschlossen, und die katholische Partei, das Zentrum, war als Koalitionspartner unentbehrlich und stand in hohem Ansehen. Auch auf kulturellem Gebiet spielten die Katholiken eine immer bedeutendere Rolle.

Dennoch bestand bei den Katholiken der Weimarer Republik gegenüber von Anfang an ein gewisses Mißtrauen, das im Lauf der Jahre nie ganz verschwand, sondern auf die Dauer eher zunahm. Trotz gelegentlicher zögernder Annäherungen klaffte immer noch ein riesiger Abstand zwischen Sozialdemokraten und Katholiken, wenn auch die letzteren manchmal durch einen tiefen Graben von ihren evangelischen Glaubensgenossen getrennt waren. Besonders in der Schulfrage und der Kulturpolitik wurde von katholischer Seite ein relativ rigider Standpunkt vertreten. Außerdem dominierten, wie in der evangelischen Kirche, auch unter den Katholiken nationalistische und autoritäre Auffassungen. Was die Voreingenommenheit gegenüber Weimar und den Sozialdemokraten wie auch die allgemeine Grundhaltung anbelangt, so bestand zwischen beiden Konfessionen bei allen Unterschieden ein hohes Maß an Übereinstimmung.[1]

Dem wachsenden Nationalsozialismus gegenüber[2] hatten mehrere katholische Bischöfe früher als ihre evangelischen Kollegen eine ablehnende Haltung eingenommen. Dabei ist jedoch zu bedenken, daß man sich nicht gegen den Nationalsozialismus als solchen, sondern gegen die nationalsozialistische Ideologie sperrte. Am 27. September 1930 hatte der Gau Hessen der NSDAP einen Brief an das bischöfliche Ordinariat in Mainz gerichtet mit der Frage, ob man sich zurecht auf eine bischöfliche Weisung berufen könne, die besage, daß Katholiken nicht Parteimitglieder sein, Parteiformationen nicht an Gottesdiensten teilnehmen dürften und daß katholischen Parteimitgliedern die Sakramente verweigert würden. Der Generalvikar bestätigte das und erklärte, kein Katholik könne sich mit dem Paragraphen 24 des Parteiprogrammes identifizieren, es sei denn, er lege seinen Glauben ab. Er erläuterte das anhand von Zitaten aus offiziellen Parteischriften.[3] Einige Monate später erschien die erste öffentliche Warnung eines Bischofs. Kardinal Bertram von Breslau kritisierte den extremen Nationalismus, den Rassenwahn in der nationalsozialistischen Bewegung und die verschwommene Formulierung ‚positives Christentum', worunter jeder das Seine verstehen konnte. Er bezeichnete den Glauben an eine deutsche katholische Kirche, die, von Rom losgelöst, vom Rassegedanken einer arisch-heldischen Heilandslehre beherrscht werde, als Trugbild. Dabei verglich er die damalige Entwicklung mit jener im 16. Jahrhundert, als die Menschen gleichfalls von Agitatoren aufgepeitscht wurden und es schwierig geworden war, die religiösen Fragen klar zu behandeln, weil sie mit politischen und wirtschaftlichen Krisen verknüpft waren. Etwa gleichzeitig hatte jedoch der Bischof von Berlin, Schreiber, erklärt, es sei niemandem verboten, Parteimitglied zu werden. Infolge von Meinungsverschiedenheiten zwischen den Bischöfen bezüglich der Formulierung war es Kardinal Bertram nicht gelungen, eine gemeinsame Erklärung im Namen des Gesamtepiskopats zustandezubringen. Nun wurde das jeder Kirchenprovinz nach eigenem Ermessen überlassen. Am 10. Februar 1931 erschien eine Erklärung der bayerischen Bischöfe unter dem Titel ‚Nationalsozialismus und Seelsorge'. Katholischen Priestern wurde untersagt, in der Partei oder an Zusammenkünften der Partei mitzuwirken; außerdem durften nationalsozialistische Formationen keine Gottesdienste besuchen. Ausdrücklich wurde erwähnt, daß der Nationalsozialismus ursprünglich eine gegen den Marxismus gerichtete politische Bewegung sei, die sich in den letzten Jahren auch mit religiösen Fragen beschäftigt habe und dabei mit der Kirche und den Bischöfen aneinandergeraten sei. Die Mitgliedschaft als solche bedeute keine Sünde. Jeder Beichtvater mußte abwägen, inwieweit dadurch kirchliche Pflichten vernachlässigt wurden.

Am 5. März erschien eine Erklärung der Bischöfe der Kölner Diözese. Sie stellten darin fest, daß sich die Erwartungen bezüglich einer Bereinigung der Mißverständnisse und der Beendigung anstoßerregender Äußerungen nicht bewahrheitet hätten, und schlossen sich deshalb den Feststellungen Breslaus und Bayerns an, wobei sie auch auf die Verurteilung der verwandten französischen faschistischen Bewegung ‚Action Française' durch Papst Pius XI. hinwiesen. Solange und insoweit der Nationalsozialismus Auffassungen verkündete, die mit der katholischen Lehre unvereinbar waren, mußte nachdrücklich vor ihm gewarnt werden. Etwa gleichlautende Formulierungen gebrauchten die Bischöfe der Paderborner und Oberrheinischen Kirchenprovinzen, im ersten Fall etwas stärker, im zweiten wesentlich verschwommener formuliert.

Im August trafen sich die Bischöfe der preußischen Diözesen und des Oberrheins in Fulda zu ihrer alljährlichen gemeinsamen Sitzung. Da der Erzbischof von München und Freising die bayerischen Bischöfe vertrat, handelte es sich dabei um eine Versammlung, auf der das ganze katholische Deutschland repräsentiert war. Als äußerst nachteilig erwies sich freilich, daß die Beschlüsse dieser Konferenz nur den Charakter einer Empfehlung tragen konnten. Diesmal lag ein Vorschlag auf dem Tisch, die 1921 erarbeiteten und gegen Sozialdemokraten, Freimaurer usw. zielenden Richtlinien auch auf die Nationalsozialisten anzuwenden. Der Vorschlag wurde jedoch nicht angenommen. Statt dessen einigte man sich auf eine Erklärung, die besagte, daß der extreme Nationalismus ebenso wie der Sozialismus und Kommunismus bekämpft werden müsse, aber nicht unter parteipolitischen Gesichtspunkten, sondern ausschließlich aus religiösen Motiven. Es war also so, daß die Nationalsozialisten mehr mit einer gewissen Kompromißbereitschaft der Bischöfe als mit einem katholischen Widerstand hätten rechnen müssen. Nicht nur die Kirchenführer waren geteilter Meinung. Im katholischen Lager[4] gab es nach dem spektakulären Sieg der NSDAP im Jahre 1930 manche Befürworter einer Taktik, durch die Übernahme bestimmter Parolen dem Nationalsozialismus den Wind aus den Segeln zu nehmen. Andere, darunter der Bruder des späteren Bischofs von Münster Graf Galen, wollten die NSDAP baldmöglichst in die Regierungsverantwortung einbeziehen, in der Hoffnung, daß die Bewegung dann auseinanderfalle. Um 1930 hatte innerhalb der Zentrumspartei der rechte Flügel, in dem klerikalistische und autoritäre Auffassungen vorherrschten, zunehmend Einfluß erhalten. Obwohl Brüning den Versuch unternahm, mit Hitler in persönlichen Kontakt zu treten, war damals noch keine Rede davon, daß das Zentrum auf eine Zusammenarbeit mit der NSDAP zusteuere. Erst Ende 1931 liefen Gerüchte über ein solches Zusammengehen auf Zeit um. Allzu offen wurde darüber noch nicht gesprochen. Unter Führung Stegerwalds wehrte sich ein Teil des Zentrums entschieden gegen eine derartige Zusammenarbeit. Aber sowohl in Rom wie in bestimmten Zentrumskreisen rechnete man bereits – und das erklärt vieles von dem, was sich 1932 hinter den Kulissen abspielte – mit der Möglichkeit, daß es eines Tages soweit kommen werde und müsse. Beim Sturz des Ministerpräsidenten Brüning im Jahr 1932, der in katholischen Kreisen große Aufregung hervorrief, scheint das bereits mitgespielt zu haben. Auf die weitere Entwicklung hatten dann einerseits das Bemühen des Fraktionsvorsitzenden des Zentrums im preußischen Landtag, Ludwig Kaas, ein Reichskonkordat nach dem Muster des Lateranvertrages anzubahnen, und andererseits der Gegensatz zwischen dem Zentrum und Franz von Papen wesentlichen Einfluß. Weite Teile des Zentrums betrachteten von Papen als einen Abtrünnigen. Dieser wiederum warf der Partei ihre Zusammenarbeit mit den Sozialdemokraten vor. Daß von Papen nach Brünings Sturz Ministerpräsident wurde, verübelten ihm viele Katholiken ganz besonders. Als das Zentrum nach einem neuen Wahlsieg der NSDAP im Herbst 1932 den Anlauf zu einer Zusammenarbeit mit den Nationalsozialisten unternahm, war es schließlich von Papen, dem es gelang, mit den Nazis eine Übereinstimmung zu erreichen und dabei das Zentrum jedoch herauszuhalten.

Mit Ausnahme mehrerer Bischöfe wurden unter den Katholiken nur wenige Stimmen laut, die öffentlich vor dem Nationalsozialismus warnten und jede Form einer Zusammenarbeit ablehnten. Selbst in der Gewerkschaftsgruppe um Stegerwald gab es Uneinigkeit, als sich der Parteikurs änderte. Vergeblich warnten einzelne wie der Jesuitenpater Max Pribilla,[5] Fritz Gerlich und Ingbert Naab in ‚Der Gerade Weg‘[6] und Bernhard Letterhaus[7] in verschiedenen Vorträgen. Sie waren Ausnahmen.

Die katholischen Bischöfe folgten der politischen Entwicklung mit einer gewissen Distanz. Auf ihrer Konferenz in Fulda, im August 1932, hatten sie festgelegt, daß Katholiken nicht NSDAP-Mitglieder sein konnten. Dahinter stand aber keine einmütige Auffassung. Bischöfen wie Bornewasser und Ehrenfried, die das Zentrum offen unterstützten, Bischöfen wie Preysing und Kaller, die den Nationalsozialismus scharf verurteilten, standen Kollegen wie Berning und Gröber gegenüber, die auf eine freundlichere Haltung gegenüber dem Nationalsozialismus drängten. Diese Meinungsverschiedenheiten führten in der Praxis dazu, daß die Katholiken nach außen immer weniger als Einheit auftraten und sich in ihre Kirche wie in eine Bastion zurückzogen. Gewissermaßen kehrte man damit wieder in jenes Ghetto zurück, das man vor noch nicht allzu langer Zeit verlassen hatte.

In den ersten Wochen nach der Machtübernahme Hitlers gab es noch kaum Anzeichen für eine Änderung dieser Haltung. Obgleich sich der Bischof von Ermland in einem Leserbrief in der ‚Germania' noch eindeutig für das Zentrum und gegen die NSDAP erklärte, beschränkten sich die Bischöfe in ihrer gemeinsamen Erklärung zu den Märzwahlen auf den bekannten Aufruf, nur solche Abgeordnete zu wählen, welche die katholischen Interessen berücksichtigen wollten, und sich vor Agitatoren zu hüten. Man wollte die politischen Gegensätze nicht auf kirchliches Gebiet übertragen sehen. Von katholischen Nationalsozialisten wurde diese Unsicherheit dankbar ausgenutzt. Im März 1933 trat jedoch eine nicht unwesentliche Änderung in der Haltung der Bischöfe gegenüber dem Nationalsozialismus ein. Noch am 19. März hatte Kardinal Bertram in Beantwortung einer Frage von Papens, damals Vizekanzler in der Regierung Hitler, mitgeteilt, daß er die Zeit für eine Revision des Standpunktes der katholischen Kirche noch für verfrüht halte. Zunächst sollten die Nationalsozialisten ihrerseits ihre Haltung revidieren. Etwa eine Woche später, am 28. März, publizierten die Bischöfe eine gemeinsame Erklärung, in der das Parteiverbot für Katholiken zurückgenommen wurde.

Wie läßt sich diese schnelle Wandlung erklären? Bekanntlich stattete der Vorsitzende der preußischen Landtagsfraktion der

Zentrumspartei, Prälat Ludwig Kaas, von Papen am Tag nach der Wahl einen Besuch ab. Außerdem fanden zwischen dem 19. und 23. März Verhandlungen zwischen mehreren Ministern der neuen Regierung und Vertretern des Zentrums statt, wobei sich die Regierung zu verschiedenen Konzessionen bereit zeigte. Es ist fast undenkbar, daß die Bischöfe von diesen Geheimverhandlungen nichts gewußt haben. Zu einem Zeitpunkt, als sich viele ihrer ehemaligen Koalitionspartner, dem Terror von Gestapo und SA ausgeliefert, in Gefängnissen und Konzentrationslagern befanden, stand das offizielle katholische Deutschland mit seinen politischen und bald auch kirchlichen Führern auf dem Sprung, sich mit Hitler zu arrangieren.

Nachdem Hitler in einer Erklärung vor dem neuen Reichstag am 23. März zugesagt hatte, die Rechte der Kirchen zu respektieren, und seinem Wunsch nach freundschaftlichen Beziehungen zum Vatikan Ausdruck verliehen hatte, fand eine Mehrzahl der Bischöfe unter Führung des Präsidenten der Fuldaer Bischofskonferenz, des Erzbischofs von Breslau, Kardinal Bertram, den Zustand dermaßen verändert, daß man eine Revision der Haltung gegenüber dem Nationalsozialismus für notwendig erachtete. Zögernd hatten sich die süddeutschen Bischöfe dieser Erklärung angeschlossen. Einige von ihnen, darunter der Bischof von Eichstätt, Graf Preysing, und Bischof Buchberger von Regensburg, zeigten sich von der plötzlichen Eile Bertrams sehr überrascht. War der Vatikan vielleicht auch verwundert? Beim Zustandekommen dieses Beschlusses spielte der Umstand mit, daß eine wachsende Zahl von Katholiken Mitglied der NSDAP werden wollte. Mag der Beschluß der Bischöfe von manchen auch bedauert worden sein, so gab es doch nur wenige, die protestierten.[8]

Am 1. April 1933 fand in ganz Deutschland eine erste große Aktion gegen die Juden statt. Es hieß, die Aktion, ein allgemeiner Boykott, sei die Antwort auf die Hetzkampagne der Juden aus dem Ausland gegen das neue Deutschland. In Wahrheit war es genau umgekehrt. Die Vorfälle in Deutschland vor dem 1. April, vor allem nach den Märzwahlen, hatten zu heftigen Protesten aus dem Ausland geführt, die die neue Regierung empfindlich trafen;

daraufhin startete sie diese Aktion. Entgegen ihrer Absicht wurde die katholische Kirche miteinbezogen. Am 31. März erschien der Direktor der Deutschen Bank in Berlin, Oskar Wassermann, bei Kardinal Bertram mit einer Empfehlung von Monsignore Lichtenberg, dessen Eintreten für die Juden bereits früher erwähnt wurde. Wassermann ersuchte das Episkopat, bei Reichspräsident Hindenburg und der Regierung zu intervenieren, um den Boykott abzuwenden. Bertram erwiderte, er besitze dazu nicht die Ermächtigung der Bischöfe und kenne den Grund für den Boykott nicht; dennoch versprach er, die Oberhirten der Kirchenprovinzen zu Rate zu ziehen. In einem Rundschreiben vom 1. April schlug dann Bertram vor, sich jeglicher Aktion zugunsten der Juden zu enthalten. Bis auf Gröber aus Freiburg, der eine Intervention befürwortete, stimmten sämtliche Erzbischöfe diesem Vorschlag zu. Erzbischof Klein sandte sogar, ebenso wie verschiedene führende Persönlichkeiten auf evangelischer Seite, ein Telegramm nach New York, in dem er gegen die Hetzkampagne des Auslandes protestierte. Da damals von diesen Überlegungen der deutschen Bischöfe so gut wie nichts bekannt war, erfolgten darauf auch keine unmittelbaren Reaktionen. Nur erschien kurz darauf ein Artikel des Paters Eckert, der gegen die Judenverfolgungen protestierte. Kein Mensch dürfe nur, weil er einer anderen Rasse angehöre, verfolgt werden. Das stehe im Widerspruch zur christlichen Ethik, und alle Deutschen sollten sich schämen, daß dies im Namen Deutschlands geschehe.[9]

In Rom war die Regierungserklärung Hitlers aufmerksam gelesen worden. Die Gefahr einer kommunistischen Revolution schien jetzt jedenfalls gebannt; vielleicht gäbe es Möglichkeiten, mit dieser Regierung das lang ersehnte Konkordat zu schließen.[10] Während der kurzen Kanzlerschaft von Papens hatte der Vatikan die Gelegenheit ergreifen wollen und der deutschen Regierung Ende Oktober ein Angebot für Konkordatsverhandlungen unterbreitet. Durch die sich überstürzenden Ereignisse war es damals nicht so weit gekommen, aber das Angebot blieb bestehen. Vor allem durch das Zutun von Papens, mittlerweile unter Hitler Vizekanzler, und Monsignore Kaas', der Mitarbeiter Pacellis gewesen war, ging die deutsche Regierung darauf ein. Anfang April 1933 reisten Göring und von Papen getrennt – damals durfte noch nichts bekannt werden – nach Rom, und ‚zufällig' traf von Papen im Zug Kaas, der kurz zuvor bei Hitler gewesen war. Der Papst empfing die beiden Minister, und Kaas führte mit ihnen verschiedene Besprechungen. Zunächst handelte es sich dabei nur um eine Sondierung. Von Anfang an drängte von Papen auf die Aufnahme eines Artikels in den Vertrag, der es Geistlichen untersagte, politische Ämter – lies: in der Zentrumspartei – zu bekleiden. Dagegen erhob vor allem der Vatikan Einwände, obwohl man dort ebenfalls besorgt die engen Beziehungen zwischen den deutschen Bischöfen und dem Zentrum und die dadurch wachsende Spannung zum Nationalsozialismus verfolgt hatte.

Inzwischen hatte sich herausgestellt, daß mehrere deutsche Bischöfe ernste Einwände gegen ein Konkordat mit einer Regierung Hitler hatten. So lehnte Kardinal Schulte aus Köln jegliche Form von Verhandlungen mit dieser ‚Revolutionsregierung' ab, die sich weder an Gesetz noch Recht hielt, und Bischof Preysing von Eichstätt bemerkte, eine deutliche Warnung vor dem Nationalsozialismus wäre eher angemessen. Um solchen Bedenken zu begegnen, wurde beschlossen, daß ein Bischof an den Verhandlungen teilnehmen sollte. Darauf erklärte sich Gröber dazu bereit, wenn auch der Münchener Erzbischof, Faulhaber, lieber Preysing als Verhandlungspartner gesehen hätte. Als Faulhaber auf die zusätzliche Entsendung Preysings drängte, lehnte dieser das verständlicherweise ab. Nach seiner Rückkehr aus Rom konnte Gröber die Mehrheit der Bischöfe für den dort erarbeiteten Text gewinnen. Außerdem reagierte Hitler geschickt und entgegenkommend, als die Bischöfe gegen bestimmte Maßnahmen, von denen die katholischen Organisationen betroffen waren, Einwände erhoben. Am 20. Juli fand in Rom die feierliche Unterzeichnung des Vertrages statt. Anfang Juli waren Faulhaber und Preysing noch nach Rom gereist, um zu warnen, aber von Papen hatte sie beruhigt. Der Papst hatte erst seine Zustimmung zur Unterzeichnung gegeben, nachdem Hitler ihm ehrenwörtlich versichert hatte, das Christentum als Basis des neuen Deutschland anzuerkennen. Dabei hatte die deutsche Regierung gerade den Erlaß eines Sterilisationsgesetzes beschlossen! Auf Vorschlag von Papens hatte man jedoch mit der Veröffentlichung bis nach der Unterzeichnung gewartet.

Dem Abschluß des Vertrages folgte ein Strom von Reaktionen; zum größten Teil äußerte man in überschwenglichen Tönen Freude und Genugtuung darüber, daß eine deutsche Regierung endlich diesen Schritt getan hatte. Aber auch besorgte Proteste trafen in Rom ein.[11] Mehrere Katholiken stellten sich sogar die Gewissensfrage, ob sie einer solchen Kirche noch angehören könnten. Der Vatikan gab über die österreichischen Bischöfe seine Meinung zu diesem Vertrag bekannt. Man solle nicht glauben, daß damit der Nationalsozialismus anerkannt sei. Jeder wisse doch, daß zwischen Kirche und Staat in Deutschland gespannte Verhältnisse herrschten. In mehreren Artikeln wurde betont, daß man Deutschland nicht mit Österreich vergleichen dürfe, wo die Bischöfe den Nationalsozialismus verurteilt hatten. In Deutschland war der Nationalsozialismus zur Obrigkeit geworden, und dieser Obrigkeit hatte man zu gehorchen. Überdies steuerte die neue Regierung einen klar antibolschewistischen Kurs.[12] Aber andere kostete es Mühe, sich mit dem Konkordat abzufinden. Reinhold Schneider verlieh seiner Enttäuschung öffentlich Ausdruck und brachte damit sicher auch die Meinung anderer zum Ausdruck.[13] Mit der Unterzeichnung des Konkordats war ein alter Wunsch der Kirche in Erfüllung gegangen. Freilich mußte sie dafür einen hohen Preis entrichten. Sie hatte damit nicht nur die neue deutsche Regierung offiziell anerkannt und sich dadurch mitverantwortlich für das gemacht, was diese Regierung tat, sondern sie hatte das außerkirchliche Gebiet dem Einfluß des Staates preisgegeben. Während die Führung des Zentrums aus alledem die Konsequenzen zog und die Partei auflöste, beeilten sich andere katholische Organisationen, der Regierung ihre Treue zu bekunden.

Bis jetzt war in diesem Kapitel mehr von Kompromiß und Anpassung als von Opposition und Widerstand die Rede. Dennoch sind bereits zwei Persönlichkeiten erwähnt worden, die als Katholiken im Widerstand eine bedeutende Rolle gespielt haben: Bischof Graf Preysing und Bernhard Lichtenberg. Um die Schwäche dieses katholischen Widerstandes verstehen zu können, muß man aber zunächst einmal sehen, wie weit das katholische Deutschland mit seinen anerkannten Führern den Wünschen der neuen Machthaber entgegengekommen ist.

Wenn nun auch die katholischen Bischöfe im Gegensatz zu ihren evangelischen Kollegen ein Dokument besaßen, auf das sie sich berufen konnten, so wurden die Schwierigkeiten eher größer als geringer. Und die Nationalsozialisten fühlten sich nicht an die Bestimmungen des Konkordats gebunden. Sollte deswegen der Vertrag gekündigt werden? Das wurde erwogen, aber man klammerte sich weiter an ihn wie an einen Strohhalm. Die Folge davon war, daß die katholische Kirche sich nach wie vor sehr zurückhielt, sobald es um Ereignisse außerhalb des kirchlichen Bereichs ging. Als im November 1933 der ehemalige Leiter der Katholischen Aktion München, Mühler, festgenommen wurde,[14] weil er ,unwahre' Geschichten über das Konzentrationslager Dachau verbreitet habe, stand vielleicht zu erwarten, daß jetzt die Zustände in den Konzentrationslagern von den Kanzeln herab angeprangert würden. Aber das geschah nicht. Viel mußte passieren, ehe es zu einem offiziellen kirchlichen Protest kam. Und hatte man dann wirklich einmal protestiert, war man nur allzu bereit, seinen Einspruch wieder abzuschwächen, wenn Partei und Staat daran Anstoß genommen hatten. Das erwies sich unter anderem bei den bekannten Adventspredigten von Erzbischof Faulhaber, Ende 1933. Faulhaber,[15] 1869 geboren, war zunächst Bischof von Speyer gewesen und 1917 noch vom letzten regierenden Wittelsbacher, Ludwig III., zum Münchner Erzbischof ernannt worden. Damit war er auch Vorsitzender der Konferenz der süddeutschen Bischöfe, die, ähnlich wie der bayerische Staat, auch nach 1918 ein gewisses Maß an Selbständigkeit behalten hatten. Faulhaber blieb sein Leben lang Monarchist. Das Band zwischen Thron und Altar garantierte für ihn ein gutes Funktionieren der Gesellschaft. Während der Weimarer Republik hatte er diese Überzeugung wiederholt unter Beweis gestellt. So sagte er auf dem Katholikentag 1922, die Revolution sei Meineid und Hochverrat und bleibe darum in der Geschichte erblich belastet und mit dem Kainszeichen gebrandmarkt. Eine derart scharfe Erklärung eines solch prominenten Kirchenführers war ungewöhnlich, und der damalige Vorsitzende des Katholikentags, Konrad Adenauer, distanzierte sich in seiner Schlußansprache von Auffassungen, die aus lokalen Verhältnissen zu erklären seien, die aber nicht von den deutschen Katholiken in ihrer Gesamtheit geteilt würden. In den Augen Faulhabers blieben die Sozialdemokraten Revolutionäre, und hinter ihnen stand das Gespenst des Bolschewismus. Wer mit solchen Menschen zusammenarbeitete, bewegte sich auf gefährlichem Gelände. Deshalb weigerte sich Faulhaber auch, Gottesdienste an Staatsfeiertagen abzuhalten. Nachdem 1924 ein Konkordat mit der bayerischen Regierung zustandegekommen war und im nächsten Jahr der konservative General von Hindenburg den Sozialdemokraten Ebert als Reichspräsidenten abgelöst hatte, unterblieben die provozierenden Bemerkungen der ersten Jahre. Sie entsprachen auch nicht der Art Faulhabers, der eher der Typ des Diplomaten war.

Immerhin wird damit bereits klar, daß Faulhaber um den Sturz der Weimarer Republik nicht getrauert haben dürfte. Obgleich Befürworter einer distanzierteren Haltung gegenüber dem Nationalsozialismus, ermahnte er nach dem Januar 1933 seine Geistlichen, der neuen Regierung als der neuen Obrigkeit zu gehorchen. Einen ersten offenen Konflikt artikulierten erst die Adventspredigten 1933. Darin protestierte Faulhaber gegen Bemühungen, das Alte Testament als minderwertiges Buch hinzustellen. Faulhabers Formulierungen waren gemäßigt und sorgfältig gewählt. Über die Rassenfrage ließ er sich nicht ganz klar aus. Außer Reaktionen aus dem katholischen und evangelischen Lager erreichten Faulhaber vor allem aus jüdischen Kreisen viele dankbare Briefe. Auch im Ausland fanden seine Predigten Aufmerksamkeit, wenngleich ihre Bedeutung sicher etwas überschätzt wurde. Faulhaber selbst war über die Reaktionen des Auslands, die das Mißfallen von Partei und Staat hervorgerufen hatten, ziemlich erschrocken und beeilte sich, bestimmten Beschwerden zuvorzukommen. Als ihm von einer ausländischen Zeitung fälschlicherweise eine Predigt zugeschrieben wurde, begnügte er sich nicht mit der Mitteilung, daß er sie nicht gehalten habe, sondern er legte eingehend dar, daß er so etwas – einen Protest gegen den Rassenhaß – niemals gesagt haben könne. Während des ganzen Jahres 1934 versuchte Faulhaber, die durch seine Adventspredigten hervorgerufene Mißstimmung zu vertreiben und sich zu rehabilitieren.

Während das Verhältnis Kirche – Staat 1933 noch vorwiegend im Zeichen eines Scheinfriedens stand, war das im Jahre 1934 vorbei. Im Januar ernannte die Partei Alfred Rosenberg zu ihrem Ideologen, woraufhin die Kirche dessen Werke auf den ‚Index' setzte. Außerdem mischten sich Naziführer in kirchliche Angelegenheiten. Das Auftreten katholischer Jugendorganisationen wurde durch polizeiliche Maßnahmen zunehmend erschwert; in einigen Orten kam es zu Schlägereien zwischen katholischen Jugendlichen und der HJ. Die Gestapo versuchte Priester, die dem Nationalsozialismus nicht gewogen waren, unter allerlei Vorwänden zu verhaften. So war zum Beispiel Pater Stöger von Waldbüttelbrunn bereits im Sommer 1933 verhaftet worden. Obwohl er kurz darauf wieder entlassen worden war, nahm man ihn im Januar 1934 erneut fest. Man ließ ihn gegen das Versprechen, Waldbüttelbrunn nicht mehr zu betreten, wieder frei. Als ihn das bischöfliche Ordinariat 1934 dennoch einmal dorthin beorderte, wurde er zum dritten Mal verhaftet. Nachdem sein Bischof sich geweigert hatte, ihn zu entlassen, fand am 7. April die erste organisierte Aktion gegen einen Bischof statt. Eine Gruppe von Demonstranten drang in das bischöfliche Palais von Würzburg ein und richtete Verwüstungen an. Da diese Aktion nur als Warnung gedacht war, schaltete sich die Polizei noch ein.[16] Während der Unterdrückung des sogenannten ‚Röhmputsches' im Juni 1934 wurden auch mehrere prominente Katholiken ermordet, die den neuene Machthabern zu lästig geworden waren. Dazu gehörten Erich Klausener, ein hoher Beamter und Vorsitzender der Katholischen Aktion in Berlin, Adalbert Probst, der in der katholischen Jugendbewegung führend tätig war; Fritz Gerlich, Redakteur der Zeitschrift ‚Der Gerade Weg' und Edgar Jung, der von Papen zu einer kritischen Rede inspiriert hatte. Ihre Ermordung rief in ganz Deutschland großes Entsetzen hervor.

Geistliche, die sich in ihren Predigten kritisch über das Regime geäußert hatten, wurden in zunehmendem Maße bestraft.[17] Die Angriffe auf höhere und niedere Geistliche hatten ihrerseits wieder bestimmte Reaktionen zur Folge. In Gestapoberichten wurde beispielsweise bedauert, daß die Kirchen gerade dann brechend voll seien, wenn antinationalsozialistische Geistliche predigten. Ganz allgemein verstärkten sich, diesen Berichten zufolge, der Kirchenbesuch und die Teilnahme an Prozessionen. Auch die Auflagen der kirchlichen Blätter stiegen sprunghaft, vor allem als zahlreiche sonstige Organe nicht mehr erscheinen durften. In diesen Blättern wurde noch von einem weltanschaulichen Standpunkt aus der Inhalt der von Parteiführern verfaßten Reden, Artikel, Beschlüsse usw. kritisiert. Mit Recht behaupteten die Gestapoberichte, daß diese Kritik einen Zustand der Unzufriedenheit wachhalte, aus dem sich eines Tages eine grundsätzliche Kritik entwickeln könnte. Vor allem im katholischen Westdeutschland fanden die Schriften des aus Deutschland in die Niederlande ausgewichenen Paters Muckermann[18] Absatz. Aus den Gestapoberichten ist abzulesen, daß es manchmal die gleichen Geistlichen waren, die unliebsam auffielen, daß aber die Mehrzahl sich neutral verhielt oder der Partei Sympathien entgegenbrachte. Die Berichte klagten immer wieder darüber, daß viele Geistliche nicht zwischen Partei und Staat zu unterscheiden verstünden. Trotz aller Schwäche des katholischen Widerstandes bezeugt der Inhalt dieser Gestapoberichte, daß Regierung und Partei stets mit einer latenten Opposition von dieser Seite rechneten.

Seit 1935 versuchten die Nationalsozialisten, einen Keil zwischen Geistlichkeit und Gläubige zu treiben, indem sie jeden aufgedeckten Einzelfall von Unregelmäßigkeiten auf finanziellem und sexuellem Gebiet, die eine Reihe von Prozessen auslösten, verallgemeinerten.[19] Ende 1934, zur Zeit der Volksabstimmung im Saargebiet, schienen die Gegensätze etwas gemildert, aber diese Mäßigung hatte nur die Mitwirkung der Kirche bei der Volksabstimmung zum Ziel, und diese ließ sich dazu benutzen. Als die Kirche nicht mehr gebraucht wurde, zeigten Staat und Partei wieder ihr wahres Gesicht. Es begann mit Aktionen gegen die katholischen Jugendorganisationen. Als damit nicht überall ein Erfolg erreicht wurde, obwohl die HJ mit der Unterstützung der örtlichen Polizei rechnen konnte, erfolgte bald darauf ein allgemeines Verbot. Bereits vor dieser Zeit war es gelegentlich zu Schwierigkeiten gekommen. Das hatte mehr als einmal auch die Zeitschrift für die katholische Jugend, ‚Junge Front', erfahren müssen.[20] Die erste Nummer war im Juni 1932 in einer Auflage von 33000 Exemplaren erschienen; beim schließlichen Verbot der Zeitschrift, im Januar 1936, betrug die Auflage 330000. Chefredakteur war Johannes Maassen, ein Dreißigjähriger, der zu den ersten Mitgliedern der katholischen Organisation für Mittelschüler, ‚Neudeutschland', gehört hatte. Seitdem er im Februar 1933 die Chefredaktion der ‚Jungen Front' übernommen hatte, machte diese Zeitschrift kein Hehl aus ihrer eindeutig reservierten Haltung gegenüber allen Annäherungsversuchen der Nazis. Als Göring in Preußen trotz aller gegenteiligen Versprechungen einen Katholiken nach dem anderen entließ, protestierte Maassen mit dem Erfolg, daß das Blatt vier Wochen verboten wurde. In richtiger Einschätzung der Haltung der Kirchenführung war klare Reserve angesichts der Konkordatsverhandlungen das einzig Mögliche. Dennoch konnte man aber lesen, daß mit einem solchen Vertrag weder der Kirche noch dem Staat gedient wäre. Anfang 1933 rief die Zeitschrift anläßlich der großen antijüdischen Aktion zur Solidarität mit den Juden auf. Im Laufe des Jahres 1934 wurde das Blatt wieder einmal verboten. Als Schirach 1935 verkündete, die einzige ‚junge Front' sei die HJ, wählte man den Titel ‚Michael'. Nach zweimaligem Verbot im Jahr 1935 und nach viermaliger verlangter Abänderung des Untertitels erfolgte im Januar 1936 das endgültige Verbot trotz der Proteste einzelner Bischöfe. Jetzt verlagerte man auf katholischer Seite den Akzent auf die Bildung von Gruppen. Maassen bereiste ganz Deutschland, um Kontakte zu knüpfen. Diese Gruppen gaben manchmal eigene Schriften heraus, die den Mitgliedern später auch in die Kasernen nachgeschickt wurden. 1935 und in den folgenden Jahren starteten die Nazis auch Aktionen gegen katholische Schulen und gegen die Klöster. Im Mai 1935 begann der erste sogenannte Devisenprozeß. Zwar mußten die Bischöfe zugeben, daß in Einzelfällen das Gesetz übertreten worden war, die Nationalsozialisten spielten aber das Ganze ungeheuerlich hoch. Die Folge war, daß die Priester ihre Gläubigen auf die Gefahr hinwiesen, in der die Kirche sich befinde, und das führte dazu, daß diese sich nur umso entschlossener um ihre Geistlichen scharten und in noch größerer Zahl an kirchlichen Veranstaltungen teilnahmen. Abgesehen von den Protesten beschränkten sich die Bischöfe in ihren Verkündigungen und Erklärungen auf das unmittelbare Gebiet der Kirche und auf Glaubensfragen.

1937 begann eine neue Phase des katholischen Widerstandes.[21] Im Januar hatten die Bischöfe in einer Denkschrift an Kirchenminister Kerrl ihrer ablehnenden Haltung noch das Konkordat zugrundegelegt und den Minister auf die großen Unterschiede zwischen Theorie und Praxis hingewiesen. Siebzehnmal kam in diesem Schreiben die Formulierung vor: „Nach dem Konkordat ... – in Wirklichkeit ...“. Auch in Rom waren diese Unterschiede nicht unbemerkt geblieben, und nach jahrelangem Schweigen hielt Papst Pius XI. die Zeit für gekommen, seiner großen Besorgnis über die Geschehnisse in Deutschland und die feindselige Haltung der Regierung gegenüber der Kirche Ausdruck zu verleihen. Im März wurde die päpstliche Enzyklika ‚Mit brennender Sorge‘ veröffentlicht, an der verschiedene deutsche Bischöfe redaktionell mitgewirkt hatten. Nach einer Erörterung des Konkordats und der Motive des Vertragsabschlusses wurden die zahlreichen Vertragsbrüche seitens der Regierung aufgezählt, gegenüber den Auffassungen des Nationalsozialismus wurden die Grundlagen des christlichen Glaubens dargelegt und die Rechte der Kirche präzisiert. Mit einem Aufruf an alle Gläubigen zur Standhaftigkeit und Treue schloß die Enzyklika. Geheim wurde der Text nach Deutschland gebracht. Eine Reihe von Druckereien übernahm die Herstellung gedruckter Exemplare, die dann von zahlreichen Geistlichen und Jugendlichen verbreitet wurden. Die Nazis waren wütend. Zwölf Druckereien wurden enteignet, und Geistliche und Jugendliche, die bei der Verbreitung geholfen hatten, wurden in Gefängnisse oder Konzentrationslager eingeliefert. Das katholische Deutschland hatte einen deutlichen Rückhalt bekommen. Das päpstliche Schweigen war gebrochen.

Im Juli des gleichen Jahres wurde der Jesuitenpater Rupert Mayer,[22] ein populärer Prediger, wegen seiner unverblümten Regimekritik vor Gericht gestellt. Er hatte vom Provinzial seines Ordens, Pater Rösch, die ausdrückliche Zustimmung für sein Tun erhalten,[23] obwohl er Gefahr lief, verhaftet zu werden und dadurch den von den Nationalsozialisten sowieso schon beargwöhnten Jesuitenorden in noch größeren Mißkredit zu bringen. Aber auch sein Bischof, Kardinal Faulhaber, stellte sich nach seiner Verhaftung hinter ihn. In einer Predigt ging Faulhaber, entgegen seiner sonstigen Gewohnheit, öffentlich auf den Fall ein. Mayer wurde zwar zu einer Gefängnisstrafe verurteilt, doch wagte die Gestapo fortan nicht mehr, es auf einen Prozeß ankommen zu lassen, sondern verlegte sich auf weniger auffällige Methoden. Im selben Monat erhob sich während der Aachener Heiligtumsfahrt, an der über eine Million Gläubige teilnahmen,[24] eine solche Entrüstung über die feindselige Haltung des Staates, daß ohne das Eingreifen der Kirchenführer eine Demonstration gedroht hätte.

Die politischen und militärischen Erfolge Hitlers in diesem und in den folgenden Jahren verfehlten ihre Wirkung auf das Episkopat nicht. In zahlreichen besonders freundlich abgefaßten Telegrammen wurde Hitler zu seinen Siegen beglückwünscht. Wenn er dazu auch nicht immer ermächtigt war, fand der etwa 80jährige Kardinal Bertram, Vorsitzender der Fuldaer Bischofskonferenz, immer wieder Motive, um Hitler im Namen des Episkopats zu preisen, ihm daneben aber auch die Sorgen der Kirche vorzutragen in der Hoffnung, daß Hitler auch das läse. Darüber kam es schließlich 1940 im Kreis der Bischöfe zu einem Konflikt.[25] Dabei spielte der damalige Bischof von Berlin, Graf Preysing, eine wichtige Rolle.

Graf Preysing[26] war der einzige unter den Bischöfen, der von Anfang an eine klar antinationalsozialistische Haltung bezogen hatte. Im Kreis der Bischöfe infolge seiner unerschrockenen Haltung eine Ausnahmeerscheinung, war er auch eine der wichtigsten Figuren des katholischen Widerstandes. Geboren 1880 und aus einem alten bayerischen Adelsgeschlecht stammend, hatte er Rechte studiert und war damit später der einzige der Bischöfe, der eingehende Rechtskenntnisse besaß, was ihm vor allem in den Jahren des Nationalsozialismus sehr zustatten kam. Nach der Priesterweihe im Jahr 1912 wurde er Sekretär des Erzbischofs von München-Freising, eine Tätigkeit, in der er eine Menge Erfahrungen auf den verschiedensten Gebieten sammeln konnte. Nach dem Tod des Erzbischofs war er mehrere Jahre Domprediger. In dieser Zeit entwickelte sich zwischen dem damaligen Nuntius in München, Pacelli, und Graf Preysing ein beinahe freundschaftliches Verhältnis. In vielen Fragen beriet Preysing den Nuntius. Als dieser 1929 wieder nach Rom zog, war Preysing der letzte, der Abschied von ihm nahm. 1932 wurde Preysing zum Bischof des Bistums Eichstätt ernannt. Obwohl der Prozentsatz an Nationalsozialisten in dieser Gegend nicht sehr hoch war, machte Preysing klar, daß er sich der großen Gefahr des Nationalsozialismus voll bewußt war. Von Anfang an hat er sich konsequent gegen den Nationalsozialismus gestellt und das auch gegenüber Partei- und Staatsfunktionären unter Beweis gestellt. Zusammen mit Fritz Gerlich und Ingbert Naab, den Redakteuren der Zeitschrift ‚Der Gerade Weg', gehörte er dem sogenannten ‚Konnersreuther Kreis' an, in welchem die Entwicklung des Nationalsozialismus genau verfolgt und überlegt wurde, welche Gegenmaßnahmen am zweckmäßigsten seien. Nachdem Gerlich im Juni 1934 ermordet wurde, ermöglichte Preysing Naab die Flucht in die Schweiz. Da Preysing von der Mehrheit der Eichstätter Bevölkerung unterstützt wurde, ließen ihm die Nazis noch ziemlich viel Handlungsfreiheit. Im Kreis der Bischöfe hatte er wiederholt vor dem Nationalsozialismus gewarnt, und er war denn auch ein Gegner des Konkordats. Er hatte an der Redaktion der päpstlichen Enzyklika 1937 mitgewirkt, damals schon als Bischof von Berlin, ein Amt, in das er 1935 berufen worden war. Bereits 1937 hatte er Kardinal Bertram darauf aufmerksam gemacht, daß die Haltung der Kirche gegenüber Partei und Staat falsch sei: Um papierene Proteste scherten sich die Nazis nicht; mit den Mitteln der Diplomatie sei nichts zu erreichen. Gerade die Kirche könne die entscheidenden Dinge noch beim Namen nennen und eine Massenreaktion zuwege bringen. Diese Möglichkeit müsse die Kirche ausgiebiger nutzen und ihre Taktik an der Devise ‚Angriff ist die beste Verteidigung' ausrichten. Aber Bertram hatte eine solche Haltung abgelehnt und sandte weiter seine Glückwunschtelegramme. Wieder protestierte Preysing und trat 1940 als Pressesekretär der Fuldaer Bischofskonferenz zurück. Trotzdem konnte er erreichen, daß Bertram seine Telegramme künftig mit ‚Erzbischof von Breslau' unterzeichnete. Die Briefe des Papstes an die deutschen Bischöfe lassen erkennen, daß er von Preysing ausführliche Informationen empfing.[27]

Für die Kriegsjahre lassen sich einige Beispiele von Fällen anführen, in denen sich Bischöfe aus humanitären Gründen staatlichen Maßnahmen widersetzten und gegen sie protestierten. Dabei ist aber nicht zu übersehen, daß durch diese Maßnahmen auch kirchliche Kompetenzen bedroht wurden. 1940 protestierte Faulhaber in kräftigen Worten bei Justizminister Gürtner gegen die Ermordung von Geisteskranken und Invaliden. Im nächsten Jahr fragte er Bertram, ob die Kirche nun nicht auch endlich gegen die unmenschlichen Judenverfolgungen protestieren müsse, auch wenn es vielleicht nicht viel nütze.[28] Ein weiteres Beispiel des katholischen Widerstands waren die Predigten des Bischofs von Münster, Graf Galen, im Jahr 1941.[29] Dieser gehörte einem bekannten westfälischen Adelsgeschlecht an und stand, politisch gesehen, auf dem rechten katholischen Flügel. Er war 1933 Bischof geworden. Als der Naziideologe Rosenberg es 1935 wagte, nach Münster zu kommen, protestierte Galen öffentlich. Nationalist, der er war, erkannte er jedoch das nationalsozialistische Regime nachdrücklich als Obrigkeit an, selbst als er 1941 gegen die Tötung von Geisteskranken und Invaliden protestierte. Seine Predigten hatten eine starke Wirkung. Sie wurden vervielfältigt und gelangten auch ins Ausland. Die Nationalsozialisten erwogen Galens Verhaftung, mußten diesen Plan aber aufgeben, als klar wurde, wie groß sein Anhang war. 1942 ließ Bischof Preysing, der in Verbindung mit dem Kreisauer Kreis gekommen war, einen Hirtenbrief über das Recht von der Kanzel verlesen, der innerhalb und außerhalb Deutschlands tiefen Eindruck machte.

Obwohl sie von der latenten Opposition vieler Katholiken und dem mutigen Auftreten mehrerer Bischöfe unterstützt wurden, hatten es jene Katholiken, die sich von den traditionellen Auffassungen freimachen konnten, besonders schwer und wurden oft von ihren kirchlichen Führern im Stich gelassen. Einer von ihnen war zum Beispiel Franz Reinisch.[30] Er war Priester und hatte infolge seiner kritischen Bemerkungen die Aufmerksamkeit der Gestapo auf sich gelenkt. 1941 erhielt er seinen Einberufungsbefehl. Er weigerte sich, den Eid auf Hitler abzulegen. Ein Offizier, ein anderer Priester und ein Richter, alle drei Katholiken, versuchten ihn umzustimmen. Vergeblich. Reinisch blieb bei seiner Entscheidung, die sein Gewissen ihm befahl. Am 21. August wurde er hingerichtet. Ein anderes Beispiel ist Max Josef Metzger,[31] gleichfalls ein Priester. Sein Leben lang hatte er für den Frieden und die Einheit aller Christen gewirkt. Seine Aktivitäten waren der Gestapo bekannt, und er war schon mehrmals verhaftet worden. Aus dem Gefängnis in Augsburg hatte er 1939 dem Papst geschrieben und ihn aufgefordert, ein allgemeines Konzil einzuberufen, um Katholiken und Protestanten zu vereinen. 1943 wurde er verraten und hingerichtet.

Wenn wir den katholischen Widerstand an den von Ernst Wolf[32] formulierten Phasen-Normen messen, so ist festzustellen, daß die katholische Kirche eigentlich nie über die erste Phase, die Verteidigung ihrer eigenen Rechte, hinausgelangt ist. Im Konkordat hatte sie sich dafür eine Grundlage geschaffen. Nur eine Minderheit ist darüber hinausgegangen. In mehreren Hirtenbriefen und Predigten lassen sich Beispiele einer zweiten Phase finden, wobei die Freiheit der Predigt im Mittelpunkt steht. Die Proteste von Bischöfen wie Preysing, Galen und Faulhaber und die Haltung Metzgers sind einer dritten Phase zuzurechnen, in welcher die Welt außerhalb der Kirche nicht mehr dem Regime überlassen wird, sondern aus der Kirche und auf der Grundlage elementarer Grundprinzipien des Christentums gegen die Untaten und Verfolgungen protestiert wird. Noch weniger Beispiele lassen sich für die vierte Phase nennen, in der Katholiken wie Reinisch in einer politischen Konfliktsituation (Eidesfrage, Kriegsdienstverweigerung) standhaft blieben. Der katholische Widerstand war im wesentlichen ein Widerstand einzelner.

8. Der militärische Widerstand

Im Jahr 1934 schrieb die Mutter Helmuth von Moltkes aus der Tschechoslowakei einen langen Brief an ihre Eltern in Südafrika, in dem es unter anderem hieß: „Was für ein Trost, zu wissen, daß es in der Reichswehr noch Menschen gibt, die von den nationalsozialistischen Ideen weniger angesteckt sind als die meisten anderen".[1] Eine solche Auffassung war damals weit verbreitet. In die Armee wurde, besonders in Kreisen des bürgerlichen Widerstandes, großes Vertrauen gesetzt. Diese würde nicht ungestraft zulassen, daß sich das Regime noch weiter an einzelnen und Gruppen vergriff.

Wenn auch viele Menschen der Reichswehr[2] ein hohes Maß an Vertrauen entgegenbrachten, so war doch zu fragen, inwieweit es eigentlich einen stichhaltigen Grund dafür gab, daß diese eingreifen würde. Es ist an sich nicht die Aufgabe einer Armee – auch wenn es vorkommt –, die eigene Regierung zu stürzen und durch eine andere zu ersetzen. Auch in Deutschland war es gewiß nichts Ungewöhnliches, daß Generäle sich mit Politik beschäftigten und notfalls Maßnahmen androhten, wenn man ihrem Willen nicht nachkam. Als ganz bekanntes Beispiel dafür können Hindenburg und Ludendorff gelten, die, als sie 1916 mit der Heeresführung beauftragt wurden, von diesem Augenblick an die Politiker und auch den Kaiser unter Druck setzten.

Nach der militärischen Niederlage und dem Versailler Vertrag wurde das Millionenheer auf eine Reichswehr von 100000 Mann reduziert. Während die Armee unter der Monarchie dem Staat immer loyal gegenübergestanden hatte, änderte sich das in der Republik. Die meisten Offiziere blieben im Innern monarchistisch. Eine Demokratisierung der Armee kam nicht zustande. Die neue Republik wurde zur Gefangenen der alten, in ihren Positionen verbliebenen antidemokratischen Kräfte. Die Reichswehrführung, die sehr gut verstand, daß die Republik auf die Aufrechterhaltung der Ordnung angewiesen war, nützte diese Lage aus, um eine selbständige Politik zu betreiben.[3] Aus geheimen militärischen Fonds wurden antirepublikanische Organisationen unterstützt. So hatte beispielsweise nach dem Ersten Weltkrieg die Marine in Kiel eine große Menge Material ins Ausland verkauft, um es auf diesem Wege vor der Vernichtung zu bewahren. Mit dem dafür erzielten Erlös wurden Organisationen wie ‚Consul' und ‚Wiking' unterstützt, die man notfalls aus Geheimvorräten bewaffnen und zur Armee einteilen konnte.[4] Die zahlreichen Freikorps und Frontkämpferbünde galten als willkommene Heeresreserve, und man baute eine eigene Organisation auf, um diese Heeresreserve instand zu halten und auszubilden. Geheime Waffenlager wurden angelegt, und die Militärverträge mit der Sowjetunion ermöglichten die Herstellung schwerer Waffen sowie die Spezialausbildung der bedienenden Mannschaften. Das alles wurde von den verschiedenen Ministerien gedeckt. Wohl protestierten die Sozialdemokraten energisch gegen die Existenz der sogenannten ‚Schwarzen Reichswehr', doch blieb das im Grunde wirkungslos.

Verkörperung dieses selbständigen Auftretens der Reichswehr war jener Mann, der 1920 zum Chef der Heeresleitung ernannt worden war, General von Seeckt. Da er die Armee als den wichtigsten Grundpfeiler des Reiches betrachtete, verlangte er an der Spitze der Reichswehr einen Mann ohne politische Bindung. An Staatsfeiertagen war er stets auf Dienstreise, um nicht an Feierlichkeiten teilnehmen zu müssen. Im Parlament war er nur ein einziges Mal. Als sehr schlechtes Vorzeichen mußte gelten, daß Seeckt beim Kapp-Putsch 1920 lange eine neutrale Haltung eingenommen und damit die Schwäche der jungen Republik in erschreckender Weise demonstriert hatte. Daß dies damals und in den Jahren danach keine schlimmeren Folgen hatte, läßt sich durch den Umstand erklären, daß von Seeckt zwar ein Antidemokrat, nicht aber ein Abenteurer war. Es gelang ihm, die Mehrheit des Offizierskorps davon zu überzeugen, daß die Reichswehr sich aus der Politik herauszuhalten hätte. Auf diese Weise konnte sie sich umso besser ihrer eigentlichen Aufgabe widmen, dem Aufbau eines starken Instruments für jenen Staat, der der Republik folgen würde. Nach dem Abtreten von Seeckts im Jahre 1926 entwickelten sich weniger gespannte Verhältnisse zwischen Armee und Republik, was vielen Offizieren ein Dorn im Auge war. Es war besonders General von Schleicher,[5] der diese Kursänderung für notwendig hielt. Schleicher war in einer steilen Karriere zum politischen Ratgeber des Ministers aufgestiegen; in dieser Funktion unterstand er nicht mehr der Heeresleitung, sondern unmittelbar dem Minister. Seine politischen Auffassungen lassen sich im großen und ganzen mit dem Wort ‚Pendelbewegung' zutreffend charakterisieren. Wenn er der Meinung war, daß die Regierung zu weit nach rechts tendierte, steuerte er die Reichswehr nach links, und umgekehrt. Im allgemeinen galten seine Sympathien der gemäßigten Rechten. Gemeinsam mit Reichswehrminister Groener, mit dem er bereits in den Jahren nach dem Ersten Weltkrieg zusammengearbeitet hatte, setzte er sich 1930 dafür ein, daß nicht dem Sozialdemokraten Müller, sondern dem Zentrumspolitiker Brüning die Bildung einer neuen Regierung anvertraut wurde. Damit hoffte er das Zustandekommen eines gemäßigten rechten Blockes anzuregen, wodurch den Extremisten von rechts der Wind aus den Segeln genommen werden sollte. Mit Groener und Brüning einigte er sich im Lauf des Jahres 1931 darauf, daß es vernünftig sei, die NSDAP in die Regierung aufzunehmen. Damit könne man sie leichter unter Kontrolle halten. Im Glauben, Hitler überspielen zu können, trat er der Regierung von Papen bei und war später selbst etwa anderthalb Monate Regierungschef, nachdem er die Position des von ihm ins Spiel gebrachten Papen wieder untergraben hatte. Dabei überschätzte er seine eigenen Fähigkeiten und unterschätzte den politischen Einfluß Hitlers und der NSDAP.

Unter Hitler wurde 1933 General von Blomberg Verteidigungsminister, und Schleicher sowie dessen Nachfolger im Ministerium, Bredow, wurden nach dem ‚Röhmputsch' 1934 ermordet. Bredow war unmittelbar nach der Machtübernahme durch von Reichenau ersetzt worden mit dem Argument, daß sich die Reichswehr von politischen Bindungen frei machen müsse. Reichenau sprach öffentlich aus, daß es nun endlich einen Staat und eine

Regierung gebe, die die Reichswehr nicht mehr wie einen Fremdkörper, sondern als selbstverständliche Stütze betrachte, und viele junge Offiziere, die sich schon lange an dem republikfreundlichen Kurs gestoßen hatten, stimmten mit ihm überein. Da Blomberg der Überzeugung war, daß die Armee von einer großen nationalen Bewegung nur profitieren könne, war er für Kritik unempfänglich. Auf seine Initiative geht es zurück, daß die Reichswehr nach dem Tod Hindenburgs einen Eid auf Hitler ablegte. Durch ihre selbständige und isolierte Position während der Republik stand die Reichswehr Hitlers Plänen gegenüber viel schwächer da als sonst und war leichter zu beeinflussen. Daß mehrere Generäle abgesetzt oder ermordet wurden, daß sie Hitler in einer neuen Eidesformel Treue hatten schwören müssen, daß ihre jüdischen und demokratischen Mitbürger verfolgt wurden, das alles hatte die Reichswehr hingenommen. Offensichtlich fanden viele ihrer Mitglieder den Tag von Potsdam, die Zerschlagung der SA und die Einführung der allgemeinen Wehrpflicht wesentlich wichtiger. Das also war die Armee, in die viele Deutsche während der Jahre der nationalsozialistischen Herrschaft ein starkes Vertrauen investierten.

Das soll aber andererseits nicht heißen, daß diese Armee 1933 plötzlich ganz nationalsozialistisch geworden wäre. Wenn auch manche junge Offiziere dieser Richtung zuneigten, verhielten sich die meisten älteren reserviert. Vor allem die kirchenfeindliche Haltung des Regimes und die Praktiken der Gestapo hatten Unruhe unter den Offizieren erzeugt. Von einer Aktion war aber keine Rede. Stets waren nur einzelne und kleine Gruppen zum Handeln bereit. Die Mehrheit beschränkte sich auf das rein Militärische, verhielt sich neutral oder war nationalsozialistisch. Ein Mangel an politischer Einsicht, ein Festhalten an veralteten Traditionen und ein stark nationalistisches und antidemokratisches Denkklima waren ungeheure Hindernisse auf dem Weg zum Widerstand. Gegenüber dem revolutionären Nationalsozialismus bildete die Armee ein besonders schwaches ‚konservatives' Gegengewicht.

Wenn auch Hitler in seinen Gesprächen mit den Generälen bereits klare Akzente setzte, so waren sie immer noch der Meinung, es werde sich schon alles einrenken. Als General Adam im Sommer 1933 in einem Kreis hoher Offiziere die Entwicklung kritisierte, schloß er mit den Worten: „Aber denken Sie daran, daß wir in einer Revolution leben. Noch immer trieb in solchen Zeiten zuerst der Schmutz an die Oberfläche, um später wieder zu Boden zu sinken. So ist unsere Aufgabe, zu warten und zu hoffen".[6] Die in Offizierskreisen vorhandene Kritik besaß in den ersten Jahren noch ein gewisses Ventil. Wenngleich man die SA eindeutig ablehnte – wobei nicht nur Armeeinteressen auf dem Spiel standen, sondern auch ein Mentalitätsunterschied eine Rolle spielte –, war man deswegen noch nicht antinationalsozialistisch; wenngleich man die Korruption vieler Parteiführer, der sogenannten ‚Bonzen', kritisierte, wandte man sich deswegen noch nicht gegen Hitler. Es wurde dabei immer zwischen dem Führer, der selbst wiederum die Armee schonte, auf der einen und der Partei und SA auf der anderen Seite unterschieden. Zwar wünschte die Mehrheit der Offiziere, daß ausschließlich die Armee für die Landesverteidigung zuständig wäre und über Waffen verfügen könnte, und daß dieser Armee gewisse Rechte zugestanden würden wie die begrenzte Anwendung des Arierparagraphen und die Verpflichtung zur kirchlichen Trauung für Offiziere, aber Blomberg war nicht der Mann, auf diese Rechte zu pochen. Er machte eine Konzession nach der anderen. Der neuen Eidesformel folgten das Hakenkreuz auf der Uniform und eine Schulung der Soldaten im nationalsozialistischen Geist. Was an Gegengewichten noch in der Armee vorhanden war, wurde durch die Führung neutralisiert.

Wenn also auch Anfang 1934 eine Menge Kritik am Regime herrschte, das noch zu wenig Erfolge vorweisen konnte, um die Kritiker widerlegen zu können; und wenn die Armee auch im Juni – in den Wochen vor der Niederschlagung des ‚Röhmputsches' – eine Chance zum Handeln gehabt hätte, so wollte sie das nicht, und die Armeeführung schon gar nicht. Insoweit überhaupt gehandelt wurde, ging es dabei um Unterstützung bei der bevorstehenden Abrechnung mit der SA und um – zeitweilige – Zusammenarbeit mit der SS.[7] Im ‚Interesse der Wehrmacht' wurde die Politik Hitlers gebilligt. Auch der Mord an verschiedenen Oppositionellen tat dieser Haltung keinen Abbruch. Blomberg z. B. war mit der Festnahme Schleichers einverstanden, und Reichenau formulierte den Bericht, warum er ermordet werden müsse. Und obleich manche Offiziere mit der Erklärung Blombergs nicht einverstanden waren, blieben sie dennoch gehorsam. Fritsch, der auf Wunsch Hindenburgs anstelle Reichenaus mit der Heeresleitung beauftragt wurde, entschuldigte sich später mit der Bemerkung, daß es zu dem erwarteten Aufstand der SA nicht gekommen sei. Sonst hätte die Armee eingegriffen.

Man muß jedoch Krausnick zustimmen, wenn er schreibt, daß man zwar von Generälen wie Fritsch und Beck unter solchen Umständen keinen Staatsstreich erwarten durfte, daß aber eine klare Reaktion das Mindeste gewesen wäre, was sie hätten tun können.[8] Bemühungen von General von Hammerstein und dem Großgrundbesitzer von Oldenburg-Januschau, Hindenburg zu einem anderen Kurs zu bewegen, scheiterten. Hammerstein war bis 1934 Chef der Heeresleitung gewesen und mußte im Januar 1933 einen Plan, die Reichswehr gegen die Nationalsozialisten einzusetzen, auf Hindenburgs Befehl fallen lassen. Er war einer der Wenigen, die es wagten, dem Begräbnis Schleichers beizuwohnen. Während die Armee nach der Niederschlagung des sogenannten ‚Röhmputsches' eine lästige Konkurrenz ausgeschaltet wähnte, zeigte sich aber, daß nicht die Armee, sondern die SS die Früchte dieser Ausrottung pflücken konnte. Vergeblich hatte der Chef der Abwehr, Patzig, vor dieser Entwicklung gewarnt.

In den nächsten Jahren nahm eine gewisse Kritik, die dann und wann in Offizierskreisen an bestimmten Maßnahmen des Regimes geübt wurde, noch keine klaren Formen an. Nur gelegentlich gab es individuelle Kontakte zwischen Generälen und oppositionellen Gruppen. So bestand eine Verbindung zwischen einigen früheren Gewerkschaftsführern und Generälen wie Fritsch, Hammerstein, Beck und Thomas. Auch mehrere Personen der Bekennenden Kirche standen mit verschiedenen hohen Offizieren in Kontakt. Man befand sich noch in der Vorphase einer Konzentration, und von Opposition oder Widerstand war noch keine Rede. Erst während der Fritschaffäre[9] haben sich die Kontakte verdichtet, und erst hier kann von Opposition gesprochen werden.

Schon 1935 hatte sich Hitler darüber beklagt, daß bestimmte führende Persönlichkeiten der Armee seine Pläne durchkreuzten. Als eine der zentralen Figuren dieser Opposition betrachtete er den Chef der Heeresleitung, General von Fritsch, einen Mann alter Schule, der im Verlust der Monarchie und in der zunehmenden Säkularisierung die Gründe für Deutschlands Niedergang sah. Nicht imstande, die wirkliche Gefahr des Nationalsozialismus zu durchschauen, und bar jeder politischen Einsicht, suchte er Befriedigung in der Erfüllung seiner militärischen Pflichten, in Treue zu Hitler, wie er sie früher dem Kaiser entgegengebracht hatte. Das Mißtrauen, das die Nazis ihm entgegenbrachten, entrüstete ihn. Wie konnte man ihm Revolutionsversuche anlasten, ihm, der sich als aktiver Offizier nie an einem Putsch beteiligen würde? Als die Nazis auf Fritschs Sturz hinarbeiteten, kam noch Blombergs Eheskandal hinzu.

In diesen Wochen entstand so etwas wie ein ständiger Kontakt zwischen mehreren Gruppen von Oppositionellen. Auf Seiten des Militärs waren dabei vor allem Admiral Canaris und Oberst Oster von der Abwehr beteiligt, sowie der Chef des Generalstabes des Heeres, Generaloberst Beck, die Generäle Halder, Stülpnagel und Hammerstein und der Kommandierende General von Berlin, von Witzleben. Andere wiederum ließen sich von diesen informieren. Es war besonders Hans Bernd Gisevius, der die Kontakte zwischen den verschiedenen Gruppen aufrechthielt. Der ehemalige Bürgermeister von Leipzig, Carl Goerdeler, der Fritsch bereits vor Monaten gewarnt hatte, er werde das nächste Opfer sein, drängte auf eine Aktion des Militärs gegen die Gestapo. Andere unterstützten diesen Plan. Man wollte Himmler und Heydrich verhaften, den Hergang der Fritsch-Affäre bekannt machen und Hitler vor vollendete Tatsachen stellen. Wenn er den Forderungen der Opposition nicht nachkäme, würden die Generäle putschen.

Ob das die Generäle wirklich getan hätten? Einer nach dem anderen erging sich in Entschuldigungen, als man ihn bat, die Initiative zu übernehmen. Als Halder seinen unmittelbaren Chef, Beck, von der Notwendigkeit eines militärischen Eingreifens überzeugen wollte, bemerkte Beck, die Untersuchung sei noch nicht abgeschlossen und Halders Verlangen sei Meuterei, Revolution. Diese Worte kamen aber im Wörterbuch des deutschen Offiziers nicht vor.[10] Ein großes Handikap war die plötzliche Erkrankung von Witzlebens. Darauf erklärte sich General von Hase, der ein in Neuruppin stationiertes Regiment kommandierte, zu der geplanten Aktion bereit. Aus mehreren Gründen kam es dann doch nicht so weit; einer dieser Gründe war der Anschluß Österreichs an Deutschland. Er löste eine derartige Euphorie im Reich und auch in der Armee aus, daß eine Aktion zu diesem Zeitpunkt nicht auf Verständnis hätte rechnen können. Wieder war jedoch eine Gelegenheit dahin.

Es war eigentlich Hitler, der die oppositionellen Offiziere durch seine Politik zu neuer Aktivität drängte. Nachdem Fritsch und Blomberg entlassen waren, übernahm Hitler selbst den Oberbefehl, indem er ein ihm unterstelltes ‚Oberkommando der Wehrmacht' unter Leitung Keitels schuf. Von Brauchitsch, ein Mann, der Hitler keineswegs gewachsen war, wurde Oberbefehlshaber des Heeres. Aber in diesem Heer vollzogen sich allmählich manche Veränderungen. Infolge der allgemeinen Wehrpflicht und der damit einsetzenden Heeresvergrößerung nahm der Einfluß der älteren Offiziere ab. In zunehmendem Maße hatten die Generäle mit den jüngeren Truppenoffizieren zu rechnen, die dem Regime vorbehaltsloser dienten und die Truppe in der Hand hatten. So wuchs die Armee, unter der neuen Führung und mit einem neuen Geist beseelt, zu einem willfährigen Werkzeug in Hitlers Händen. Wem das nicht paßte, der wurde versetzt oder pensioniert. Wer Hitler treu diente, wurde mit Geschenken überhäuft. Den Verdacht der Bestechung lud Brauchitsch bereits bei seiner Amtsübernahme auf sich, indem er aus Hitlers Händen eine ansehnliche Geldsumme annahm, um sich von seiner ersten Frau scheiden lassen zu können und wieder zu heiraten.

Im Lauf des Jahres 1938 stellte sich Beck immer entschiedener gegen Hitlers Kriegsvorbereitungen.[11] Nachdem er zunächst dem neuen Regime nicht ohne Sympathien gegenübergestanden hatte, bewirkten die Kriegspläne Hitlers und der Verlauf der Fritschaffäre eine Änderung seiner Haltung. Auf Drängen Becks legte Brauchitsch gegen die Umstellungen in der militärischen Organisation Beschwerde ein. Gleichzeitig drängte Beck bei ihm darauf, sich mit aller Macht gegen eine aggressive Kriegspolitik zu stemmen. Brauchitsch zeigte sich zwar von Becks Beschwerden beeindruckt, wagte aber nichts. Im Mai 1938 sprach Hitler vor einem größeren Kreis über seine Pläne und kündigte einen schnellen Überfall auf die Tschechoslowakei an. Beck, der anwesend war, aber keinen unmittelbaren Zugang zu Hitler besaß, machte seinen Chef sofort auf die großen Gefahren aufmerksam, die Deutschland daraus erwüchsen. Er schlug einen gemeinsamen Protest der höchsten Generäle vor. Kurz darauf wiederholte er seine Beschwerden. Dabei bediente er sich einer klaren Sprache: „Die Geschichte wird diese Führer [die höchsten Führer der Wehrmacht, d. Verf.] mit einer Blutschuld belasten, wenn sie nicht nach ihrem fachlichen und staatspolitischen Wissen und Gewissen handeln. Ihr soldatischer Gehorsam hat dort eine Grenze, wo ihr Wissen, ihr Gewissen und ihre Verantwortung die Ausführung eines Befehls verbietet. Finden ihre Ratschläge und Warnungen in solcher Lage kein Gehör, dann haben sie das Recht und die Pflicht vor dem Volk und vor der Geschichte, von ihren Ämtern abzutreten. Wenn sie alle in einem geschlossenen Willen handeln, ist die Durchführung einer kriegerischen Handlung unmöglich. Sie haben damit ihr Vaterland vor dem Schlimmsten, vor dem Untergang bewahrt."[12]

Auch diesmal wurde Beck nur schwach von seinem Chef unterstützt. Deshalb sah er keine andere Möglichkeit, als seine Entlassung zu beantragen. Umsonst drängten ihn seine Freunde, im Amt zu bleiben, weil er dann weiterhin seinen Einfluß auf die Armee ausüben könne. Aber Beck wollte die Verantwortung für Hitlers militärische Abenteuer nicht übernehmen. Auf Verlangen Hitlers wurde sein Rücktritt nicht bekannt gemacht. War also Beck zum Zuschauer geworden, der keinen Apparat mehr hinter sich hatte, so konnte er, weil er mit vielen Bekannten in Verbindung blieb und immer noch großes Ansehen genoß, nicht nur zum Motor des militärischen, sondern zum Mittelpunkt des gesamten bürgerlichen Widerstandes werden. Sämtliche Gruppen suchten Kontakt zu ihm und erkannten seine Führung an. Weil er von der Gestapo beschattet wurde und jeder seiner Besucher von einem Spitzel in einem gegenüberliegenden Haus fotografiert wurde, mußte er sich ziemlich im Hintergrund halten.

Im Lauf des Jahres 1938 ergaben sich Möglichkeiten für einen Staatsstreich. Man erwartete bei einem Einmarsch Hitlers in die Tschechoslowakei die sofortige Kriegserklärung Englands und Frankreichs. In diesem Fall sollten einige Generäle mit zuverlässigen Einheiten Hitler und seine Trabanten verhaften, wichtige Gebäude, wie das Gestapohauptquartier, den Rundfunksender und das Propagandaministerium, besetzen und einen eventuellen Gegenschlag der SS aus Süddeutschland verhindern. Dieser Plan stammte von einem Triumvirat: Halder, Witzleben, Oster. Ersterer war Beck mit dessen Zustimmung im Amt nachgefolgt, aber durchaus nicht in der Absicht, seine antinationalsozialistische Haltung aufzugeben. Das Urteil über Halder ist stark durch dessen Passivität während der Kriegsjahre beeinflußt. In den dreißiger Jahren war er sich aber weit eher als Beck der Gefahren des Nationalsozialismus bewußt und bereit zu handeln.[13] Als Süddeutscher besaß er auch eine ganz andere Mentalität als der aus Hessen stammende Beck, der eher den Eindruck eines Gelehrten als eines Generals machte. Witzleben war kommandierender General von Berlin und besonders populär. Er versicherte sich der Unterstützung des Kommandanten der 23. Division in Potsdam, Graf Brockdorff-Ahlefeld. Oster hatte vor allem als wertvoller Informant und als Kontaktmann Bedeutung. So hielt er zum Beispiel die Verbindung zwischen Halder und einer Gruppe Oppositioneller im Auswärtigen Amt um Staatssekretär von Weizsäcker.

Halder entfaltete große Aktivität. Er nahm auch mit anderen Oppositionellen Kontakt auf, wie Schacht, dem Polizeipräsidenten von Berlin, Graf Helldorf, und dessen Stellvertreter, Graf von der Schulenburg. Auch konnte er den Oberbefehlshaber im Westen, Adam, für den Plan gewinnen. Brauchitsch wurde bewußt nicht eingeweiht. Gisevius erhielt in der Dienststelle Witzlebens ein Zimmer zugewiesen, wo er die polizeilichen Maßnahmen vorbereiten sollte. Heinz, ein ehemaliger Freikorpsangehöriger, wurde mit der Bildung eines Stoßtrupps beauftragt, der Witzleben auf seinem Gang zu Hitler begleiten sollte. Was mit Hitler geschehen sollte, darüber herrschte Uneinigkeit. Falls er nicht nachgab, was anzunehmen war, sollte er sich vor einem Gericht dem deutschen Volk gegenüber zu verantworten haben. Auch wurde erwogen, ihn auf Grund eines Gutachtens bekannter Psychiater – unter ihnen der Vater Dietrich Bonhoeffers – als geisteskrank abzusetzen. Nur im Notfall war Halder bereit, einem Attentat zuzustimmen.

Daß dieser Plan bestanden hat und detailliert vorbereitet war, ist belegt.[14] Die Befürworter einer Aktion waren von der Möglichkeit ihrer Ausführung überzeugt. Ihr schwacher Punkt war jedoch die Abhängigkeit in der Begründung der Aktion von der außenpolitischen Lage. Denn was geschah? Trotz des von Mittelsmännern des Widerstandes überbrachten Wunsches, dem Verlangen Hitlers nicht nachzugeben, erklärten sich England und Frankreich, die wegen der Tschechoslowakei keinen Weltkrieg riskieren wollten, verhandlungsbereit. Das Ergebnis der Verhandlungen war das Münchener Abkommen – der Friede schien gerettet, aber wieder war eine Chance für den deutschen Widerstand vorbei. Darauf wurde die ganze Aktion abgeblasen; man war überwiegend der Auffassung, daß die Deutschen einen Putsch zu diesem Zeitpunkt nie begreifen würden.

Den Erwartungen der Opposition war nun der Boden entzogen. Die Enttäuschung saß tief, und von regelmäßigen Kontakten ließ sich kaum mehr sprechen. Zu jener Zeit beschäftigte sich vor allem die Gruppe in der Abwehr noch mit neuen Absichten. Chef der Abwehr war Admiral Canaris,[15] ein Monarchist, dessen Herz durchaus nicht für die Republik geschlagen hatte. Aber die Praktiken des Naziregimes lehnte er immer stärker ab. Im Laufe der Jahre hat er zahlreiche Aktivitäten des Widerstandes gedeckt. Zu seinen wichtigsten Mitarbeitern zählten Hans Oster, Hans von Dohnanyi und Helmuth Groscurth. Oster, Canaris' rechte Hand und wie sein Chef Monarchist, war Sohn eines Pfarrers und ein Mann von christlicher Überzeugung. Weil Fritsch ihm als eine Art von Vorbild gegolten hatte, war es, neben den vielen Rechtsbrüchen, die ihm einfach unerträglich waren, vor allem die Behandlung dieses Mannes, die ihn zu einem erbitterten Gegner des Regimes gemacht hatte. In ihm wuchs die Einsicht, daß viele traditionelle Auffassungen in einer so besonderen Situation eigentlich sekundär geworden seien. Darum warnte er den niederländischen Militärattaché in Berlin, Oberst Sas, und teilte ihm Datum und Zeitpunkt des deutschen Überfalles auf die Niederlande mit in der Hoffnung, daß der Angriff durch schnelle Reaktionen der Westmächte vereitelt oder zum Debakel werden würde.[16] Ein anderer Mitarbeiter von Canaris, Hans von Dohnanyi,[17] war lange Zeit Sekretär verschiedener Justizminister gewesen, bis der letzte ihn 1938 auf Betreiben Bormanns entlassen mußte. In dieser Tätigkeit hatte er Einblick in eine ungeheure Zahl von Geheimdokumenten und kannte daher die Praktiken der Nazis aus nächster Nähe. 1939 kam er durch Canaris zur Abwehr, wo er als Sekretär von Canaris fungierte und dem Widerstand zahlreiche Wege ebnen konnte. Er war mit einer Schwester Dietrich Bonhoeffers verheiratet. Oberst Helmuth Groscurth war Chef der Verbindungsgruppe der Abwehr beim Generalstab des Heeres. In den Jahren 1938 bis 1940 war er an zentraler Stelle an der Planung des Staatsstreichs beteiligt. Dabei führte er Gespräche über Sprengstoffbeschaffung, Truppenverteilung usw. Aus eigener Initiative war Groscurth, als er Material aus Polen über die Mordaktionen erhalten hatte, den halben Dezember lang bei den Kommandeuren an der Westfront herumgereist, um sie für eine Aktion gegen Hitler zu gewinnen. Dabei stand er der Bekennenden Kirche sehr nahe. Im Januar 1940 ließ er sich durch die Pfarrer Niesel und Scharf über die Schikanen der Behörden gegen Pfarrer und Gemeinden der Bekennenden Kirche informieren.[18] Schließlich war Groscurth einer der ganz wenigen Offiziere der Wehrmacht, der in Rußland unter Androhung von Gewalt – wenn auch nur zeitweilig – die Mordaktion einer Einsatzgruppe unterbrach.[19]

Um ein genaueres Bild von der Aktivität dieser und anderer Persönlichkeiten im Herbst 1939 zur Verhinderung der Westoffensive zu gewinnen, ist es sinnvoll, darauf etwas näher einzugehen.[20] Nachdem Hitler am 27. September 1939 gegenüber Brauchitsch und Halder seine Angriffspläne entwickelt hatte, reichte Halder am 30. September seinen Abschied bei Brauchitsch ein. Brauchitsch lehnte das Gesuch ab, und beide kamen überein, daß sie gemeinsam Hitlers Pläne torpedieren und notfalls gemeinsam zurücktreten würden. Einer der kommandierenden Generäle im Westen, von Leeb, hatte sich in einer Denkschrift vom 11. Oktober an Brauchitsch gleichfalls gegen die Offensive ausgesprochen. Brauchitsch stimmte mit Halder darin überein, daß sie aus militärischen Gründen versuchen müßten, die Offensive zu verhindern, aber er weigerte sich, politische Konsequenzen daran zu knüpfen. Nachdem Hitler den 12. November als vorläufiges Angriffsdatum festgesetzt hatte, beauftragte Halder Groscurth mit der Ausarbeitung eines Putschplanes. Inzwischen hatte Halder genaue Informationen über die in Polen begangenen Mordtaten erhalten. Diese hatten auf das Heer einen niederschmetternden Eindruck gemacht und zahlreiche Proteste ausgelöst. Im Auftrag Halders besuchte von Stülpnagel die Generäle im Westen, um in Erfahrung zu bringen, ob sie sich an einem Putsch beteiligen würden. Etwa zu dieser Zeit traf eine weitere Nachricht Leebs ein, in der dieser seine Bereitschaft bekundete, jede gewünschte Konsequenz zu ziehen.[21] Anfang November besuchten Halder und Brauchitsch die führenden Generäle an der Westfront. Im Auftrag Becks überreichte ihnen General Thomas eine von Oster, Dohnanyi und Gisevius ausgearbeitete Denkschrift über die Notwendigkeit eines Staatsstreichs. Halder beauftragte Oster, die Pläne von 1938 zu überarbeiten und Groscurth, Beck und Goerdeler mitzuteilen, sie sollten sich bereithalten.

Nachdem Hitler das Angriffsdatum auf den 19. November verschoben hatte, fand im Hauptquartier Leebs eine Besprechung der drei führenden Generäle im Westen, Leeb, Rundstedt und Bock, statt. Obwohl die beiden letzteren die militärischen Bedenken Leebs teilten, waren sie nicht zu eventuellen Konsequenzen bereit. Jetzt fand auch ein ausführliches Gespräch zwischen Brauchitsch und Halder statt, wobei ersterer jede direkte Aktion gegen Hitler ablehnte. Bald darauf resignierte Halder. Er sehe kaum eine Erfolgschance, teilte er Beck mit, und sei der Meinung, daß es in Kriegszeiten sehr gefährlich sei, einen Putsch zu unternehmen. In dieser Zeit eröffnete sich nur noch eine einzige neue Möglichkeit.

General Hammerstein, wegen seiner linken Sympathien auch der ‚rote General' genannt, hatte wieder ein Heereskommando und damit Truppen erhalten. Hitler sollte seine Truppen inspizieren, und diese Gelegenheit wollte Hammerstein nützen, um Hitler zu verhaften. Im letzten Moment sagte Hitler aber den Besuch ab, und kurz darauf wurde Hammerstein wieder in Pension geschickt.

Die erfolgreichen Feldzüge von 1940 machten die Vorbereitung eines Staatstreichs in dieser Zeit fast unmöglich. Wieder schien Hitler Recht gehabt zu haben, und jetzt nicht nur auf außenpolitischem, sondern auch auf militärischem Gebiet. Mit einem Schlag war alle Skepsis verschwunden, und wohl oder übel wurde davon auch die Opposition beeinflußt. Jetzt konnte man erkennen, wer sich aus Überzeugung gegen Hitler gestellt hatte und wer nicht.

1941 stiegen die Chancen erneut. In erster Linie kam es zu einer Zusammenarbeit zwischen dem militärischen Widerstand in Berlin und dem Militärbefehlshaber in Belgien, von Falkenhausen. Dieser war Ende der dreißiger Jahre aus China zurückgekehrt. Der Nationalsozialismus war ihm zuwider. In Belgien hat er bis zu seiner Abberufung im Jahre 1944 den Nazis entgegenzuarbeiten versucht. Außerdem trat der Widerstand mit dem Militärbefehlshaber in Frankreich, von Stülpnagel, in Verbindung. Unter dessen Nachfolger und Namensgenossen, der bereits seit Jahren der Opposition angehört hatte, entwickelte sich Paris dann zu einem der Zentren des militärischen Widerstandes. Daß die Stimmung in der Armee 1941 für den Widerstand wieder günstiger wurde, lag auch an dem Umstand, daß Hitler – im Widerspruch zu einer 1939 getroffenen Abmachung – die Armee immer tiefer in seine Verbrechen verstrickte. Während der Vorbereitungen zum Rußlandfeldzug wurde die Armee mit der Durchführung des berüchtigten ‚Kommissarbefehls' beauftragt. Um die feindliche ‚Führungsgruppe' zu schwächen, mußte jeder gefangengenommene Zivil- oder Militärkommissar sofort getötet werden. Wenn die Generäle mit ihren Protesten auch spät kamen oder gar nichts zu sagen wagten, entstand doch immerhin eine Atmosphäre des Unbehagens. Jetzt war der militärische Widerstand nicht länger nur auf Berlin beschränkt. Es bildeten sich auch Gruppen Unzufriedener an der Ostfront; vor allem die Heeresgruppe Mitte wurde dabei wichtig. Hier bildeten General Henning von Tresckow[22] und Fabian von Schlabrendorff den Mittelpunkt. Nun waren es nicht mehr nur ältere Offiziere, die sich am Widerstand beteiligten, sondern auch jüngere. Sie hatten sich im Kampf ausgezeichnet und dem Regime oft sehr ergeben gedient. Was sie aber in Polen und Rußland erlebt hatten, trieb sie in den Widerstand. Eine Regierung, die solche Maßnahmen befahl, konnte den Namen Obrigkeit nicht mehr für sich beanspruchen. Sie war ein Werkzeug des Teufels. Gerade diese Gruppe junger Offiziere forderte immer kompromißloser einen Anschlag auf Hitler. Allerdings handelte es sich nur um eine kleine Minderheit, die auf diese Weise reagierte. Eine größere Gruppe war sich zwar dessen bewußt, daß die Mordtaten alles Deutsche mit einem ewigen Makel befleckten, aber sie schwiegen und machten sich dadurch mitverantwortlich.

Die kleine Minderheit war inzwischen nicht untätig geblieben. Sie nahm Kontakt mit Berlin auf, und Ende 1941 schien sich eine neue Putschmöglichkeit zu ergeben. Wenn Hitler nicht einer Forderung der Armee nachkäme, den Belagerungszustand zu verkünden, würde diese selbst die Macht übernehmen. Von Brauchitsch schien mit einer solchen Aktion einverstanden zu sein. Aus den Kreisen des zivilen Widerstandes wurde Druck auf die Militärs ausgeübt, jetzt zu handeln. Verschiedene Vorbereitungen wurden getroffen, von denen heute noch wenig bekannt ist. Offensichtlich war Halder ein entscheidender Hemmschuh. Er hielt den rechten Zeitpunkt noch nicht für gekommen.[23] Außerdem konnte Tresckow seinen Kommandanten, Bock, nicht von der Notwendigkeit des Handelns überzeugen. Brauchitsch wollte Hitler zwingen, den Forderungen der Generäle nachzukommen, indem er mit seinem Rücktritt drohte. Hitler jedoch akzeptierte diesen und übernahm selbst den Oberbefehl.

Da Hitler sich selten in der Öffentlichkeit zeigte und niemand aus dem Widerstand in sein Hauptquartier gelangen konnte, bestand während des Krieges lange Zeit kaum eine Möglichkeit, die Aktion auszuführen. Dennoch hat es vor dem 20. Juli 1944 mehrere Versuche in dieser Richtung gegeben.

Ende Januar 1943 war Tresckow in Berlin erschienen. Im Hinblick auf die Situation an der Ostfront drängte er auf äußerste Beschleunigung. Er überbrachte die Antwort Kluges:[24] ,,Keine Teilnahme an einem Fiasko-Unternehmen. Ebensowenig an einer Aktion gegen Hitler. Ist nicht im Wege, wenn Handlung beginnt".[25] Mit dem Chef des Allgemeinen Heeresamtes, General Olbricht, besprach er die vorzubereitenden Maßnahmen für eine Aktion. Auf diese Weise wurde die Zusammenarbeit zwischen den bürgerlichen Widerstandskreisen in Berlin und der Gruppe um Tresckow bei der Heeresgruppe Mitte vertieft. Nach der Abfahrt Tresckows kam die Mitteilung, daß auf keinen der Befehlshaber an der Ostfront zu rechnen sei. Der als Kriegstagebuchführer beim Befehlshaber des Ersatzheeres – damals eine der zentralen Schaltstellen des militärischen Widerstandes – tätige Hermann Kaiser[26] notierte folgende Reaktion Goerdelers: ,,Er steht ab 15. II. nicht mehr zur Verfügung. Die Autorität der obersten Generäle ist erschüttert, falls bis zum 15. II. nicht gehandelt werde".[27] Tresckow, der ein zweites Mal nach Berlin gekommen war, teilte nach Kaiser die Meinung Goerdelers: ,,Kein Tag sei zu verlieren. Es sei so bald als möglich zu handeln. Von den Feldmarschallen sei keine Initialzündung zu erwarten. Sie folgen nur einem Befehl, genau wie die Stelle hier.[28] Der Befehl müsse von anderer Seite kommen. Das habe er auch Beck gesagt".[29] Anfang Februar 1943 wurde mitgeteilt, daß in zehn Tagen alles fertig sein könnte. Gegen Mitte Februar erschienen Oberst Jäger und der bei der Abwehr tätige Hauptmann Gehre bei Kaiser und fragten im Hinblick auf ihre Aufträge – Jäger sollte den Befehl über das Berliner Wachbataillon übernehmen und Gehre einen Stoßtrupp bilden –, wann sie mit ihrer neuen Arbeit beginnen könnten. Kaiser mußte sie noch etwas vertrösten. Inzwischen war auch der als künftiger Oberbefehlshaber der Wehrmacht vorgesehene, schon pensionierte, aber populäre Generalfeldmarschall von Witzleben nach Berlin gekommen.[30] Olbricht zeigte sich ,,sehr befriedigt", bat aber, den Termin auf Anfang März zu verlegen.[31] Aus Kaisers Tagebuch geht also klar hervor, daß schon Anfang 1943 eine planmäßige Vorbereitung eines Staatsstreichs stattgefunden hatte und daß sich der Attentatsversuch bei der Heeresgruppe Mitte auf eine breitere Basis stützte, als bisher bekannt war.

Das Anlaufen von Vorbereitungen war jedoch offenbar nicht unbemerkt geblieben. Mitte Februar warnte Fritz von der Schulenburg Kaiser, daß bald eine Aktion des Regimes zu erwarten sei.[32] Im Februar wurde ferner von einer Haussuchung bei Goerdeler berichtet. Unsicher war, wie der Befehlshaber des Ersatzheeres, Fromm, sich einem Staatsstreich gegenüber verhalten würde. Obwohl er damals als ,,empfänglich und einsichtig"[33] galt – zu trauen war Fromm immer noch nicht. Und ob Olbricht tatsächlich bereit war, ohne Fromm zu handeln, blieb weiter unklar. In einer solchen Situation war auch die Mitarbeit der dem militärischen Widerstand zugehörenden Militärbefehlshaber im Westen, Falkenhausen und Stülpnagel, wichtig. Sie sollten außerdem die Lage im Westen sichern. Das war auch im Sinne Tresckows, dem es darauf ankam, die Ostfront zu halten.[34] Kluge, der schwankend und daher als möglicher Partner dauernd im Gespräch blieb, ließ Anfang März durch Schlabrendorff bei Olbricht anfragen: ,,Geht Termin zum Bereitstehen in Ordnung, wenn nicht, bitte ihn aufgrund der Kenntnis der Verhältnisse zu beschleunigen".[35] Bedauerlich war, daß gerade Anfang März Beck sich einer Darmoperation und anschließend noch mehreren Nachoperationen zu unterziehen hatte.[36] Damit war der ‚Kopf' des bürgerlichen Widerstandes für längere Zeit, bis Anfang August, nicht aktionsfähig.[37]

Dennoch wurde der Versuch gewagt. Am 13. März 1943 sollte Hitler Truppen der Heeresgruppe Mitte besuchen. Schlabrendorff hatte gemeinsam mit anderen in das Flugzeug, welches Hitler wieder ins Führerhauptquartier zurückbringen sollte – ein Versuch, ihn an Ort und Stelle zu verhaften, war von dem Befehlshaber abgelehnt worden –, eine Bombe mit englischem Zünder eingeschmuggelt, die als Paket mit zwei Flaschen Cognac getarnt war.[38] Obwohl der Zünder mehrere Male ausprobiert worden war, versagte das Zündhütchen gerade diesmal, und das Paket mußte unter einem Vorwand eiligst herausgeschafft und der Putsch wieder abgeblasen werden. Man hatte diese Methode gewählt, damit es so aussah, als sei Hitler bei einem Flugzeugunglück umgekommen. Ein erneuter Versuch, diesmal von Oberst von Gersdorff in Berlin am 21. März unternommen, mißlang ebenfalls.[39]

Anfang April wurde Oberst Jäger im Zusammenhang mit einem Verfahren gegen seinen Sohn kurz verhaftet.[40] Schulenburg war wegen einer unvorsichtigen Äußerung am 2. April vernommen worden.[41] Wenige Tage später erlitt die Widerstandsbewegung einen unersetzlichen Verlust durch die Verhaftung Dohnanyis, seiner Frau, Dietrich Bonhoeffers und des Rechtsanwalts Josef Müller,[42] ferner durch die ‚Kaltstellung' Osters.[43] Das Jahr 1943 war für den militärischen Widerstand reich an Hoffnungen und Plänen, aber auch reich an Enttäuschungen.

Dennoch hat es auch im April und den folgenden Monaten nicht an Versuchen gefehlt, doch noch einen General für die Auslösung einer Aktion zu gewinnen.[44] Da sich herausgestellt hatte, daß der nach dem Anschlag geplante Staatsstreich nicht gründlich genug vorbereitet worden war, nahm Tresckow einige Monate Urlaub, die er in Berlin zubrachte, damit die Pläne jetzt im Detail ausgearbeitet und die Aktivitäten in Berlin oder anderen Städten Deutschlands und an der Ostfront aufeinander abgestimmt werden könnten.

Ende Juli 1943 gaben die Lage an der Ostfront und der Sturz Mussolinis in Italien neuen Auftrieb. Deswegen auch besuchte Canaris Kluge.[45] Ende Juli wurde mitgeteilt, Kluge sei zur Tat bereit.[46] Bald darauf überbrachte Schulenburg eine positive Nachricht aus Paris. Stülpnagel sei sogar bereit, aus eigener Initiative zu handeln.[47] Kaiser notierte: „Befehlshaber des Ersatzheeres erhält Befehl. Wie Fromm? Kaiser urteilt wie immer. Olbricht: Wenn er's nicht macht, mache ich's. Unter Umständen wird er festgenommen von Olbricht und Tresckow".[48] Man hat also damals tun wollen – und Tresckow scheint dabei die treibende Kraft gewesen zu sein –, was dann erst am 20. Juli 1944 Wirklichkeit wurde.[49] Es ist unklar, aus welchen Gründen es damals dann doch nicht zum Versuch eines Staatsstreichs gekommen ist. Hat Kluge wieder versagt? Aber weshalb hat Stülpnagel dann nicht gehandelt? Wie dem auch sei, Kaisers Tagebuch wirft auch neues Licht auf die Entwicklungen von Anfang August 1943. Die damalige Vorbereitung auf einen Staatsstreich erklärt auch, weshalb aus dieser Zeit eine neue Ministerliste Goerdelers überliefert ist.[50]

Die Vorbereitungen einer Aktion in der ersten Hälfte und im Sommer des Jahres 1943 sind in der Geschichte des militärischen Widerstandes selbständige Phasen, die keinesfalls nur als Vorgeschichte des späteren Staatsstreichversuchs am 20. Juli 1944 angesehen werden sollten. Dennoch handelte es sich, nachträglich betrachtet, auch um eine Zeit der Vorbereitung und des Aufbaus. Das geht schon aus den wiederholten Besuchen Tresckows in Berlin hervor. Weil aber jetzt Oster fehlte und Tresckow an der Ostfront zu bleiben hatte, war ein anderer Mann notwendig, der aus dem militärischen Apparat in Berlin heraus den Putsch vorbereiten konnte. Damit aber sind wir bei der Vorgeschichte der Ereignisse des 20. Juli 1944, denen ein eigenes Kapitel vorbehalten ist.[51]

9. Die Goerdeler-Gruppe

Daß im Lauf der Jahre zwischen verschiedenen Gruppen der politischen Opposition im bürgerlich-zivilen Lager eine Zusammenarbeit erreicht wurde, war in nicht geringem Maße Carl Goerdeler zu verdanken, jenem Mann, der Ende der dreißiger Jahre und während des Krieges der Motor des bürgerlichen zivilen Widerstandes war.[1]

Goerdeler wurde 1884 in der westpreußischen Kleinstadt Schneidemühl geboren. Sein Vater war Richter. Entsprechend der damals in jenen Kreisen herrschenden Tradition lag in seiner Erziehung auf dem politisch-historischen Aspekt besonderer Nachdruck. Treue zum Staat und zur Monarchie war eine Selbstverständlichkeit. Goerdeler studierte Rechte und strebte eine Laufbahn im Verwaltungssektor oder in der Wirtschaft an. Nach dem Ersten Weltkrieg, den er an der Ostfront erlebte, zögerte er, ob er der Republik von Weimar seine Dienste anbieten solle. Er entschied sich zwar schließlich dafür, blieb aber ein Verfechter des autoritären Staates, mißtraute dem parlamentarischen System und gehörte während der Weimarer Zeit dem antidemokratischen Lager an. 1920 wurde Goerdeler zweiter Bürgermeister von Königsberg. Hier, in dieser preußischen Umgebung, fühlte er sich zu Hause. Die örtlichen Sozialdemokraten hatten aber wenig für den konservativen Nationalisten übrig und verließen bei seiner Amtsübernahme demonstrativ den Rathaussaal. Es gelang ihm jedoch mit der Zeit, auch ihre Sympathie zu gewinnen, und bei seinem Abschied, zehn Jahre später, waren sie anwesend. Dann wurde er Oberbürgermeister von Leipzig, wo man einen Finanzfachmann brauchte, der auch Erfahrungen in der Kommunalpolitik aufweisen konnte. Die Wahl fiel auf Goerdeler, ein Beweis dafür, daß seine Fähigkeiten auf diesem Gebiet Anerkennung gefunden hatten. Durch sparsame Verwaltung versuchte er eine Lösung der

Probleme zu erreichen. Entschieden wandte er sich gegen die Zentralisierungspolitik des Reiches und der Länder und setzte sich für die Selbständigkeit der Kommunen auch auf finanziellem Gebiet ein.

Ende 1931, während der Weltwirtschaftskrise, wurde er von Präsident Hindenburg zum Reichskommissar für die Preisüberwachung ernannt. Dabei unterstützte Goerdeler Reichskanzler Brüning und dessen Deflationspolitik. Mäßigkeit und Sparsamkeit konnten seiner Meinung nach die Wirtschaft retten, nicht aber Kredite und Notstandsprojekte zur Arbeitsbeschaffung. Wirtschaftlich waren diese Auffassungen großenteils überholt, und es kostete Brüning manchmal Mühe, Goerdeler von seinen Dogmen abzubringen. Wegen seiner Unterstützung der Regierung Brüning bekam Goerdeler Schwierigkeiten mit seiner eigenen Partei, den Deutschnationalen, mit denen er schließlich brach. Im Mai 1932 schlug Brüning Goerdeler als seinen Nachfolger vor. Hindenburg gab jedoch von Papen den Vorzug. Ein ihm angebotenes Ministeramt in der Regierung Papen lehnte Goerdeler ab.

Wenn ihm auch bestimmte Dinge in der NSDAP nicht paßten und er sich weigerte, der Partei beizutreten, sah Goerdeler doch auch Gutes in dieser Bewegung. Hitler seinerseits schätzte den fähigen Bürgermeister und ernannte ihn im November 1934 wiederum zum Reichskommissar für Preisüberwachung. Ende 1935 war Goerdeler auch beim Zustandekommen eines neuen Gesetzes für die städtische Verwaltung beteiligt. In jenen Jahren glaubte er, durch persönlichen Einfluß auf Hitler, dem er verschiedentlich Denkschriften zugehen ließ, den Gang der Dinge in Deutschland günstig beeinflussen zu können. Als Rationalist glaubte er bedingungslos an den Sieg des gesunden Menschenverstandes. Zunehmend mußte er erfahren, daß die neuen Machthaber auch auf finanziell-wirtschaftlichem Gebiet eigene Wege gehen wollten. Dabei war Schacht sein großer Gegenspieler. Dessen Kreditpolitik, die Finanzierung der Kriegsindustrie und der Vierjahresplan, standen in völligem Gegensatz zu den Auffassungen Goerdelers, der auf Sparsamkeit und Maßhalten drängte und dessen Vorschläge in dieser Richtung von Hitler als „völlig unbrauchbar“ bezeichnet wurden. Unter dem Eindruck dieser Entwicklung wurde der Berater Goerdeler seit 1936 ein immer heftigerer Opponent.

Ziemlich überraschend kam es dann zum Bruch mit der Partei. Obwohl Goerdeler mit den örtlichen Naziführern gut auskam, machte er aus seiner Ablehnung ihres Antisemitismus kein Hehl. Seit Anfang 1936 hatten sie auf die Entfernung des Leipziger Denkmals für den Komponisten Mendelssohn gedrängt. Goerdeler weigerte sich, dem nachzukommen. Da benützten sie eine Reise Goerdelers nach Finnland im Herbst, um eigenmächtig zu handeln. Nach seiner Rückkehr zog Goerdeler seinen Stellvertreter, einen Nationalsozialisten, zur Verantwortung, und als die Partei sich weigerte, nachzugeben und die Maßnahme rückgängig zu machen, trat Goerdeler aus Protest zurück.[2] Ganz abgesehen davon, daß der Antisemitismus seiner persönlichen Überzeugung zuwiderlief, erschien es ihm – der immer für die Selbständigkeit der Gemeinden eingetreten war – prinzipiell unrecht, daß der Bürgermeister und die städtische Verwaltung in dieser Weise von der Partei abhängig wurden. Vor allem diese Tat machte Goerdeler bekannt: Endlich hatte es jemand gewagt, öffentlich nein zu sagen.

Zunächst hielt Goerdeler sich noch im Hintergrund. Nach dem Konflikt mit der Partei schied die Übernahme eines öffentlichen Amtes aus. Er wollte deswegen eine Stellung in der Wirtschaft annehmen. Infolge des Widerstandes der Partei und des ausdrücklichen Verbots Hitlers wurde ihm verwehrt, eine ihm bereits früher angebotene Funktion in der Leitung des Kruppkonzerns zu übernehmen. 1936 war er aber mit einer Gruppe in Berührung gekommen, die sich um den Industriellen Robert Bosch in Stuttgart gesammelt hatte. Einer der Direktoren, Hans Walz,[3] hatte Goerdeler 1933 kennengelernt, als dieser vor einem Kreis von Industriellen sprach. Mit Einverständnis Boschs suchte Walz ihn 1936 zusammen mit einigen anderen in Leipzig auf, um sich mit ihm über die Lage in Deutschland zu unterhalten. Auf Initiative Goerdelers erklärte sich Robert Bosch bereit, Kriegsminister Blomberg aufzusuchen und bei ihm auf ein Abbremsen der Aufrüstung zu drängen, da sonst eine gefährliche Situation entstünde, die Hitler nutzen könne. Dieser Besuch im September 1936 verlief völlig negativ. Als die Firma Bosch einen Vertreter für Berlin suchte, der dort gut eingeführt war, der mit den verschiedenen Instanzen verhandeln und Information über die Ansichten dieser Kreise liefern konnte, trat man an den damals gerade zurückgetretenen Goerdeler heran, der diese Aufgabe übernahm. Die neue Funktion sollte ihm zugleich für seine illegalen Aktivitäten zustatten kommen. Bosch ermöglichte Goerdeler sogar Auslandsreisen, damit er dort auf die drohende Gefahr hinweisen und den deutschen Generälen verläßliche Informationen über die wirtschaftlichen Zustände in anderen Ländern und über die wirklichen Kräfteverhältnisse verschaffen konnte. Der Kontakt mit der Boschgruppe in Stuttgart war für Goerdeler sehr wichtig.

Bereits 1937 fand die erste Reise Goerdelers statt. Im zweiten Halbjahr 1937 besuchte er Belgien, England, die Niederlande, Frankreich, Kanada und die Vereinigten Staaten. 1938 wurde Goerdeler von englischen Freunden zu einer Reihe von Vorträgen eingeladen. Im gleichen Jahr besuchte er auch Italien und verschiedene Balkanländer und 1939 Nordafrika und den Nahen Osten. Über seine Reisen, seine Eindrücke und Gespräche berichtete Goerdeler nicht nur Bosch, Schacht und Göring detailliert, sondern auch einigen Generälen, mit denen er in Verbindung gekommen war.

Seit 1935 stand Goerdeler mit dem Chef des Generalstabs des Heeres, Ludwig Beck, in Kontakt. Über Beck wird Goerdeler auch in Verbindung mit dem Oberbefehlshaber, von Fritsch, gekommen sein, denn dieser empfahl Goerdeler auf dessen Reisen den verschiedenen Militärattachés. Auch die Generäle Halder, der spätere Nachfolger Becks, und Thomas gehörten zu den damaligen Kontakten Goerdelers. Nach seiner Rückkehr schickte er ihnen nicht nur ausführliche Berichte, sondern führte auch ausgedehnte Gespräche mit ihnen.

Goerdeler knüpfte aber auch noch andere Kontakte. 1938 zeigte sich, daß sein ehemaliger Gegenspieler Schacht Verbindung zur Opposition suchte. Ende 1937 trat Schacht als Wirtschaftsminister zurück, und wenn er nun auch Minister ohne Geschäftsbereich wurde, so wollte er doch mit Görings Vierjahresplan nichts mehr zu tun haben. Das soll natürlich nicht heißen, daß er von nun an dem Widerstand angehört hätte. Schacht hat eine sehr eigene Stellung eingenommen, hat gewisse Aktivitäten Dritter zugunsten des Widerstandes gedeckt,[4] wollte aber selbst nicht hervortreten. Was ihn wirklich bewegte, blieb meistens verborgen. In dieser Hinsicht könnte, mutatis mutandis, eine gewisse Parallele gezogen werden zu der Haltung des Staatsekretärs im Auswärtigen Amt, von Weizsäcker.[5]

Des weiteren stand Goerdeler in Beziehung zu dem Diplomaten Ulrich von Hassell, der bereits unter der Monarchie in den diplomatischen Dienst eingetreten war. Ende 1937 war er als Botschafter in Rom in Ungnade gefallen, weil er sich gegen das Bündnis mit Italien gewandt hatte. Auch er übernahm, wie Goerdeler, eine Funktion in der Wirtschaft; dadurch konnte er in Berlin leben und regelmäßige Auslandsreisen unternehmen, vor allem auf den Balkan. Im Ausland genoß er beträchtliches Ansehen. Das zeigte sich noch bei Geheimbesprechungen mit England im Frühjahr 1940.[6] Deshalb wollte man in den Kreisen des Widerstandes Hassell nach einem gelungenen Putsch zum künftigen Außenminister machen. Wie Beck gehörte Hassell der ‚Mittwochgesellschaft', einer sehr alten, wissenschaftlichen Sozietät an, in der man sich selbst in den Kriegsjahren noch ziemlich ungestört treffen und unterhalten konnte und die als Deckmantel für verschiedene illegale Tätigkeiten diente. Hassell spielte später, als sich innerhalb der Kreise des politischen Widerstandes gegen Goerdeler Bedenken erhoben, eine vermittelnde Rolle.

Ende 1939 schloß sich Johannes Popitz[7] der Opposition an, nachdem er 1938 bereits mehrmals bei Bekannten seine Mißstimmung über den Gang der Dinge hatte durchblicken lassen. Er war Spezialist für Fragen der Verwaltung und beherrschte vor allem deren finanzielle Aspekte völlig. In den zwanziger Jahren war er Staatssekretär im Finanzministerium gewesen, außerdem Dozent an der Universität Berlin und Vorsitzender einer Kommission – der auch Goerdeler angehört hatte –, die das finanzielle Verhältnis zwischen Reich und Kommunen regeln sollte. Seit 1930 hatte er die staatliche Erneuerung Deutschlands als das wichtigste anstehende Problem betrachtet. 1933 war er preußischer Finanzminister geworden. Zu jener Zeit hatte er geglaubt, ein autoritärer Führerstaat könne die notwendigen Veränderungen leichter lösen, und hatte deshalb die neue Regierung aus voller Überzeugung unterstützt. Vor allem bestimmte Ereignisse des Jahres 1938, über die er mehr als andere wußte, öffneten ihm dann jedoch die Augen. Die Judenverfolgung im November dieses Jahres entsetzte ihn derart, daß er seine Entlassung beantragte, die aber abgelehnt wurde. Seither hielt er es für seine Pflicht, das Regime von innen her zu unterhöhlen und den Regierungswechsel vorzubereiten. Nachdem er eine Zeitlang seine Hoffnung auf Göring gesetzt hatte, unternahm er 1943 einen Versuch, mit Himmler Kontakt aufzunehmen.[8] Im Kreis des Widerstandes bestanden schwere Bedenken gegen ihn, weil er das Regime so lange unterstützt hatte. Sein Kontakt mit Himmler trug gewiß nicht dazu bei, den Argwohn abzubauen.

Eine in gewissem Sinn ähnliche Gestalt war der mit Popitz befreundete Jens Jessen, dem Goerdeler Ende 1940 begegnete. Er war ein begeisterter Nationalsozialist gewesen und hatte schon seit 1929 mit der Münchner Parteizentrale in Verbindung gestanden. Jessen war Wirtschaftler und wurde 1935 zum Professor in Berlin ernannt. Im Nationalsozialismus sah er die einzige Möglichkeit, Deutschland vor dem Kommunismus zu retten. Da er aber gegenüber bestimmten Mißständen in der Partei nicht blind war und jegliche Form von Korruption verabscheute, geriet er im Lauf der Jahre mit der Partei in Konflikt, weil diese das Verhalten gewisser Mitglieder deckte. Damals hoffte er noch, daß es der SS als einer Elite gelänge, die Führung im Staat an sich zu reißen, und er forderte seine Studenten zum Beitritt zu dieser Organisation auf. Auch das führte aber zu großen Enttäuschungen. Da er sich zu sehr mit dem Regime identifiziert hatte, mußte er nun eine Doppelrolle spielen. Auf diese Weise konnte er doch noch das eine oder andere für den Widerstand tun. Trotz seiner engen Bindung an Goerdeler hatte er gewisse Sympathien für den Kreisauer Kreis und tat sein Möglichstes, die Gegensätze zwischen beiden Gruppen zu überbrücken. Im Krieg hatte er eine militärische Funktion, wobei er den Kontakt zwischen oppositionellen Militärs an der Front und dem Widerstand in Deutschland aufrechterhielt.

Jakob Kaiser[9] aus dem Kreis der früheren christlichen Gewerkschaften (nach dem Krieg war er Bundesminister für gesamtdeutsche Fragen in den beiden ersten Kabinetten Adenauer), der auch zur Goerdeler-Gruppe gehörte, vermittelte Goerdeler 1940 den Kontakt zu Wilhelm Leuschner.[10] Leuschner hatte eine leitende Funktion im Gewerkschaftsbund innegehabt und war von 1928–1933 Innenminister in Hessen, einem Zentrum des Kampfes gegen den Nationalsozialismus, gewesen. Da er sich geweigert hatte, seine Gewerkschaftsverbindungen in den Dienst der neuen Machthaber zu stellen, und sich sogar durch sein Schweigen auf einer internationalen Konferenz öffentlich von ihnen distanziert hatte, war auch er ‚zur Besserung' in ein Konzentrationslager geschickt worden. Hier hielt er aber alle Qualen und Bedrängisse mutig aus und wurde nach zwei Jahren zu seiner nicht geringen Verwunderung wieder entlassen. Er konnte in Berlin eine Fabrik übernehmen. Sein großes Ziel war die Vorbereitung einer Einheitsgewerkschaft, die eine stärkere Waffe der Arbeiter darstellen sollte und nicht so leicht auszumanövrieren sein würde. So weit war es aber noch nicht. Der Mehrzahl der Arbeiter ging es ausgesprochen gut; durch das Wachstum der Rüstungsindustrie und die Wiederbewaffnung wurden viele neue Arbeitsplätze geschaffen, und die meisten Arbeiter waren unter diesen Umständen nicht darauf versessen, etwas zu riskieren. Dennoch gab es für Leuschner bereits eine Menge zu tun, denn es bedurfte vieler Gespräche, ehe die verschiedenen früheren Gewerkschaften fusionsbereit waren. Zu diesem Zweck hatten bereits Anfang 1933 erste Gespräche stattgefunden. Nach dem 1. Mai hatten die Nationalsozialisten aber eine schnelle Gegenaktion gestartet, die Gewerkschaftshäuser besetzt und viele Gewerkschaftsführer verhaftet. Was halblegal nicht mehr gelungen war, mußte nun im Geheimen illegal zustandegebracht werden. Mit Hilfe von Männern wie Jakob Kaiser, Max Habermann, Ernst Lemmer und Hermann Maass bereitete man die zukünftige Organisation vor und warb im Land Vertrauensleute an, um im geeigneten Augenblick aktionsfähig zu sein.

Über Beck lernte Goerdeler im Laufe des Jahres 1941 den Studienrat und Hauptmann der Reserve Hermann Kaiser kennen.[11] Dieser arbeitete beim Befehlshaber des Ersatzheeres, Fromm. Diese Dienststelle wurde im Lauf der Jahre zu einer der zentralen Schaltstellen der Widerstandsbewegung in Berlin. Hatte Kaiser sich am Anfang von den Nationalsozialisten eine Änderung in den innen- und besonders den außenpolitischen Verhältnissen seines Landes erhofft, so war ihm allmählich klargeworden, daß Hitler sich der preußisch-deutschen Tradition nur als Instrument für seine Politik bediente. Damit war er immer mehr zum Gegner des Regimes geworden. Er soll sich schon bald zu der Entscheidung durchgerungen haben, daß eine gewaltsame Beseitigung Hitlers die notwendige Voraussetzung für das Gelingen eines Staatsstreichs sei. Goerdeler schätzte Kaiser, der der Berliner Kontaktmann Goerdelers zum Militär wurde. Auf Bitte Goerdelers hat er auch manchmal Nachrichten und Dokumente an Beck übermittelt. Außerdem hatte Kaiser ein gutes Verhältnis zum Chef des Allgemeinen Heeresamtes, Olbricht. Dieser zog Kaiser oft ins Vertrauen und deckte seine Tätigkeit ab. So wurde Kaiser eine Art von Vermittler zwischen militärischem und zivilem Widerstand. Henning von Tresckow von der Heeresgruppe Mitte besprach mit ihm beispielsweise mehrfach Details einer Aktion. In Kaisers Dienstzimmer haben sich Goerdeler und Stauffenberg kennengelernt.

Durch den Großgrundbesitzer Wenzel-Teutschenthal war Goerdeler in Kontakt mit einem Kreis von Industriellen und Wirtschaftlern gekommen, dem sogenannten ‚Reuschkreis', der sich regelmäßig bei Wenzel traf. Verschiedentlich hatte Goerdeler an Diskussionen in diesem Kreis teilgenommen und dessen Mitglieder auch über seine persönlichen Auffassungen informiert. So blieb er auch mit der wirtschaftlichen Situation Deutschlands und den diesbezüglichen Fachinformationen aus dem Ausland vertraut.

Über die Wirtschaftsprobleme nach dem Sturz des Hitlerregimes sprach Goerdeler des öfteren mit dem späteren Wirtschaftsminister und Bundeskanzler Ludwig Erhard. Dieser sandte Goerdeler Anfang 1944 ein Exemplar seiner Denkschrift ‚Kriegsfinanzierung und Schuldenkonsolidierung'. In seinem politischen Testament bemerkte Goerdeler: „Dr. Erhard vom Forschungsinstitut der deutschen Industrie in Nürnberg hat über die Behandlung dieser Schulden eine sehr gute Arbeit geschrieben, der ich im wesentlichen beistimme. Er wird euch gut beraten."[12] Die Goerdeler-Gruppe war eher eine Art von Koalitionsregierung als eine Arbeitsgemeinschaft. Zu den engen Mitarbeitern Goerdelers gehörte auch Hans Bernd Gisevius.[13] Er war früher bei der Polizei gewesen, wodurch er über wichtige Kontakte verfügte. Von 1938 bis 1940 hat er im bürgerlichen Widerstand eine wichtige Rolle gespielt. Vor allem 1938 und 1939 drängte er dauernd auf aktives Handeln. Da er während des Krieges im Dienst der Abwehr in der Schweiz blieb, um dort von seiten des bürgerlichen Widerstandes mit den Alliierten Verbindung aufzunehmen, wodurch er nur selten nach Deutschland kam, konnte er die letzten Entwicklungen nur aus der Ferne verfolgen. Dennoch hat er am 20. Juli 1944 den Staatsstreich in Berlin miterlebt, konnte aber rechtzeitig in die Schweiz zurückkehren.[14] Weiter wäre als Mitarbeiter Goerdelers noch der Oberst Wilhelm Staehle[15] zu erwähnen.

In den Jahren seiner Führungsrolle im bürgerlichen Widerstand entfaltete Goerdeler eine ungeheuere Aktivität. Er war es, der den anderen, wenn sie resignieren wollten, wieder Mut einflößte. Er war es auch, der unaufhörlich die zögernden Generäle zur Aktion drängte. Von seiner Aufgabe gleichsam besessen, bediente er sich nicht immer der richtigen Taktik bei der Behandlung seiner Gesprächspartner. Diese mußten sich von ihm zuweilen mit Recht überfahren fühlen. Dabei war er ziemlich unvorsichtig. Vielleicht müssen wir einräumen, daß das im Wesen seiner Arbeit lag. Niemand aber kann behaupten, es habe Goerdeler an Mut und Energie gefehlt. Stets hat er sich für eine breitere Basis der Zusammenarbeit innerhalb des Widerstandes eingesetzt und immer zur Tat gedrängt. Als er Anfang 1938 soeben von einer Auslandsreise zurückgekehrt war, brach die sogenannte Fritschkrise aus. Damals war Goerdeler einer der wenigen, der darin eine Chance erblickte, Deutschland vom Hitler-Regime zu befreien. Generäle, die er kannte, ersuchte er – vergeblich –, gegen die Gestapo vorzugehen und einen Putsch zu unternehmen. Dennoch trug diese Aktivität dazu bei, daß der politische Widerstand im bürgerlichen Lager im Lauf des Jahres 1938 eine mehr oder minder organisierte Form anzunehmen begann. Es gab jetzt immerhin eine Gruppe, die, wenn die Situation günstig schien, Einfluß auszuüben und zum Eingreifen zu drängen suchte. Und Goerdeler war ihr Motor. Als General Beck 1938 immer wieder seine Einwände gegen Hitlers Kriegspolitik formulierte, stützten sich seine Denkschriften unter anderem auf Unterlagen Goerdelers. Als in den Wochen nach dem Münchener Abkommen allgemeine Erleichterung über die Abwendung der drohenden Kriegsgefahr herrschte, war es der schwer enttäuschte Goerdeler, der seine Freunde zu neuer Aktivität ermunterte und auf Umwegen die englische und französische Regierung zu einer härteren Politik gegenüber Hitler aufforderte. Und als Ende 1939 der Angriff im Westen bevorstand, war es wiederum Goerdeler, der keine Gelegenheit versäumte, mit der Heeresleitung und dem Ausland Kontakt aufzunehmen und vor Hitler und seiner Politik zu warnen. Zweifellos war Goerdeler nicht der Mann, die verschiedenen Möglichkeiten ruhig gegeneinander abzuwägen. Sein Optimismus, seine Erwartung, daß der gesunde Menschenverstand endlich – selbst bei den Nazis – siegen würde, wurden immer wieder von den Fakten widerlegt. Aber er blieb hartnäckig und war nur ungeduldig, daß seine Vorhersagen noch nicht eingetroffen waren. Beck mußte ihn oft zur Vorsicht mahnen und war über Goerdelers sanguinische Art häufig beunruhigt. Auch Hassell hatte verschiedene Bedenken gegen Goerdeler und verglich ihn in Auftreten und Auffassungen mit Kapp.[16] Aber beide waren froh, inmitten so vieler Zweifler und Überläufer einen Mann wie Goerdeler zu haben. Wenn Goerdeler sich einmal optimistisch, dann wieder pessimistisch hinsichtlich der Chancen äußerte, so hielt sein Pessimismus doch nie lange vor. Das entsprach einfach nicht seinem Temperament. Immer wieder glaubte er neue Möglichkeiten entdeckt zu haben und spornte seine Mitarbeiter an, noch auszuhalten und alle verfügbaren Kontakte zu nutzen. Dabei spielte Goerdeler eine Zeitlang mit dem Gedanken, Göring gegen Hitler ausspielen zu können, hoffte sogar auf die Möglichkeit eines

Gespräches mit Hitler, von dem er sich übertriebene Vorstellungen machte. Während des Krieges besuchte Goerdeler manche Generäle – auch an der Front –, ohne auch nur ein einziges Mal verraten zu werden, und spornte sie leidenschaftlich an, sich auf den Putsch vorzubereiten und selbst die Initiative zu übernehmen. So reiste er 1942 zu einer Begegnung mit Generalfeldmarschall von Kluge nach Smolensk. Immer wieder mußte er aber erleben, daß auf die Generäle, von einigen Ausnahmen abgesehen, nicht zu zählen war. Alle diese Reisen wurden weitestgehend durch Aufträge der Firma Bosch gedeckt, und General Oster von der Abwehr half mit falschen Dokumenten, um es Goerdeler zu ermöglichen, die Generäle auch an der Front zu besuchen. Das war einem Zivilisten streng untersagt. Goerdeler mußte sich auf diesen langen Reisen gewaltigen Anstrengungen aussetzen. Aber er gab nicht auf und war nur immer wieder von der kühlen und abweisenden Reaktion seiner Gesprächspartner tief enttäuscht. Wenn er auch nicht mit der Taktik einverstanden war (er fand es aus religiösen Motiven unvertretbar, Hitler durch ein Attentat umzubringen), so unterließ er es doch nicht, Stauffenberg zu ermutigen, beglückt darüber, daß endlich einer den Mut gefaßt hatte, zur Tat zu schreiten.

Welche Auffassungen herrschten nun in dieser Gruppe im allgemeinen und bei Goerdeler im besonderen über die zu verfolgende Politik?[17] Man forderte in diesem Kreis nicht nur eine Liquidierung des Dritten Reiches, sondern strebte ganz bestimmte Veränderungen an. Dabei ist zu bedenken, daß die oft schnell wechselnde internationale Lage von starkem Einfluß war und daß das erhalten gebliebene Material in gewisser Hinsicht aus Momentaufnahmen besteht. Außerdem steht fest, daß innerhalb der Goerdeler-Gruppe hinsichtlich verschiedener Fragen auch unterschiedliche Meinungen herrschten. Dennoch lassen sich bestimmte Leitlinien aufzeigen. Den Konservativ-Nationalen der Goerdeler-Gruppe galt das alte Europa noch immer als Nabel der Welt, und die ‚weiße Rasse' als allen anderen Rassen überlegen. Und in der Vorstellungswelt dieses Personenkreises besaß das große Reich Bismarcks, ergänzt durch Teile der früheren Donaumonarchie, Modellcharakter. Es war der Kern eines politisch und wirtschaftlich vereinten Mitteleuropa, das als unabhängige Weltmacht aus Gründen der Selbstachtung und wegen der Rohstoffversorgung auf Kolonialbesitz Anspruch erheben konnte, ja mußte. Statt eine eventuelle Begrenzung der nationalen, auch der deutschen, Souveränität ins Auge zu fassen, strebte diese Gruppe eine deutsche Hegemonie an. Ihr außenpolitisches Programm läßt sich auf die Formel bringen: Revision des Versailler Vertrages – nicht um seines nationalistischen Inhalts willen, sondern weil er das deutsche Nationalgefühl verletzt hatte. Als Hitler diese Revision mit militärischen Mitteln erreichen wollte, wurde das in diesem Kreis abgelehnt. Das war einer der Gründe für den geplanten Putsch des Jahres 1938. Nachdem Hitler verschiedene außenpolitische Erfolge erzielt hatte und Deutschland zu großen Kraftanstrengungen und Leistungen imstande schien, beeinflußte das auch die Auffassungen dieser Gruppe. Sehr deutlich läßt sich das bei einem Mann wie Goerdeler verfolgen. Sein Revisionsprogramm entwickelte sich zu einem Denken in Begriffen einer Großmachtpolitik, und das war nicht gerade eine geeignete Basis für Auslandskontakte. Überdies hätten solche Vorstellungen eine eventuelle europäische Zusammenarbeit gewiß gestört.

Der Vertrag zwischen der Sowjetunion und Hitlerdeutschland im Herbst 1939 brachte eine Rückkehr Rußlands in die europäische Politik bei gleichzeitiger Absonderung Englands und dadurch die zunehmende Isolierung Deutschlands. Um diese Entwicklung zu unterlaufen, nahm die Gruppe Kontakt mit England auf und unternahm erneute Versuche zu einem Staatsstreich, überschätzte dabei aber zwei Dinge: die englische Angst vor dem Bolschewismus und die Bereitschaft Englands, zu einem Interessenausgleich mit Deutschland zu kommen – einem Deutschland, das in seiner damaligen Position bereits zu einer starken Bedrohung geworden war.

Die schnellen Erfolge des Hitlerschen Blitzkriegs brachten diese Gruppe zwar nicht ins Wanken, beeinflußten aber doch ihre Haltung. Deutschland war jetzt zur Weltmacht geworden, und seine Hegemonie beschränkte sich nicht länger auf Mitteleuropa. In verschiedenen Äußerungen begegnen wir dem Gedanken an eine Wiedergeburt des Reiches in einem an mittelalterliche Zeiten erinnernden Umfang. Produkt dieser Phase ist unter anderem das Memorandum Goerdelers ‚Das Ziel', das in gemeinsamer Überlegung mit Beck zustandekam. Die Endredaktion erfolgte 1941, also noch vor dem Angriff auf die Sowjetunion. Im außenpolitischen Teil dieser Schrift steht zu lesen, daß für Deutschland nur dann eine echte Lösung erreicht sein werde, wenn es gelänge, den Gedanken des Nationalstaates mit dem notwendigen Anspruch auf ein großes Gebiet zu vereinen. Genau wie Bismarck die deutsche Einheit unter preußischer Führung zustande gebracht habe, so müsse Deutschlands Vormachtstellung in Europa allgemein anerkannt werden. Dazu wurden vor allem geopolitische Argumente herangezogen und wiederholt Worte aus dem pseudowissenschaftlichen Jargon des Sozialdarwinismus – wie Rasse, Blut, Boden und Kampf – benutzt. Um die erwähnte Aufgabe erfüllen zu können, brauche Deutschland eine starke Armee, die, wie man hoffe, einst zum Kern aller europäischen Streitkräfte werde! In den besetzten Gebieten müsse eine Militärverwaltung mit Zivilspezialisten eingesetzt werden, wobei von Einmischung der Partei oder von Parteiorganisationen keine Rede mehr sein dürfe. Danach müsse die Selbstverwaltung dieser Gebiete schnellstmöglich wiederhergestellt werden, soweit das mit den deutschen militärischen Interessen vereinbar sei.[18]

Seit 1941 änderten sich diese Auffassungen in einer Reihe wichtiger Punkte. Nun wird kaum mehr von einer deutschen Hegemonie, sondern vielmehr von einem europäischen Bund selbständiger und gleichberechtigter Nationalstaaten gesprochen. Diese Veränderung ist sicher von der militärischen Situation beeinflußt, von der Teilnahme der Sowjetunion und der Vereinigten Staaten am Krieg und von dem „Meer von Haß" (Hassell), das durch die deutschen Verbrechen in den besetzten Gebieten geschaffen worden war. Damit schienen die traditionellen Vorstellungen ihren Wert eingebüßt zu haben, und so wurden auch diese Konservativ-Nationalen anderen Auffassungen wie denen des sogenannten Kreisauer Kreises zugänglicher. Daß mehrere Persönlichkeiten der

Goerdeler-Gruppe, wie von Hassell, Popitz, Jessen und Leuschner, einigen Kreisauer Auffassungen zuneigten, fand in Denkschriften späteren Datums seinen Niederschlag, etwa in ‚Der Weg', einer Anfang 1944 abgeschlossenen Schrift.[19] Sie bietet eine Übersicht der Entwicklungen in Deutschland während des Kaiserreiches, der Weimarer Republik und des Nationalsozialismus. Dieses Geschichtsbild kann dazu gedient haben, die verschiedenen Richtungen im Widerstand enger zusammenzuschmieden. Es kommt darin eine stärkere Reserviertheit gegenüber der Politik Bismarcks und eine eingehendere und positivere Bewertung der Weimarer Zeit zum Ausdruck. Bei der Behandlung der nationalsozialistischen Außenpolitik wird einerseits die Politik Hitlers scharf verurteilt, andererseits erfahren verschiedene Äußerungen aus der Schrift ‚Das Ziel' eine Korrektur. Wenn auch – als eine Art Entschuldigung – die Politik der übrigen Länder gegenüber Deutschland und Hitler angeprangert wird, so liegt der Akzent doch auf der Verurteilung der egoistischen Machtpolitik und der begangenen Verbrechen und Gewalttaten. Eine wenige Monate später konzipierte vorläufige Regierungserklärung bringt zum Ausdruck, daß es ein völlig falscher Ausgangspunkt war, zu glauben, die Zukunft Deutschlands ließe sich auf dem Unglück, der Unterdrückung und Geringschätzung anderer Völker aufbauen.[20]

Wie stand es in dieser Gruppe um die Ansichten zu Staat und Gesellschaft?[21] Der für die deutsche Entwicklung auf diesem Gebiet charakteristische Dualismus, der nach 1918 ein ernstes Hindernis für eine Einwurzelung des demokratisch-parlamentarischen Systems dargestellt hatte, durch die nationalsozialistische Revolution mit ihrem Schlagwort von der ‚Volksgemeinschaft' jedoch überwunden schien, hat die Auffassungen der Goerdeler-Gruppe stark beeinflußt. Verschiedene ihrer Mitglieder befürworteten autoritäre Maßnahmen und nahmen eine geschlossene oligarchische Herrschergruppe zum Ausgangspunkt. Hassell und Popitz waren der Meinung, die gesamte Gesellschaft müsse dem Staat untergeordnet sein, wenn auch bei Hassell in stark dezentralisierter Weise. Goerdelers Staatsauffassung war typisch liberal. Betrachtet man die Konzepte, die als Entwurf eines Grundgesetzes erarbeitet wurden, so fallen bei Popitz, Jessen und Hassell stark autoritäre, sogar faschistoide Züge auf – „völkischer Führerstaat ohne Hitler“ –, bei den anderen liegt der Schwerpunkt auf dem Prinzip der Selbstverwaltung für die unteren Organe und Behörden. Parteien stand man außerordentlich kritisch gegenüber. Die öffentliche Meinungsbildung spielte eine recht geringe Rolle. Während einerseits der starke Wunsch nach einer eigenen ‚deutschen‘ Entwicklung zu spüren ist, die von der geographischen Mittellage zwischen Ost und West auszugehen hätte, erinnern gewisse Vorstellungen wiederum an Ideen aus den Widerstandsbewegungen anderer Länder. Im allgemeinen überwogen antiliberale und romantische Ideen. Auf sozial-wirtschaftlichem Gebiet hatte Goerdeler ausgesprochen liberale Vorstellungen, im Gegensatz zu den mehr sozialistischen Auffassungen eines Mannes wie Jessen. Goerdeler zufolge mußte sich der Staat den liberalen Prinzipien des Wirtschaftslebens beugen. Aus einer recht patriarchalischen Haltung lehnte Goerdeler eine Erweitung der Sozialpolitik ab; die bestehende Sozialgesetzgebung erschien ihm ausreichend. Arbeitslosigkeit sah er in einem gewissen Umfang als unvermeidbar an. Vor allem wegen solcher Auffassungen wurde Goerdeler von anderen als ‚Reaktionär‘ bezeichnet. Im Lauf der Jahre läßt sich bei ihm aber eine positivere Einstellung gegenüber der Sozialpolitik erkennen. Das wird vor allem auf den Einfluß eines Mannes wie Leuschner zurückzuführen sein, der sich in diesem Bereich eher den Kreisauern zugehörig fühlte. Da diese jedoch einen stärkeren Akzent auf die Unternehmensräte legten und zentralistischen Organisationen wie Gewerkschaften kritisch gegenüberstanden, schloß er sich schließlich doch Goerdeler an. Dieser stimmte Leuschners Vorschlag der Gründung einer Einheitsgewerkschaft für alle Arbeiter zu und wollte gerade die Gewerkschaft mit der Regelung der Sozialversicherung und der Arbeitsvermittlung betrauen, um den Staat aus dieser Frage herauszuhalten.

Hinsichtlich der Staatsform liebäugelte die Goerdeler-Gruppe mit einer Wiedereinführung der Monarchie unter einem Hohenzollernprinzen und einer möglichen Rückkehr des Hauses Wittelsbach in Bayern. Vor allem Popitz, aber auch Goerdeler waren

Anhänger der Monarchie. Das Parlament sollte nach Vorstellung der Goerdeler-Gruppe aus zwei Kammern bestehen. Eine zweite Kammer (Reichstag) sollte zur einen Hälfte von den unteren Verwaltungsgremien gewählt werden, zur anderen auf dem Weg einer allgemeinen direkten Wahl. Die erste Kammer (Reichsständehaus) sollte aus Vertretern der Kirchen, den Rektoren der Universitäten, aus Vertretern von Arbeitgebern und Arbeitnehmern und aus fünfzig prominenten Persönlichkeiten aller Kreise bestehen. Der Verwaltungsorganisation legte man die in der nationalsozialistischen Zeit geschaffenen Gaue zugrunde. Leitgedanke war, daß die Parlamentsmitglieder eine wirkliche Elite darstellen sollte, und deshalb galt als Grundregel, daß ein Parlamentskandidat zuerst in den unteren Organen und den Berufsorganisationen Erfahrungen gesammelt haben mußte, ehe er wählbar war.

Einen schwachen Punkt bildete die Konzeption des kulturellen Lebens. Dieser Sektor lag eigentlich völlig jenseits der Interessensphäre Goerdelers, der hier von restlos überholten Ideen ausging.[22] Eine wirkliche Reform des Schulwesens oder des wissenschaftlichen Unterrichts wurde in diesem Kreis nicht erarbeitet. Auf kirchlichem Gebiet wollte Goerdeler die evangelischen Landeskirchen in einer Gesamtkirche vereinigen und für die katholische Kirche einen Primas vorsehen. Entscheidend war seine Vorstellung von einer Abschaffung der finanziellen Unterstützung der Kirche durch den Staat. Im allgemeinen stand Goerdeler der katholischen Kirche mit einer gewissen Reserve gegenüber. Obwohl er evangelischer Christ war, besaß die Kirche bis dahin für ihn nur eine traditionelle Funktion. Vor allem Gespräche mit Bonhoeffer in den Jahren des Nationalsozialismus veränderten diese Haltung.

Gleich wie beim militärischen Widerstand machte sich auch beim bürgerlichen Widerstand im Lauf der Jahre ein Phänomen bemerkbar, das mit dem Begriff ‚Generationsunterschied' zwar nicht ganz erklärbar ist; gleichwohl hat dieser Umstand einen großen Einfluß gehabt. Zunehmend übten vor allem die Jüngeren Kritik an den ‚Honoratioren', den Älteren, und an deren Vorstellungen von den notwendigen Veränderungen nach dem Sturz des Hitlerregimes. Die führenden Figuren der Goerdeler-Gruppe waren noch in der Zeit vor dem Ersten Weltkrieg aufgewachsen. Obwohl sie der Weimarer Republik – manchmal loyal – gedient hatten, waren sie sich der damit eingetretenen großen Veränderungen nur unzulänglich bewußt. Sie waren infolgedessen so sehr auf die Vergangenheit fixiert, daß sie sich, wie die anderen glaubten, auf die Forderungen der Zukunft nur unzureichend einstellen konnten. Dazu kam, daß sie auf Grund ihrer Erfahrungen gegenüber den Jüngeren, denen diese Erfahrung noch fehlte, eine gewisse Geringschätzung an den Tag legten. Das waren jedoch keine schwerwiegenden Probleme, denn sie alle waren in dieser Zeit des Hitlerregimes zum Theoretisieren verurteilt. Personen beider Gruppen, wie Schulenburg, Jessen und Yorck, haben sich für einen Ausgleich eingesetzt. Goerdelers Hang, jeglichen Unterschied zu verwischen, reizte die anderen zum Widerspruch. Schließlich kam es am 8. Januar 1943 zu einer Diskussion im Hause des Kreisauers Peter Yorck;[23] sie wurde von Beck geleitet. Aus der Goerdeler-Gruppe waren Goerdeler, Hassell, Popitz und Jessen anwesend; von den Kreisauern Helmuth von Moltke, Peter Yorck, Adam Trott und Eugen Gerstenmaier. Nicht zuletzt wegen einer etwas unglücklichen Taktik Goerdelers mißlang eine Überbrükkung der Unterschiede. Zwar war man sich darin einig, daß nun so bald wie möglich ein Staatsstreich zu erfolgen habe. Doch waren damit die Unterschiede nicht vom Tisch. Gerade jene, die zuvor vermittelt hatten, zeigten nun für die Ansichten der Kreisauer mehr Verständnis. Sie wollten mit Goerdeler über die kontroversen Punkte sprechen. Jessen, der die Einladung zu diesem Gespräch an Goerdeler überbracht hatte, erklärte: „Der junge Kreis lehne Goerdeler ab, dies müsse ihm klargemacht werden und ermittelt werden, was er selbst wolle."[24] Solche Bedenken wurden auch von seiten mehrerer jüngerer Offiziere, wie Schulenburg[25] und Schwerin von Schwanenfeld[26], unterstützt.

Wenn auch Stauffenberg von den Ideen Goerdelers wenig hielt, hatte er diesem sein Ehrenwort gegeben, daß er zu „einem gemeinsamen Gewaltakt gegen den Führer" fest entschlossen sei.[27] Die Ereignisse des 20. Juli mußte Goerdeler aus der Ferne erleben, denn am 17. Juli war gegen ihn ein Haftbefehl ergangen. Nach dem Mißlingen des Anschlags fand er bei verschiedenen Bekannten Unterschlupf. Es war zu gefährlich, lange an einem Ort zu bleiben. Da Goerdeler nicht untätig sein konnte, verfaßte er in jenen Tagen noch verschiedene Denkschriften. Als er auf der Flucht das Grab seiner Eltern besuchte, wurde er erkannt und verraten. Das geschah am 10. August. Am 8. September wurde er zum Tode verurteilt, aber erst am 2. Februar 1945 hingerichtet. Was sich in den dazwischenliegenden Monaten abgespielt hat, daß er nämlich auf Verlangen Informationen gegeben hat,[28] ist nur schwer erklärbar. In gewisser Weise hat der Führer des bürgerlich-zivilen Widerstandes, in der Hoffnung, dadurch sein Leben retten und sich weiterhin für den Wiederaufbau einsetzen zu können, im Gefängnis den Widerstand verleugnet. Aber in dem Wissen, daß die Nazis vor keinem Mittel zurückschreckten, um ihre Opfer zu beeinflussen, tun wir gut daran, diesen letzten Abschnitt von Goerdelers Lebens weniger scharf zu beleuchten.

10. Der Kreisauer Kreis

Der Kreisauer Kreis,[1] so bezeichnet nach dem Landgut einer seiner führenden Persönlichkeiten, auf dem verschiedene Beratungen und mehrere größere Zusammenkünfte stattgefunden haben, hat sich aus Repräsentanten von Gruppen gebildet, die während der Weimarer Zeit manchmal noch weit voneinander entfernt standen. Gemeinsam war ihnen jedoch die Überzeugung, daß die früheren Gegensätze keine entscheidende Bedeutung mehr hätten und daher überwunden werden sollten. Deshalb erscheint es berechtigt, von einem Kreis und von den Auffassungen dieses Kreises zu sprechen. Was die Generationen betrifft, so könnte man sagen, daß der Kreis eine Initiativgruppe aus Vertretern der jüngeren Generation hatte, die sich bei der Ausarbeitung ihrer Zielsetzungen von älteren Sachverständigen beraten ließ – eine Verfahrensweise, die große Ähnlichkeiten mit der Arbeitsweise der sogenannten Löwenberger Arbeitslager aufweist, ohne welche der Kreisauer Kreis nur schwer zu verstehen ist. Das Bild, das bis vor kurzem von dieser Gruppe bestand und das in verschiedenen Veröffentlichungen über den deutschen Widerstand gezeichnet wurde, beruhte großenteils auf Beiträgen Außenstehender. Selbst das von früheren Mitgliedern – die meisten sind umgekommen – veröffentlichte Material reichte nur wenig über die persönliche Erlebnissphäre heraus. Wenn man die außerordentlichen Umstände jener Zeit – die Notwendigkeit der Geheimhaltung! – berücksichtigt, ist nicht zu erwarten, daß auf dieser Grundlage eine richtige Vorstellung entstehen konnte. Da der Forschung später eine ganze Menge an größtenteils unbekanntem Quellenmaterial über diese Gruppe zugänglich wurde, das wiederum durch anderes Material und Informationen ehemals Beteiligter ergänzt werden konnte, wurde es möglich, ein viel differenzierteres und breiteres Spektrum dieser Gruppe zu erkennen als bisher.

Die Personen, die sich später zum Kreisauer Kreis zusammenschlossen, wurden entscheidend von Bewegungen und Ereignissen während und nach dem Ersten Weltkrieg geprägt. Die Jugendbewegung, die Arbeitslager für Studenten, Bauern und Arbeiter, der religiöse Sozialismus, der Jungsozialismus und Änderungen in den sozialen Auffassungen auf katholischer Seite waren persönliche Stimuli; die Folgen des Ersten Weltkriegs, die Jahre der Weltwirtschaftskrise und der Massenarbeitslosigkeit, der Aufstieg und die Ausbreitung des Nationalsozialismus waren persönliche Erfahrungen.

In keinem anderen Land hat die Jugendbewegung einen solch großen Einfluß ausgeübt wie in Deutschland. Sie war eine Protestbewegung und hat diesen Charakter behalten. In ihr protestierte die junge Generation gegen die Verflachung und den Materialismus der Erwachsenen. Die meisten Kreisauer haben in dieser oder jener Form den Einfluß der Jugendbewegung erfahren. Der nationalistische Charakter der Jugendbewegung in ihrer späteren Phase hatte auf sie nur geringe Wirkung. Von entscheidender Bedeutung für verschiedene von ihnen waren die Arbeitslager in Schlesien, wo Studenten, junge Bauern und junge Arbeiter zusammen lebten, arbeiteten und diskutierten. Hier kamen Gruppen miteinander in Berührung, die sonst aneinander vorübergingen. Bewußt wurden für die einzelnen Arbeitslager konkrete Themen gewählt. In Schlesien herrschte chronische Arbeitslosigkeit; die Industrie war veraltet, und es gab viele Flüchtlinge aus jenen Gebieten, die auf Grund des Versailler Vertrages an Polen gefallen waren. Die Aufgaben waren also vielfältig, und jedes Arbeitslager nahm sich eines bestimmten Problems an. Zum Zwecke einer möglichst umfassenden Information über die Maßnahmen, die Regierungsstellen und Organisationen auf diesem Gebiet bereits getroffen hatten, und auch, um den Wünschen der jungen Generation Ausdruck zu verleihen, wurde während jedes Arbeitslagers eine Begegnung mit Spitzenfunktionären organisiert, was gleichzeitig verhindern sollte, daß sich Erwachsene und Jugendliche als zwei eigene Gruppen auseinanderlebten. Die Erwachsenen machten auf diesen Treffen deutlich, was sie für notwendig hielten, und berichteten, was bereits unternommen wurde, die Jüngeren hörten zu und steuerten ihre Ideen bei. Am Ende einer solchen Begegnung wurden gemeinsame Empfehlungen formuliert. Auf diese Weise wurde die junge Generation in die Arbeit der Erwachsenen integriert, während sich diese ihrerseits daran gewöhnten, auch auf die Jugend zu hören. Dem späteren Kreisauer Kreis gehörten verschiedene Teilnehmer dieser Arbeitslager aus beiden Generationen an. Einige von ihnen kamen sogar aus dem Kreis der Organisatoren. Ihnen war die Zusammenarbeit von Alt und Jung zur gemeinsamen Lösung bestimmter Probleme eine Selbstverständlichkeit. In Gesprächen während des Zweiten Weltkriegs kam man manchmal auf diese Zeit der Löwenberger Arbeitsgemeinschaft zurück, die sich als eine Art Vorphase der späteren Kreisauer Arbeit bezeichnen ließe.

Der religiöse Sozialismus Paul Tillichs stellte einen Versuch dar, Kirche und Arbeitswelt, die einander entfremdet waren, wieder zusammenzubringen und soziale Gegensätze zu überbrücken. Die Zeitschriften Tillichs und seiner Gesinnungsgenossen boten Gelegenheit, aus der Zusammenarbeit zwischen evangelischen Christen und Arbeitern neue Ideen zu entwickeln und über die auf weiten Gebieten notwendige Erneuerung zu diskutieren. Außerdem wurde darin klar auf die Gefahr des Nationalsozialismus hingewiesen. Mehrere Kreisauer waren Schüler religiöser Sozialisten. Drei von ihnen, Reichwein, Mierendorff und Haubach, gehörten dem Beirat einer ihrer Zeitschriften, der ‚Neuen Blätter für den Sozialismus',[2] an. Der Jungsozialismus, der eng mit dem Namen ‚Hofgeismar' verbunden ist, begünstigte eine Verjüngung und Erneuerung der deutschen Sozialdemokratie. Carlo Mierendorff, kurze Zeit Reichstagsabgeordneter und politischer Kopf des Kreisauer Kreises, schrieb damals: „Aus dem Revisionismus von gestern ist der Konservativismus von heute geworden, der dem ganzen rechten Fügel der Sozialdemokratie das Gepräge gibt. Wenn die neue Linke sich entwickeln will, so muß sie sich im Gegensatz zu diesem Konservativismus aus der Zusammenfassung aller aktivistischen Kräfte konstituieren."[3] In vielen Äußerungen der katholischen Jugend war während dieser Zeit eine starke Auflockerung der Bindungen an die bisherigen Formen und eine Aufgeschlossenheit für das Neue spürbar. Es handelte sich dabei um eine ausgesprochene Emanzipationsbewegung, die sich an der neuen Volksgemeinschaft berauschte; ihr waren Begriffe wie ‚Klasse' und ‚Partei' verdächtig. Dazu aber trat ein wachsendes Interesse für soziale Fragen und für das Verhältnis zwischen Katholizismus und Sozialismus. Im Kreis der Zeitschrift ‚Stimmen der Zeit', dem die Kreisauer Patres Rösch, Delp und König zugehörten, wurde zum Beispiel eine Bewegung wie die des religiösen Sozialismus positiv bewertet.

Zu den gemeinsamen persönlichen Erfahrungen gehörte primär der Erste Weltkrieg. 1917 schrieb Adolf Reichwein an seinen Vater: „Der moderne Krieg wühlt derart alle Kräfte und Gegenkräfte durcheinander, daß keine Partei ohne ernste Krise ihn überstehen kann. Diese Krise birgt unwillkürlich das wirklich positive Kulturmoment des Krieges, indem sie als Heilmittel gegen sich selbst soziale Reformen auslöst. Wenn wir einen kulturellen Gewinn mit zu dem Frieden nehmen wollen, müssen wir uns diese Reformen sichern."[4]

Auch wenn sie anfänglich noch begeistert waren, so kühlte sich dieser Enthusiasmus bald ab und machte einem nüchterneren Blick auf die Dinge Platz. So schrieb Julius Leber: „Lüge und Leichtsinn, Leidenschaft und Furcht von 30 Diplomaten, Fürsten und Generälen hatten friedliche Millionen vier Jahre lang in Mörder, Räuber und Brandstifter aus Staatsraison verwandelt, um am Ende den Erdteil verroht, verseucht, verarmt zurückzulassen. Kein Volk erwarb sich dauernden Gewinn. Alle verloren, was nicht Jahrzehnte wiederbringen."[5] Sie hatten keine Illusionen und waren keine Befürworter militärischer Abenteuer. Theodor Steltzer, ein Generalstabsoffizier, schrieb: „Es kann nicht deutlich genug betont werden, daß wir besiegt sind, und daß jeder Gedanke, uns mit militärischen Maßnahmen zu helfen, Wahnsinn wäre. Das gilt auch für den Osten."[6] Über Versailles durfte man sich auch nicht zu stark erregen, denn dieser Vertrag war die logische Folge der bislang verfolgten Politik, und die Deutschen ihrerseits hätten nicht gezögert, andere ebenso zu behandeln. Dagegen traten er und andere, weil sie diesen furchtbaren Krieg mitgemacht hatten, für ein gutes Verhältnis zu den Nachbarländer ein, damit sich so etwas nie mehr wiederholte.

Ebenso wie Goerdeler bemühten sich auch Hans Lukaschek und Paulus van Husen um die Lösung der entstandenen Probleme mit Polen. Lukaschek war zunächst Leiter der deutschen Propaganda für die Abstimmung in Oberschlesien, dann deutsches Mitglied der Gemischten Kommission des Völkerbundes für Oberschlesien. Dabei unterstrichen sowohl Lukaschek wie Husen, daß die Schwierigkeiten in diesem Gebiet nur durch eine harmonische Zusammenarbeit zwischen Deutschland und Polen gelöst werden könnten. Beide befaßten sich auch im Dienst des Völkerbunds mit der Ausarbeitung des Minderheitenrechtes.

Gerade diese Probleme waren es, die ihnen und interessierten Jüngeren, wie Moltke und Einsiedel, die Augen für die Gefahren des Nationalismus öffneten und in ihnen den Wunsch nach einer europäischen Integration erweckten, in deren Rahmen solche Schwierigkeiten geregelt werden könnten. Einige Jahre später, genauer gesagt im Sommer 1927, kam es zu einer ersten Begegnung zwischen Mierendorff, Haubach und Helmuth von Moltke im Hause Zuckmayers.[7] Die Krisenzeit und die Massenarbeitslosigkeit hinterließen bei den Kreisauern einen unauslöschlichen Eindruck. In ihren Briefen, Artikeln und Auseinandersetzungen ist das nachzulesen. Horst von Einsiedel, der in den Vereinigten Staaten die praktischen Auswirkungen der New Deal-Politik studiert und sich mit dieser Thematik in seiner Doktorarbeit befaßt hatte, schrieb nach dem Krieg: „Die große wirtschaftliche Krise bedeutete für mich ein entscheidendes Erlebnis. ... Seit diesen Jahren wurde für mich deutlich, welche Bedeutung einer geordneten beruflichen Umwelt für die geistige Einstellung jedes einzelnen zukommt."[8]

Die meisten Kreisauer waren sich der Gefahren des Nationalsozialismus ziemlich früh bewußt. Carlo Mierendorff, Reichstagsabgeordneter der SPD, bot 1931 eine scharfe Analyse des Nationalsozialismus. Seiner Meinung nach konnte man von einer wirtschaftlichen, einer ideologischen und einer psychologischen Wurzel dieser Bewegung sprechen. Die wirtschaftliche Erklärung lag in der sozialen Notsituation der Bauern, des Mittelstands und der Beamten. Die ideologische im Rassegedanken, im Nationalismus und Antiparlamentarismus, und die psychologische in der Jugend. Infolgedessen war der Nationalsozialismus zum Teil eine soziale, eine Freiheits- und eine Jugendbewegung. In Übereinstimmung damit wies diese Bewegung antikapitalistische, antiproletarische, antidemokratische und antisemitische Tendenzen auf. Etwa zur selben Zeit schrieb Reichwein an Ernst Robert Curtius: „Verteidigt werden muß die Person heute mit allen Mitteln gegen den neuen, lebensgefährlichen Kollektivismus der Blutjünger, für die Blutverehrung und Blutvergießen gleichermaßen Ersatz für Geist und Religion ist. Wir wissen, daß die Position des Geistes schwach ist in diesem irdischen Kampf, der nun anhebt. Vital sein ist billiger als wissend sein; und verlockender für die Kreatur."[9]

Mierendorff war im Reichstag einer der wenigen, der den demagogischen Tiraden von Goebbels entgegenzutreten wagte, der in Hessen den Propagandafeldzug gegen die Nazis leitete und die berüchtigten sogenannten Boxheimer Dokumente veröffentlicht hatte. Ein anderer Kreisauer, Theo Haubach, spielte eine führende Rolle im ‚Reichsbanner'. Nach der Machtübernahme wurden Männer wie Mierendorff, Leber und Haubach sofort verhaftet und verbrachten mehrere Jahre in Konzentrationslagern, ehe sie wieder freigelassen wurden, als die Nazis glaubten, daß alle Widerstandsherde ausgeräumt seien. Einer der Nicht-Sozialdemokraten aus dem Kreisauer Kreis, Theodor Steltzer, hatte 1933 in einer ausführlichen Denkschrift die nationalsozialistische Politik scharf verurteilt, war deswegen verhaftet worden und wäre sicher in einem Konzentrationslager gelandet, wenn seine früheren Kameraden aus der Wehrmacht sich nicht vor ihn gestellt hätten. Von den jüngeren Kreisauern war es Helmuth von Moltke, der vor 1933 ausdrücklich vor einer Stimmabgabe für die NSDAP warnte, weil das einen neuen Krieg zur Folge habe.

Mittelpunkt des Kreisauer Kreises war der junge Helmuth James Graf von Moltke, zum Zeitpunkt der Machtergreifung 26 Jahre alt. Er war zwar Träger eines berühmten Namens, aber kein direkter Nachfahre des großen Feldmarschalls aus dem 19. Jahrhundert. Helmuth James[10] studierte Jura und besaß ein ausgeprägtes soziales Interesse. Darum beteiligte er sich beispielsweise an der Organisation der Arbeitslager in Schlesien. Seine Mutter war eine Südafrikanerin englischen Ursprungs. Vor allem durch ihr Zutun war die Atmosphäre auf Kreisau besonders ungezwungen und durchaus nicht von der Art des typischen Junkermilieus. Mit dem Sieg des Nationalsozialismus war Helmuths Plan, Richter zu werden, endgültig zerstört. Er ließ sich als Anwalt nieder, bemühte sich, jüdischen Bekannten zu helfen, und nahm, soweit sie ins Ausland entkommen konnten, vorläufig ihre Interessen wahr. Auf Drängen seiner Mutter besuchte er England, kam dort mit englischen Freunden seiner mütterlichen Familie in Kontakt und beschloß, die erforderlichen Examen abzulegen, um auch in England eine Kanzlei eröffnen und dadurch mit dem freien Ausland in Kontakt bleiben zu können.

Träger eines nicht minder berühmten Namens war Peter Graf Yorck von Wartenburg.[11] Einer seiner Vorfahren hatte in der Endphase der napoleonischen Herrschaft einen Vertrag mit den einziehenden russischen Truppen geschlossen und damit das Zeichen zum Aufstand Preußens gegen die französische Herrschaft gegeben. Seither galt der Vertrag von Tauroggen in der deutschen Außenpolitik als Symbol für eine Orientierung auf Rußland. In diesem Milieu wuchs Peter Yorck von Wartenburg auf. Weil sein älterer Bruder den Familienbesitz erben sollte, mußte er einen Beruf wählen. Er studierte Jura und bekundete bereits früh Interesse für die Wirtschaft. Zögernd suchte er sich seinen Weg in der Welt von Weimar, emotional mit seiner Familie und der Vergangenheit verbunden, andererseits immer nachhaltiger davon überzeugt, daß diese Vergangenheit überlebt war. Zunächst sah er im Nationalsozialismus eine Möglichkeit, die Erniedrigung Deutschlands zu tilgen. Einige Jahre übte er eine Verwaltungsfunktion in Breslau aus, wo er sich mit Agrarproblemen und der Preispolitik beschäftigte. Ende 1936 nahm ihn sein Chef, der zum Reichskommissar für Preisüberwachung ernannt worden war, mit nach Berlin. Dieser Chef war zwar ein alter Nazi, hatte aber nicht mit der Kirche gebrochen und auch zahlreiche Nichtnazis unter seinen Mitarbeitern. Hier arbeitete Yorck von Wartenburg an dem Erlaß eines allgemeinen Preisstops und kam mit verschiedenen Instanzen und Organisationen in Berührung. Mit der Zeit wandte er sich immer stärker vom Nationalsozialismus ab. Er war ein Gegner der zentralistischen Politik der Nationalsozialisten und lehnte auch ihre Wirtschaftspolitik ab. In erster Linie aber waren es die Rechtlosigkeit, die vielen Gewalttaten und die Behandlung der Juden, die ihm die Augen für die Gefahren des Nationalsozialismus öffneten. 1938 ließ er das immer deutlicher durchblicken, und suchte Kontakte mit Gleichgesinnten. Vor allem eine Reise ins Sudetenland überzeugte ihn von den wahren Absichten der Hitlerschen Politik. Ende 1938 begann er, kleine Zusammenkünfte in seinem Haus abzuhalten, wobei er unter strikter Geheimhaltung Begegnungen mit anderen Antinazis, auch mit Offizieren, hatte. Auch bei Familienzusammenkünften hielt er Ausschau, um herauszufinden, wem man vertrauen konnte. Dabei fiel sein Auge auf Helmuth von Moltke, den er bereits von früher kannte.

Zur Kerngruppe gehörten weiterhin ein Vetter Moltkes, Carl Dietrich von Trotha[12] und dessen Freund, Horst von Einsiedel.[13] Beide hatten sich engagiert an der Organisation der Arbeitslager beteiligt und waren Schüler des religiösen Sozialisten Adolf Löwe. Einsiedel war viel gereist und hatte auch in Amerika studiert. Er wurde 1933 entlassen, fand aber ebenso wie Trotha eine Anstellung im Wirtschaftsministerium. Das hinderte sie nicht daran, Kontakt mit anderen Regimegegnern zu suchen. Seit Ende 1938 entwickelte sich ein regelmäßigerer Kontakt zu Helmuth von Moltke, und es kam zur Zusammenarbeit mit den Vertretern des späteren Kreisauer Kreises.

Ein Mann der ersten Stunde war auch der Pädagoge Adolf Reichwein.[14] Er hatte am ersten schlesischen Arbeitslager teilgenommen, war überzeugter Sozialdemokrat und war Sekretär des preußischen Kultusministers Becker gewesen. Danach übernahm er eine Professur an der Pädagogischen Akademie in Halle, wurde aber 1933 entlassen. Da er Deutschland nicht verlassen wollte und keine anderen Möglichkeiten sah, ließ er sich als Lehrer an eine kleine Dorfschule versetzen. Reichwein erkannte immer klarer, daß sich seine Gegnerschaft nicht auf pädagogischen Widerstand beschränken konnte, sondern daß er politische Konsequenzen daraus ziehen mußte. Die Nazis erleichterten ihm das. Sie ermöglichten ihm, nach Berlin zurückzukehren, wo er seine früheren Freunde wieder regelmäßig traf und bald in deren Pläne eingeweiht wurde.

Auch Hans Peters[15] gehört zu den ersten Mitarbeitern. Er war Professor für Staatsrecht an der Berliner Universität. Als einer der eingeladenen Erwachsenen hatte er das erste Arbeitslager in Schlesien miterlebt. Unter dem bereits erwähnten Minister Becker hatte er an einer Universitätsreform gearbeitet. 1932 hatte er sich zum Mitglied der Zentrumsfraktion des preußischen Landtags wählen lassen und vertrat, nach dem Staatsstreich Papens, der die letzte demokratische Minderheitenregierung in Preußen ausgelöscht hatte, seine Partei vor dem Reichsgerichtshof in Leipzig in der Strafsache gegen das Reich. Nach 1933 zögerte er nicht, den Nationalsozialismus und den totalen Staat abzulehnen. Bei Kriegsausbruch wurde er eingezogen, erhielt aber eine Funktion in Berlin. Dort war es dann Moltke, der ihn ab und zu traf und ihn zur Mitarbeit aufforderte.

Zu den frühesten Mitarbeitern gehört auch Hans Lukaschek,[16] der 1933 von den Nazis als Oberpräsident von Oberschlesien entlassen wurde. Nachdem er einige Jahre deutsches Mitglied in der Völkerbundkommission für Minderheitenprobleme in Oberschlesien gewesen war, wurde er Bürgermeister der neuen Industriestadt Hindenburg und 1932 Oberpräsident der preußischen Provinz Oberschlesien. Mit den Nazis wollte er nichts zu tun haben, und als er sich 1933 nach einem vergeblichen Entlassungsgesuch weigerte, bestimmte Maßnahmen der Nazis durchzuführen, wurde er entlassen. Von da an unterhielt er eine Anwaltspraxis und war einer der wenigen, bei dem Juden und andere Verfolgte Hilfe finden konnten.

Der Kern der Gruppe bestand also aus Jüngeren und Älteren, die sich in den schlesischen Arbeitslagern kennengelernt hatten. Sie hatten den Kontakt untereinander aufrechterhalten, und als um

1938 von einem Putsch gegen das nationalsozialistische Regime gesprochen wurde, waren sie alle der Auffassung, daß es keine Rückkehr zu den früheren Zuständen geben dürfe, sondern daß tiefgreifende Erneuerungen notwendig seien. Das führte dazu, daß sie nach dem Ausbleiben des erwarteten Staatsstreichs ihre Auffassungen konkretisierten und Kontakt zu verschiedenen Spezialisten suchten; außerdem hielten sie nach weiteren vertrauenswürdigen Persönlichkeiten Ausschau, die sie für ihre Vorstellungen gewinnen wollten, und auf diese Weise kamen sie mit verschiedenen Gruppen in Berührung. So entstand der Kreisauer Kreis.

Einsiedel war es zum Beispiel, der Moltke mit Otto Heinrich von der Gablentz[17] und mit Fritz Christiansen-Weniger[18] zusammenbrachte. Gablentz war im Wirtschaftsbereich des Verwaltungsapparats tätig und konnte wertvolle Information über die Auffassungen im evangelischen Kreis zu staatsrechtlichen Fragen beibringen. Mit Peters und Lukaschek besaß man bereits Spezialisten aus dem katholischen Lager. Christiansen war früher auch in den Arbeitslagern aktiv gewesen und hatte sich eine Zeitlang in der Türkei aufgehalten. Auf Wunsch Moltkes befaßte er sich mit der Ausarbeitung des agrarischen Teils des Kreisauer Programms. Durch Gablentz kam Theodor Steltzer[19] mit Moltke in Kontakt. Steltzer stammte aus einem Milieu, in dem Friedrich Naumann hohes Ansehen genoß. Er hatte Wirtschaftswissenschaften bei Lujo Brentano studiert, war aktiver Offizier geworden und hatte am Ersten Weltkrieg als Offizier im Generalstab teilgenommen. Danach wurde er Landrat in Schleswig-Holstein, konnte in dieser Zeit viele Erfahrungen sammeln und wurde 1933 von den Nazis wegen seiner Regimekritik entlassen. Eng verbunden mit der ökumenischen Bewegung, war er einer der ersten, der Bonhoeffer in dessen Seminar Finkenwalde besuchte. Bei Ausbruch des Krieges wurde er eingezogen und bald darauf als Transportoffizier dem Stab des Militärbefehlshabers in Norwegen zugeteilt. Dort unterhielt er enge Beziehungen mit Bischof Berggrav und der norwegischen Widerstandsbewegung. Kurz vor seiner Abreise nach Norwegen war Steltzer von Gablentz noch auf Moltke hingewiesen worden.

Über Reichwein war Moltke mit verschiedenen jungen sozialdemokratischen Arbeiterführern in Verbindung gekommen, unter anderen mit Carlo Mierendorff[20] und Theo Haubach.[21] Durch Vermittlung Mierendorffs trat der Kreisauer Kreis auch mit Wilhelm Leuschner[22] in Verbindung, der an verschiedenen Besprechungen mit Moltke und anderen teilnahm und sich bei den größeren Zusammenkünften in Kreisau von Hermann Maass[23] vertreten ließ. Später kam man über Mierendorff auch mit Julius Leber[24] in Kontakt, der wie Mierendorff der SPD-Fraktion im Reichstag angehört und mehrere Jahre in Konzentrationslagern verbracht hatte. Leber war eine besonders starke Persönlichkeit. In ihn setzten die Kreisauer große Hoffnungen, und sie trauten ihm zu, daß er nach einem gelungenen Staatsstreich die Entwicklung in gute Bahnen lenken werde. Auch Yorck hatte einige seiner Bekannten mit dem Kreisauer Kreis zusammengebracht, und zwar den Bankier Hermann Josef Abs, den Professor für Finanzpolitik Günter Schmölders,[25] Fritz Graf von der Schulenburg, einen Vetter Yorcks,[26] Ernst von Borsig,[27] der ein Landgut bei Berlin besaß, das er für Zusammenkünfte zur Verfügung stellen konnte, und Karl Blessing, der eine bedeutende Stellung im Wirtschaftsleben einnahm.

Auf einer seiner Englandreisen hatte Moltke den Diplomaten Adam von Trott zu Solz[28] kennengelernt, dessen Vater von 1909 bis 1917 preußischer Kultusminister gewesen war, der seinerseits aber großes Interesse für den Sozialismus an den Tag legte. Zusammen mit einem anderen Diplomaten, Hans Bernd von Haeften,[29] der enge Beziehungen zur Bekennenden Kirche[30] unterhielt, trat er dem Kreisauer Kreis als Spezialist für Außenpolitik bei. Haeften brachte Moltke wiederum in Kontakt zu Harald Poelchau,[31] einem Gefängnisgeistlichen und Schüler Paul Tillichs. Poelchau besaß gute Beziehungen zu Arbeiterkreisen und tat viel für Juden und andere Verfolgte.

Nach Kriegsausbruch war Moltke als Berater für Völkerrechtsfragen in den Dienst der Abwehr von Admiral Canaris getreten. Über den Freiherrn von Guttenberg[32] lernte Moltke den Provinzial des süddeutschen Jesuitenordens, Pater Rösch, kennen, der im ‚Ausschuß für Ordensangelegenheiten' ab 1941 den deutschen

Episkopat zu einer energischeren Haltung zu bewegen suchte.[33] Rösch verfügte über gute Verbindungen zu verschiedenen katholischen Bischöfen und war eine wertvolle Informationsquelle. Er machte es möglich, daß verschiedene Patres in die Arbeit der Gruppe einbezogen wurden. Dabei sind vor allem die Namen von Alfred Delp[34] und Lothar König[35] zu erwähnen. Beide hatten der katholischen Jugend angehört. „Es ist", schrieb Delp, „auf eine Ordnung des äußeren, sozialen, wirtschaftlichen, technischen usw. Lebens hinzuarbeiten, die dem Menschen ein relativ gesichertes Existenzminimum jeglicher Art (auch geistig, zeitlich, räumlich usw.) verbürgt. Das Maß des Zielbildes ist vom Menschen zu nehmen, das Ausmaß der jeweiligen Verwirklichung nach den sachlichen Möglichkeiten zu bemessen. [. . .] Ob das nun eine Erziehung des Menschen zu Gott ist? Erst die unterste Voraussetzung. Erst die Bemühung um eine Ordnung und Verfassung des Lebens, in der ein Blick auf Gott für den Menschen nicht mehr eine übermenschliche Anstrengung bedeutet."[36]

In dieser und anderer Form entwickelte Delp die Grundvorstellung dessen, was wir als ‚Mitmenschlichkeit' bezeichnen würden. Von jenen, die dem Kreisauer Kreis später beitraten, erwähne ich hier noch den Juristen Paulus von Husen,[37] der von Lukaschek eingeführt wurde, und Eugen Gerstenmaier,[38] der über Trott mit den Kreisauern in Kontakt getreten war. Gerstenmaier war Pfarrer und arbeitete im Kirchlichen Außenamt der evangelischen Kirche.[39] Er brachte die Kreisauer mit seinem Landesbischof Wurm von Württemberg zusammen. Außer den oben genannten Mitgliedern der Kerngruppe gab es noch andere Mitarbeiter des Kreisauer Kreises. Aus Sicherheitsgründen wurde bei der direkten Arbeit nur eine begrenzte Zahl von Personen, die jeweils ihre Gruppe vertraten, eingeschaltet. Lediglich Moltke und Yorck waren über alle Kontakte informiert. Auf dem Moltkeschen Gut Kreisau fanden drei größere Zusammenkünfte statt, wobei eine durch Spezialisten erweiterte Gruppe von Mitgliedern die Grundlage für das endgültige Programm des Kreises legte. Dabei war es das Ziel der Kreisauer, jene Gruppen, die ihrer Meinung nach einen wichtigen Beitrag zu einer echten Erneuerung leisten konnten – nämlich die

Arbeiter und die Kirchen –, zueinander zu bringen. Hinter dem Programm, das so in zahlreichen Besprechungen und Zusammenkünften zustande kam, standen die genannten Gruppen und ihre Führer – auf seiten der Arbeiter der frühere Minister und Gewerkschaftsführer Wilhelm Leuschner, auf seiten der Kirche Bischöfe wie Preysing, Faulhaber, Dietz und Wurm. Der Kontakt mit den Bischöfen zielte auch darauf, in ihnen eine kritischere Haltung gegenüber dem Regime zu wecken. Diese Einflüsse sind in den Hirtenbriefen Preysings und, wenn auch in abgeschwächter Form, in der Fuldaer Bischofserklärung des katholischen Gesamtepiskopats von 1943 spürbar.

Über bestimmte Kontaktpersonen stellten die Kreisauer auch die Verbindung mit anderen deutschen Widerstandsgruppen her. Durch Vermittlung der Jesuiten waren sie mit einer süddeutschen Gruppe in Berührung gekommen, deren Mittelpunkt der ehemalige Gesandte Franz Sperr bildete. Sperr stand auch mit verschiedenen hohen Offizieren in Kontakt. Da beide Gruppen im wesentlichen das gleiche Ziel hatten, entschloß man sich zur Zusammenarbeit.[40] Auch mit einer westdeutschen Gruppe bestanden Kontakte. Über Delp wurde Verbindung mit einer Gruppe katholischer Arbeiterführer aus Köln, unter anderem mit Bernhard Letterhaus und Nikolaus Gross, aufgenommen. Bei den Gesprächen ergab sich ein großes Maß von Übereinstimmung, vor allem auf wirtschaftlich-sozialem Gebiet. Über Yorck bestand eine lose Verbindung zum sogenannten Freiburger Kreis.[41] Trotz der Versuche Michael Brinks, eine Begegnung zwischen Professor Huber von der Münchner ‚Weißen Rose' und Alfred Delp zu arrangieren, gelang es nicht, die beiden rechtzeitig zusammenzubringen. Ehe es soweit war – die Verabredung mußte aus verschiedenen Gründen mehrmals verschoben werden –, war die ‚Weiße Rose' bereits entdeckt und ausgeschaltet.

Verschiedene Kreisauer hatten Verbindung zu Kommunisten. Zum Teil kannten sie diese noch von früher oder hatten sie in Konzentrationslagern oder in der Illegalität kennengelernt. In dieser Gruppe gab es weniger Einwände gegen eine Zusammenarbeit mit Kommunisten, zumindest dann, wenn diese nicht vollkommen von Moskau abhängig waren. Über das Verhältnis zur Goerdeler-Gruppe ist bereits gesprochen worden.

Welche Auffassungen herrschten im Kreisauer Kreis? Das machen vor allem die Dokumente über die drei großen Zusammenkünfte auf Kreisau deutlich. Bei dem ersten Treffen, Pfingsten 1942, wurde über die Notwendigkeit einer engen Zusammenarbeit von Kirchen und Staat beim Wiederaufbau gesprochen. Dabei dachte man weder an Staatskirchen noch an einen neuen Klerikalismus, sondern man hielt es für wünschenswert, daß die Kirchen vom Staat rechtliche Garantien in Form eines Konkordats erhielten, damit sie vor staatlichen Eingriffen geschützt seien. Ein zweites Thema war die Reform der Erziehung. Man stellte fest, daß die übergroße Mehrheit der Jugend von den nationalsozialistischen Parolen vergiftet worden war. Die Kreisauer lehnten die Konfessionsschule ab und setzten sich für eine undogmatische christliche Staatsschule ein, mit der alternativen Möglichkeit privater Schulen. Ausführlich beschäftigte man sich in diesem Kreis auch mit einer Universitätsreform. Auf dem zweiten Treffen, Ende 1942, wurde der Aufbau von Staat und Gesellschaft diskutiert. Die Kreisauer waren zu sehr an der Praxis orientiert, als daß sie mit fertigen Ideen hätten aufwarten wollen, da deren Realisierung von der jeweiligen Situation abhängig war und Flexibilität erforderte. Deshalb beschränkten sie sich großenteils darauf, Leitlinien zu entwerfen, und das mußte ihren Vorstellungen eine gewisse Unbestimmtheit verleihen. In der damaligen Lage schien es jedoch wichtiger, Einigkeit über die allgemeinen Linien und die Zielrichtung herzustellen. Verschiedene Formulierungen mögen heute utopisch klingen; am meisten fällt auf, daß wir bei den Kreisauern einer ganz anderen Staatsauffassung als der damals üblichen begegnen. Nicht der Staat, sondern der einzelne in seiner Freiheit und Verantwortlichkeit steht im Mittelpunkt. „Gegenüber der großen Gemeinschaft, dem Staat, oder etwaigen noch größeren Gemeinschaften wird nur der das rechte Verantwortungsgefühl haben, der in kleineren Gemeinschaften in irgendeiner Form an der Verantwortung mitträgt, andernfalls entwickelt sich bei denen, die nur regiert werden, das Gefühl, daß sie am Geschehen unbeteiligt und nicht dafür verantwortlich sind, und bei denen, die nur regieren, das Gefühl, daß sie niemandem Verantwortung schuldig sind als der Klasse der Regierenden".[42] Darum befürwortete Moltke eine Verwaltungsorganisation, die dem einzelnen ein Maximum an Eigenverantwortung beließ und sein Verantwortungsgefühl entwikkelte. Alle totalitären Organisationsformen sollten abgeschafft werden. Der Nachdruck wurde auf eine starke Föderalisierung Deutschlands und einen Aufbau von der Basis her gelegt. An die Stelle der staatlichen Zwangsorganisation sollte eine Vielzahl von sich spontan bildenden, einander überlappenden kleinen Gemeinschaften treten, die sich bei begrenztem Tätigkeitsfeld der Gesellschaft verantwortlich fühlten. Es bestand also – wie heute bei den Bürgerinitiativen – die Absicht, durch verstärkte Partizipation die politische Struktur zu demokratisieren. Das System eines gestuften allgemeinen Wahlrechts sollte die Menschen wieder an ihre unmittelbare Umgebung binden und die Bildung einer erfahrenen und fähigen Gruppe von Politikern begünstigen, die mit lokalen und regionalen Problemen vertraut waren. Parteien auf Landesebene sollten sich dieser Verwaltungsorganisation anpassen müssen.

Richtschnur für die wirtschaftlich-soziale Entwicklung sollte die soziale Gerechtigkeit sein. Ausdrücklich wurde das Recht auf Arbeit erwähnt. Bei zu großer Machtkonzentration auf wirtschaftlichem Gebiet sollte der Staat eingreifen können. Er war für Vollbeschäftigung verantwortlich, mußte die Richtung der Wirtschaftsentwicklung bestimmen und darauf achten, daß diese Entwicklung den Forderungen einer gesunden Sozialpolitik entsprach. Anstelle zentralisierter Gewerkschaften favorisierten die Kreisauer ein System von Betriebsräten, in etwa der heutigen Arbeiterselbstverwaltung in Jugoslawien vergleichbar. Die Arbeiter sollten ein großes Maß an Mitbestimmung erhalten, und in den Betrieben strebte man eine wirkliche Arbeitsgemeinschaft an.

Themen des dritten Treffens, Pfingsten 1943, waren die Außenpolitik und die Bestrafung der Kriegsverbrecher. Außenpolitik bedeutete für die Kreisauer Begrenzung der nationalen Souveränität und eine Europapolitik auf integral-föderalistischer Basis. Sie glaubten nicht mehr an einen möglichen Wert des Nationalismus.

Deshalb lehnten sie Versailles als Produkt eines nationalistischen und überlebten Denkens ab. Dabei wollten sie freilich keine deutsche Hegemonie, sondern unterstrichen die Notwendigkeit guter Beziehungen zu anderen Ländern, auch zur Sowjetunion. Natürlich war auch diese Gruppe nicht homogen. Trott, der Diplomat, erkannte besser, daß die souveränen Staaten noch Realitäten waren und es einer Utopie gleichkam, in der damaligen Situation auf deren totale Abschaffung zu drängen. Das hatte Moltke, der in seiner Radikalität vorhersah, daß diese Nationalstaaten die großen Probleme kaum mehr selbständig würden bewältigen können, in der Tat ursprünglich angestrebt. Andererseits fiel es Trott schwerer als den anderen, Territorialfragen als weniger bedeutend zu empfinden. Dagegen sträubte sich sein Nationalgefühl. Als Gruppe zielten die Kreisauer auf eine enge europäische Zusammenarbeit, wobei sie sich teilweise an den Vereinigten Staaten orientierten. Kennzeichnend für die europäische Einstellung der Kreisauer war auch die Tatsache, daß sie als Konsequenz dieser politischen Einstellung Kontakte mit Widerstandsgruppen in den besetzten Gebieten suchten und zu beträchtlichen Konzessionen auf territorialem Gebiet bereit waren. Darüber hinaus drängten sie auf eine Weltorganisation mit gleichen Rechten für alle Länder, die stärker sein sollte als der Völkerbund. In Zusammenhang damit warnten sie davor, den Friedensvertrag und die Frage einer Weltorganisation zu koppeln. Nach ihrer Vorstellung sollten sich die Kriegsverbrecher vor einem internationalen Gerichtshof, zum Beispiel in Den Haag, nicht aber vor einem Gerichtshof der Sieger verantworten müssen. Sehr wichtig erschien ihnen die Frage, wie das deutsche Volk, das sich in so großer Zahl mit dem Hitlerregime identifiziert hatte und in dessen Namen so viele Verbrechen begangen wurden, innerlich von diesem Nationalsozialismus befreit werden konnte. Das deutsche Volk, so dachte man in diesem Kreis, sei nur dann zur Umkehr und inneren Erneuerung bereit, wenn es einsehe, daß seine nationalsozialistischen Führer es in die Niederlage und ins Chaos geführt hätten.

In wieweit wollten die Kreisauer aber einen Staatsstreich oder haben ihn gefördert? In der früheren Literatur wurde dieser Kreis meist als eine Gruppe theoretisierender Intellektueller am Rande des Widerstands betrachtet. Die Absprache der 1944 verhafteten Mitglieder, vor dem Volksgerichtshof die aktive Mitwirkung am Umsturzversuch Stauffenbergs zu leugnen und zu erklären, man habe sich auf die Planung der zukünftigen Neuordnung beschränkt, und der Inhalt der Einleitung zu den kurz nach Kriegsende veröffentlichten ‚Letzten Briefen' Moltkes an seine Frau[43] haben in der älteren Literatur verschiedentlich zu der irrigen Auffassung geführt, die Kreisauer seien letztlich vor der Konsequenz ihres Tuns zurückgeschreckt. Durch das heute bekannte Material ist diese Vorstellung mit Sicherheit widerlegt.

Die Kreisauer ‚Weisungen an die Landesverweser' waren Bestandteil einer systematischen Planung zur Vorbereitung eines aktiven Eingreifens. In Verbindung mit anderen Gruppen und Personen des zivilen und militärischen Widerstandes unterbreitete Moltke den westlichen Alliierten Ende 1943 in einer von ihm inspirierten Denkschrift Vorschläge, die die Bildung einer deutschen Gegenregierung in Aussicht stellten und auf politische und militärische Zusammenarbeit mit den westlichen Alliierten abzielten. Der Inhalt dieser Denkschrift, in der für die wichtigsten Städte Deutschlands um alliierte Luftlandetruppen zur Unterstützung des geplanten Umsturzes gebeten wurde, macht klar, daß Bemerkungen, die Kreisauer hätten Hitlers Ende abwarten und erst dann handeln wollen, nicht stimmen können. Eine zu starke Fixierung auf den 20. Juli 1944 in den Darstellungen der Geschichte des Widerstands hat dazu geführt, daß Episoden wie diese in der Literatur kaum berücksichtigt werden.[44]

Weil keiner der Kreisauer jedoch Truppen hinter sich hatte, waren sie für das Gelingen eines Umsturzes abhängig vom Militär. Anhand mehrerer Briefe Moltkes kann nachgewiesen werden, wie die Kreisauer beispielsweise Ende des Jahres 1941 die Generäle zum Eingreifen gedrängt haben. Ihre damaligen Gesprächspartner waren Beck und Halder. Nach Ansicht der Kreisauer wäre der 18. Dezember ein geeigneter Augenblick gewesen, weil in dieser Zeit eine deutsche Niederlage vor Moskau unabwendbar schien, und Hitler seine Generäle mit Vorwürfen überhäufte. Yorck und

Moltke wollten die Entrüstung der hohen Offiziere ausnutzen und sie zum Handeln bewegen. Leuschner hatte Ansätze zu einem Generalstreik vorbereitet. Statt dessen hielt der Generalstabschef das Unternehmen für verfrüht. Mehrere solcher Beispiele wären zu nennen, durch die die Neuordnungspläne der Kreisauer in ein anderes Licht rücken. So arbeitete Moltke im August 1943 zusammen mit anderen Gruppen des zivilen und militärischen Widerstandes an der Vorbereitung eines Staatsstreichversuches.[45]

Innerhalb des Kreisauer Kreises erwog man verschiedentlich ein Attentat. Man kann nicht sagen, daß Moltke diese Frage schlechthin als ‚nicht erlaubt' abgewiesen habe. Das belegen unter anderem die Tagebucheintragungen Berggravs über ein Gespräch mit Moltke im März 1943: „Moltke habe sich bisher in dieser Frage neutral verhalten – nicht etwa, weil ihm als Christ ein Attentat grundsätzlich unzulässig erscheine, sondern aus zwei Gründen: 1. Kann das mit einer solchen Maßnahme Begonnene zu Segen werden? Ist es nicht gerade die Methode des Feindes? 2. Aus taktischen Gründen müßte der Kreis, der ein Attentat vorbereitet, sehr klein gehalten werden. Würde der Plan scheitern, so dürfte dadurch nicht das ganze Netz kompromittiert werden. Gleichzeitig ging es darum, den Aufbau einer neuen Verwaltung vorzubereiten; auf diesem Sektor sah Moltke seine Aufgabe. Wäre er zur Tötung Hitlers unbedingt erforderlich, würde er sich dieser Pflicht nicht entziehen."[46]

Als Moltke im Januar 1944 aus einem ganz anderen Grund – er hatte über einen Dritten vor einer bevorstehenden Verhaftung gewarnt[47] – festgenommen wurde, zerfiel die Gruppe weitgehend. Die Mehrheit schloß sich nun Stauffenberg an, zu dem bereits Kontakte bestanden, und unterstützte seinen Attentatsversuch vom 20. Juli 1944. Moltke stand damals gerade kurz vor seiner Haftentlassung.

Bei den Verhören der vielen Festgenommenen nach dem gescheiterten Attentat kam die Gestapo schließlich auch hinter die Existenz dieser Gruppe, wenn es ihr auch nicht gelang, alles in Erfahrung zu bringen. Etwa die Hälfte der Kerngruppe – Moltke, Yorck, Reichwein, Trott, Haeften, Delp, Haubach und Leber –

wurden nach schweren Folterungen und einem Prozeß vor dem ‚Volksgerichtshof' umgebracht. Andere kamen mit leichten Strafen davon, wurden nicht gefunden oder blieben unbekannt.

11. Der 20. Juli 1944

Attentat und Staatsstreich am 20. Juli 1944 waren kein Einzelfall unter dem Eindruck der bevorstehenden Niederlage, sondern Ende und Klimax einer langen Kette von Putschplänen und Anschlägen.[1] Die direkten Vorbereitungen gehen auf das Jahr 1943 zurück. Im Lauf der Jahre hatte sich, wie bereits erwähnt, eine engere Zusammenarbeit zwischen verschiedenen Gruppen und Personen aus dem politischen Widerstand entwickelt. Die erste Frage der Generäle, die man für den Widerstand zu gewinnen suchte, lautete zumeist, ob eine möglichst breite politische Front bestünde, die die Führung übernehmen könne. Auch war nun zwischen dem politischen Widerstand und einigen oppositionellen Offizieren ein regelmäßigerer Kontakt entstanden.

Im Oberkommando des Heeres waren bereits früher unter dem Decknamen ‚Walküre' Befehle ausgearbeitet worden, um in Deutschland vorhandene Reserveeinheiten zum Dienst an der Front einsetzen zu können.[2] 1943 wurden diese Befehle erweitert und zu einem allgemeinen Alarmbefehl umgearbeitet, demzufolge bei möglichen, durch die vielen Fremdarbeiter und Kriegsgefangenen verursachten Unruhen der Belagerungszustand ausgerufen werden konnte und die Armee das Kommando übernehmen sollte. Dieser Befehl, der mit einem Putsch an sich nichts zu tun hatte, sollte alle in Deutschland verfügbaren Heereseinheiten alarmieren und an bestimmte wichtige Punkte dirigieren. Verschiedentlich wurde eine Alarmübung gehalten, damit alles reibungslos verlief. Um diesen ‚Walküre'-Befehl bei einem Staatsstreich einsetzen zu können, waren dem allgemeinen Befehl eine Reihe von Geheimbefehlen in geschlossenen Umschlägen beigefügt. Darin war festgelegt, daß die Heereseinheiten auf das Zeichen ‚Walküre' hin die Gebäude der verschiedenen Regierungsinstanzen, die Rundfunksender, Telefon- und Telegrafenämter, Konzentrationslager und

Verkehrsknotenpunkte zu besetzen, die SS-Einheiten zu entwaffnen und die SS-Führer zu verhaften hätten. Ein großes Problem war jedoch, daß Olbricht als Chef des Stabes des Ersatzheeres den Befehl nicht selbst geben konnte. Das durfte nur sein Chef, General Fromm, dessen sich der Widerstand jedoch nicht sicher war.

Inzwischen wurden die verschiedenen Möglichkeiten erörtert. An erster Stelle stand die Schwierigkeit, daß Hitler sein Hauptquartier oder andere Aufenthaltsorte beinahe nie verließ und daß der Kreis derer, die dort Zugang hatten, immer kleiner wurde. Solange niemand aus dem Widerstand zu dieser Gruppe gehörte, gab es praktisch keine Chance, Hitler auszuschalten.

Verschiedene Leute wollten zwar etwas unternehmen, wenn nur sie nicht die ersten sein mußten. Anfang August 1943 zeichnete sich eine neue Möglichkeit ab. Hitler sollte am 13. August mit Göring und Himmler in das Hauptquartier nach Ostpreußen kommen. Das zu dieser Zeit dort eingesetzte Wachregiment war verläßlich. Bei dieser Gelegenheit sollten Hitler, Himmler und Göring festgenommen und hingerichtet werden. Goerdeler hatte eine Regierung formiert, und Beck eine Proklamation vorbereitet. Daß auch die Kreisauer an diesem Plan beteiligt waren, geht daraus hervor, daß Moltke auf Ersuchen Becks dem Kreisauer Lukaschek den Wunsch übermittelte, nach einem erfolgreichen Putsch vorläufig die Führung in den Ostprovinzen zu übernehmen – Lukaschek war ja bekanntlich bis 1933 Oberpräsident der Provinz Oberschlesien gewesen. In Zusammenhang damit las er Lukaschek auch den Text der Proklamation vor. Hitler kam aber am 13. nicht nach Ostpreußen, und das Regiment erhielt einen anderen Auftrag.[3]

Im gleichen Monat August suchte Graf Stauffenberg General Olbricht auf, um die Frage zu besprechen, welche Funktion er im Heer nach Ausheilung seiner schweren Verwundung übernehmen könne. Da forderte dieser ihn plötzlich auf, sich dem aktiven Widerstand anzuschließen. Er solle zusammen mit Olbricht die militärischen Schritte ausarbeiten, die bei Verkündigung des Belagerungszustandes notwendig waren. Stauffenberg war einverstanden und gehörte seither dem Widerstand an. Da seinem Entschluß eine längere Entwicklung vorausgegangen war, ist es notwendig, zunächst etwas ausführlicher über ihn zu berichten. Er ist schließlich zu einer der Schlüsselfiguren des Widerstandes geworden.[4]

Stauffenberg stammte aus einem alten bayerischen Adelsgeschlecht. Im 19. Jahrhundert hatte sein Urgroßvater vom damaligen bayerischen König den Grafentitel erhalten. Sein Vater hatte dem letzten König von Württemberg zunächst als Oberhofmarschall, später als dessen Bevollmächtigter gedient. Er hatte drei Söhne: Alexander, Berthold und Claus. Im Gegensatz zur älteren Generation, die noch eine starke Bindung an die Monarchie besaß und sich nachdrücklich von der Republik distanzierte, setzten sich die Brüder über solche Einwände leichter hinweg. Mit ihren Eltern verband sie jedoch das Bewußtsein einer Zugehörigkeit zur Elite. Der Familienbesitz ermöglichte finanzielle Unabhängigkeit. Claus hing besonders an seinem um zwei Jahre älteren Bruder Berthold,[5] und beide lernten in der Pfadfinderbewegung die Charakteristika der deutschen Jugendbewegung kennen. Die Familie Stauffenberg war katholisch, wenn auch nicht praktizierend.

Von nicht zu unterschätzendem Einfluß auf ihren Charakter und ihre Auffassungen waren jene Jahre, die Claus mit seinen Brüdern im Kreis des Dichters Stefan George zugebracht hatte. George selbst bezeichnete sich als einen modernen Sokrates und wollte die Menschen aus ihren erstarrten bürgerlichen Auffassungen befreien. An deren Stelle sollte als neue Lebensform ein vager mystischer aristokratischer Ästhetizismus treten. Um George scharte sich eine Gruppe junger Menschen, die sich zu seinen Auffassungen hingezogen fühlten. Auch die Brüder Stauffenberg gehörten dazu. Von Haus aus mit dem Elitegedanken vertraut, sahen sie eine Möglichkeit, diesem durch die Ideen Georges einen neuen Inhalt zu verleihen. Zwar handelte es sich dabei um eine konservativ-antidemokratische Vorstellung, doch geht es nicht an, deswegen in diesem Kreis schon einen Vorläufer des Nationalsozialismus zu sehen, von dem sich George selbst übrigens distanzierte. Dazu war auch der Niveauunterschied zu groß, dazu unterschied sich Georges ‚Neues Reich' zu sehr von Hitlers ‚Drittem Reich'. Claus nahm aktiv an der Arbeit in der Gruppe teil, besuchte die Zusammenkünfte und führte auch viele Gespräche mit dem Dichter. Er bezeichnete ihn als einen Lehrmeister und nahm später vieles aus der Sphäre dieser Gruppe mit in den Widerstand hinüber. Wiederholt zitierte er aus Gedichten Stefan Georges, und dessen ‚Antichrist' artikulierte für manche Widerstandsmitglieder den Haß gegen das Regime und den Auftrag, dieses Regime zu stürzen.[6] Trotz einer ziemlich labilen Gesundheit entschloß Stauffenberg sich zu einer Offizierslaufbahn in der Kavallerie. Am 1. Januar 1930 wurde er Leutnant. Es ist bezeichnend für seine Einstellung, daß er es, nachdem er seinen Eid abgelegt hatte, nicht ertrug, wenn im Familienkreis geringschätzig und beleidigend über die Republik gesprochen wurde. Er war zwar durchaus kein Republikaner, fühlte sich aber durch den Eid gebunden. Bei seinen Kameraden fiel er durch seinen Scharfsinn auf und war wegen seiner Fröhlichkeit und Hilfsbereitschaft beliebt.

Aus einer stark nationalistischen Haltung heraus begrüßte er die Machtergreifung durch den Nationalsozialismus. Er war bereit, sich für diese Bewegung einzusetzten, da er glaubte, daß sie am ehesten die schmachvolle nationale Erniedrigung seit Versailles tilgen könnte. Daß er am 30. Januar 1933 an der Spitze einer begeisterten Menge durch Bamberg geritten sei, wird bestritten. Trotzdem muß in Bezug auf Stauffenberg etwas vorgefallen sein, was Diskussionen unter den Offizieren auslöste, wobei sich Stauffenberg mit der Bemerkung verteidigte, ein Offizier könne sich nicht von einer großen Volksbewegung isolieren. Dennoch war er kein Nationalsozialist. Als er 1934 zusammen mit einem Kameraden als Abgeordneter des Regiments eine lokale Parteiversammlung besuchte, verließ er spontan durch den Mittelgang den Saal, als der Redner – Julius Streicher – in schändlicher Weise gegen die Juden hetzte. Ereignisse wie die ‚Reichskristallnacht' und die Morde in Polen haben einen unauslöschlichen Eindruck in ihm hinterlassen, etwas in ihm wachgerufen. Er war aber viel zu sehr Soldat, als daß er nicht mit großer Begeisterung an den verschiedenen Feldzügen teilgenommen hätte; es war seine feste Überzeugung, daß das als vaterländische Pflichterfüllung von ihm verlangt sei. Daß er damit die Abenteuer Hitlers unterstützte, war ihm noch nicht bewußt geworden. Wie er herabsetzende Kritik an der Republik verabscheute, so lehnte er auch im Falle Hitler eine solche Haltung ab. Als Freunde und Vertraute ihn in ihre Sorgen einweihten und ihn drängten, eine leitende Funktion und damit eine wichtige Rolle bei einem notwendigen Umsturz zu übernehmen, lehnte er ein solches Ansinnen, besonders während eines Krieges gegen das kommunistische Rußland, zunächst ab. Zuerst müsse dieser Krieg erfolgreich beendet sein, dann könne man weitersehen.[7]

Hinsichtlich seiner militärischen Funktionen ist erwähnenswert, daß er über zwei Jahre im Generalstab des Heeres arbeitete und in dieser Zeit verschiedentlich Gelegenheit hatte, mit dem Chef des Generalstabs, Halder, zu sprechen. Halder schätzte es, wenn man ihm gegenüber seine Auffassungen freimütig bekannte, und er glaubte sich zu erinnern, daß in den Gesprächen mit Stauffenberg am Rande auch die Frage gestreift wurde, ob es möglich sei, Hitler auszuschalten, ohne den militärischen Apparat zu schwächen, so daß der Krieg fortgesetzt werden könne.[8] Eine wichtige Rolle spielte Stauffenberg bei dem Plan, gefangene russische Soldaten an der Ostfront als Hilfstruppen im Kampf gegen den Bolschewismus einzusetzen. Viele von ihnen waren dazu bereit, aber allein der Gedanke daran stand in völligem Widerspruch zu den Auffassungen Hitlers, der diese Menschen stets als minderwertig hingestellt hatte. Auch die meisten deutschen Generäle konnten sich für diese Vorstellung nicht erwärmen. Mit Hilfe des ehemaligen deutschen Militärattachés in Moskau, General Köstring, gelang es Stauffenberg, bestimmte Instanzen für die Idee eines Befreiungskrieges in Rußland zu interessieren. Sobald Hitler jedoch davon hörte, verbot er weitere Maßnahmen, und die Wirkung der bisherigen Versuche blieb notgedrungen sehr begrenzt. Das war einer der Hauptgründe, warum sich Stauffenberg auch in größerem Kreis sehr geringschätzig über die deutsche Ostpolitik ausließ. Verbittert äußerte er sich auch über die feige Unentschlossenheit der führenden deutschen Militärs, die es nicht wagten, Hitler die Wahrheit zu sagen. Offensichtlich hatte er bestimmte Erwartungen auf General von Manstein gesetzt, dessen Reaktion in einem persönlichen Gespräch ihn sehr enttäuschte.

Als Halder im September 1942 von Hitler entlassen wurde, veränderte sich die Atmosphäre im Generalstab derartig, daß Stauffenberg eine andere Funktion suchte. Die Krise bei Stalingrad und vor allem die Haltung Hitlers nahmen ihm jegliche Motivation zu einer weiteren Arbeit im Hauptquartier. Bald darauf wurde er nach Afrika versetzt. Jeder andere hätte das als Degradierung empfunden, aber für Stauffenberg bedeutete es in dieser Situation eine Erleichterung. Auch an der afrikanischen Front ließ sich aus bestimmten Bemerkungen Stauffenbergs ein klarer kritischer Ton gegenüber dem Regime herauslesen. Seinem Kommandanten, mit dem er vertraulichen Umgang pflegen konnte, erzählte er von mißlungenen Versuchen, Heerführer zu einer bewaffneten Aktion gegen Hitler zu bewegen. Stauffenberg war davon überzeugt, daß Hitler niemals freiwillig zurücktreten würde. Kurz vor seiner Rückkehr nach Deutschland wurde er bei einem Luftangriff schwer verwundet. Nach einem kurzen Lazarettaufenthalt in Afrika wurde er nach Deutschland verlegt. Die Ärzte konnten zwar sein Leben retten, aber er verlor sein rechtes Auge, die rechte Hand und zwei Finger der Linken. Nie mehr würde er eine Waffe bedienen können. Im August wurde er aus dem Lazarett entlassen. Kurz darauf fand die bereits erwähnte Begegnung mit General Olbricht statt. Nachdem Stauffenberg sich bereit erklärt hatte, dem Widerstand beizutreten, kehrte er für einige Wochen Genesungsurlaub nach Süddeutschland zurück, wo er mit seinem Bruder Berthold die Konsequenzen seines Versprechens erörterte. Dort überdachte er auch, welche Möglichkeiten sich nach Hitlers Sturz für eine weitreichende Erneuerung böten. Was wir darüber wissen,[9] bleibt ziemlich vage. Von einer stark organischen Lebensauffassung durchdrungen, beschäftigten ihn das Verhältnis zwischen Arbeitgebern und Arbeitnehmern, die Rolle der Technik, die Funktion des Großgrundbesitzes und die Möglichkeit, ihn abzuschaffen, die Frage, ob sich ein Parlament anders als auf der Grundlage politischer Parteien organisieren lasse, und die Beziehungen zwischen den verschiedenen Völkern.

Anfang September sollte Stauffenberg eine Handprothese am rechten Arm erhalten, als er die Operation plötzlich absagte. Soeben war die Kapitulation Italiens bekannt geworden. Aber außer von dieser Veränderung der militärischen Lage scheint sein Entschluß vor allem von dem Umstand beeinflußt worden zu sein, daß Tresckow für einige Wochen nach Berlin kam, um die Vorbereitungen für einen Staatsstreich nochmals genau mit der Berliner Gruppe abzustimmen und die notwendigen Dokumente zu erstellen. Dabei durfte Stauffenberg nicht fehlen. Tresckow machte ihn mit Goerdeler bekannt, und dieser besprach mit ihm die verschiedenen Phasen des Putsches wie Ausrufung des Belagerungszustandes, Vornahme der notwendigen Verhaftungen und Besetzung der wichtigen Gebäude und Verkehrsknotenpunkte. Auch mit anderen Persönlichkeiten des Widerstandes machte Stauffenberg Bekanntschaft. So brachte ihn Schulenburg in Kontakt mit dem Sozialdemokraten Julius Leber. Als er im November Werner von Haeften als Ordonnanzoffizier zugeteilt bekommen hatte, lernte er durch dessen Bruder Hans-Bernd von Haeften Adam von Trott kennen. Über seinen Vetter Yorck erfolgte der Kontakt zum Kreisauer Kreis. Selten nahm er dort an den Gesprächen teil,[10] aber er wurde darüber informiert und scheint sie im großen und ganzen bejaht zu haben.[11] Vor allem nach seiner Begegnung mit Leber wuchs sein Interesse an den politischen Konsequenzen des Staatsstreichs, und er ließ sich über die verschiedenen Möglichkeiten informieren. Das war durchaus nicht im Sinne Goerdelers, der dieses Gebiet praktisch als sein Monopol betrachtete und die Haltung Stauffenbergs als eine unerwünschte Unterstützung der Kreisauer wertete, mit denen er sowieso nur schwer zurande kam. Bei Yorck lernte Stauffenberg auch Schwerin von Schwanenfeld kennen, der schon längst dem militärischen Widerstand angehörte und in seinen politischen Auffassungen den Kreisauern ebenfalls sehr nahe stand. Auch andere prominente Gestalten des bürgerlichen Widerstandes wie Ulrich von Hassell, Popitz, Jessen und Hermann Maass lernte Stauffenberg kennen. Mit letzterem pflegte er einen ausführlichen Gedankenaustausch über die notwendige gesellschaftliche Erneuerung. Im Hause des Chirurgen Sauerbruch begegnete Stauffenberg Beck, den er wahrscheinlich bereits von früher kannte.

Der Vorschlag, Hitler während einer der täglichen Lagebesprechungen zu töten, stammte von Tresckow. Alle Pläne, dann die Gelegenheit auszunützen, wenn Hitler sich aus seinem Hauptquartier wagte, hatten sich als unausführbar erwiesen, weil Hitler sich bewußt nicht an die angekündigten Termine oder Routen hielt, beziehungsweise irgendeinen geplanten Besuch ganz absagte. Nur ein Anschlag in seinem Hauptquartier versprach Erfolg. Darum mußte der Widerstand endlich jemanden finden, der zu diesen Konferenzen Zutritt hatte und bereit war, den Anschlag auszuführen. Die Wahl fiel auf General Stieff, den Chef der Organisationsabteilung des Heeres. Er nahm regelmäßig an den Konferenzen im Führerhauptquartier teil. Ende Oktober erhielt er von Stauffenberg ein gewisses Quantum englischen Sprengstoffs. Stieff gelang es jedoch nicht, den Sprengstoff unbemerkt in den Konferenzraum zu bringen, und darum wagte er es nicht.

Auch die Kontakte mit den verschiedenen Militärbereichen wurden sorgfältig gepflegt. Während der politische Widerstand in den verschiedenen Teilen Deutschlands ein Netz von Vertrauensleuten gebildet hatte, die nach Beginn des Staatsstreichs die Leitung in einem bestimmten Gebiet übernehmen sollten, wählte Stauffenberg eine Anzahl Offiziere aus, die in den Wehrkreisen die Ausführung aus Berlin eingehender Befehle garantieren und Berlin auf dem laufenden halten sollten. Besonders enge Kontakte bestanden zu Paris, wo der Militärbefehlshaber, von Stülpnagel, einige verläßliche Offiziere um sich geschart und diese in die Pläne eingeweiht hatte.

Während im Frühjahr 1944 einige neue Versuche vorbereitet, aber nicht ausgeführt wurden, schälte sich immer deutlicher heraus, daß die Gestapo etwas witterte und verschiedenen wichtigen Persönlichkeiten auf der Spur war.[12] Die Rolle, die Himmler bereits seit dem Sommer 1943 spielte und die er wahrscheinlich bis zum Tage des Anschlags beibehielt, ist noch nicht ganz klar. Man darf vermuten, daß er durch bestimmte Kontakte zu Widerstandsleuten, die früher nationalsozialistisch gewesen waren, sein Leben zu retten hoffte. Da diese Leute ihrerseits von anderen Widerstandsmitgliedern als unzuverlässig abgelehnt wurden, besteht kein Zweifel an der Irrealität dieser Erwartungen. Aber auch andere hohe SS-Führer, durch den Kriegsverlauf enttäuscht, scheinen über diese oder jene Pläne des Widerstands informiert gewesen zu sein.[13] So ist es nicht erstaunlich, daß auch die Gestapo etwas bemerkt hatte. Dazu kam, daß die Rivalität zwischen der militärischen Abwehr von Admiral Canaris und dem SD mit einer Niederlage für erstere geendet hatte. Bereits 1943 waren wichtige Figuren des Widerstandes wie Dohnanyi, Oster und Bonhoeffer entweder verhaftet oder ihrer Funktionen enthoben worden. Dasselbe geschah im Januar 1944 mit zwei anderen Mitarbeitern, Kiep und Graf Moltke. Ein dritter, Gehre, wurde von der Gestapo so konsequent beschattet, daß eine Kontaktaufnahme mit ihm lebensgefährlich war.

Nach dieser immer existenten, jetzt aber akuter werdenden Bedrohung seitens der Gestapo waren es vor allem zwei Faktoren, die im Mai neue Initiativen stimulierten. In erster Linie gingen Gerüchte über eine bevorstehende Invasion um. Stauffenberg selbst scheint sich bemüht zu haben, die Engländer von diesem Plan abzubringen. Bei möglichen Verhandlungen mit den westlichen Alliierten wollte Stauffenberg unter anderem erreichen, daß die Alliierten von einer Invasion und darüber hinaus von jeglicher Form einer Besetzung absähen. Lange glaubte er, daß es angesichts der russischen Bedrohung – politische Sympathien Stauffenbergs für Rußland basieren bis heute auf unzureichenden Fakten[14] – nicht schwierig sein sollte, England davon zu überzeugen, daß es mit dem deutschen Widerstand ein Übereinkommen schließen müsse. Am liebsten hätte er gesehen, daß dieses Übereinkommen in erster Linie durch einen Waffenstillstand zwischen den militärischen Oberbefehlshabern erreicht würde.[15] Damit wollte er die Politiker ausschalten, ein Versuch, der nicht nur bei einem Mann wie Goerdeler Widerspruch hervorrief, sondern der auch bei den alliierten Politikern nicht den Hauch einer Chance gehabt hätte.

Zu diesen Gerüchten über eine bevorstehende Invasion kam noch die Tatsache, daß Stauffenberg eine andere Funktion erhalten sollte. Diese Veränderung ging nicht von ihm, sondern von seinem zukünftigen Chef, General Fromm, aus; der wollte ihn zum

Chef des Generalstabs des Ersatzheeres und damit zu seinem Stellvertreter machen. Fromm war für die Männer des Widerstandes eine nicht ganz vertrauenswürdige Gestalt.[16] Er wußte zwar über die Pläne Bescheid, hatte sie nie abgelehnt, wollte selbst aber aus der Schußlinie bleiben. Er schätzte es, als Stauffenberg ihm bei seinem Dienstantritt offen bekannte, wie pessimistisch er die Lage beurteile, und erklärte, seine eigene Ansicht unterscheide sich davon kaum. Aber dabei blieb es. So vorteilhaft es einerseits war, daß Stauffenberg in seiner neuen Funktion mit oder ohne Fromm Zugang zu den Lagebesprechungen in Hitlers Hauptquartier hatte, so komplizierte sich dadurch andererseits doch vieles. Gerade er, der Mann der Zentrale, der dort dringend gebraucht wurde, erhielt nun die Chance, die anderen zugedacht war. Der Fall wurde im Widerstand ausführlich erörtert. Es steht fest, daß Beck, der von allen anerkannte Führer des Widerstandes, darauf bestand, Stauffenberg müsse, falls er die Aufgabe übernähme, Hitler zu töten, nach Berlin zurückkehren, um anschließend von da aus die Aktionen zu leiten. Das war, bedenkt man das Vertrauen, das Stauffenberg bei zahlreichen Offizieren genoß, und die Freundschaft, die ihn mit vielen verband, nicht unbegreiflich, konnte aber die Erfolgschancen mindern.

Da begann ziemlich plötzlich am 6. Juni 1944 die Invasion. Daß sie so schnell einsetzen und so erfolgreich verlaufen würde, hatte Stauffenberg nicht erwartet. Er ließ bei Tresckow anfragen, ob es jetzt überhaupt noch sinnvoll sei, irgend etwas zu unternehmen. Dieser gab damals folgende Antwort: „Das Attentat muß erfolgen, coûte que coûte. Sollte es nicht gelingen, so muß trotzdem in Berlin gehandelt werden. Denn es kommt nicht mehr auf den praktischen Zweck an, sondern darauf, daß die deutsche Widerstandsbewegung vor der Welt und vor der Geschichte den entscheidenden Wurf gewagt hat. Alles andere ist daneben gleichgültig."[17]

Durch eine am 22. Juni einsetzende russische Großoffensive rückte die Ostfront ein ganzes Stück näher an Deutschland heran. Jetzt mußte schnell gehandelt werden. In jenen Tagen entschloß sich Stauffenberg, den Anschlag allein auszuführen. Über verschiedene Kanäle wurde die Mitteilung verbreitet, daß das Attentat in Kürze erfolge.[18] In mehreren Besprechungen wurden die technischen Aspekte, unter anderem die Ausschaltung des Verbindungsnetzes im Führerhauptquartier, nochmals durchgegangen. Die Schwierigkeiten wuchsen, je näher das Ziel kam. Wieder schlug die Gestapo zu. Am 12. Juni wurde Oberst Staehle[19] verhaftet. Er war Kommandant des Invalidenhauses in Berlin, gehörte aber auch der Abwehr an, war Mitarbeiter Goerdelers und verfügte über gute Kontakte zum niederländischen Widerstand. Würde er bei den Verhören schweigen können? Vor allem Stauffenberg war sehr besorgt über die neue Aktivität der Gestapo und ließ Staehle im Gefängnis fragen, ob sich die Gestapo bei ihm nach Goerdeler erkundigt habe.[20]. Anfang Juli wurden zwei weitere Personen, Leber und Reichwein, bei Gesprächen mit Kommunisten verhaftet.[21] Der Verlust Lebers war besonders einschneidend. Er hätte nach einem gelungenen Putsch Innenminister werden sollen und galt vielen als der designierte Nachfolger Goerdelers auf dem Posten des Ministerpräsidenten. Am 15. Juli traf die Nachricht ein, von Falkenhausen, der Militärbefehlshaber in Belgien, der mit dem Widerstand in dauerndem Kontakt stand, sei seines Postens enthoben worden. Zwei Tage darauf wurde Rommel, auf den mehrere gewisse Erwartungen setzten, schwer verwundet.[22] Einen Tag später wurde bekannt, daß die Verhaftung Goerdelers durch die Gestapo bevorstand. Schleunigst mußte dieser untertauchen, was ihm gar nicht paßte, da er glaubte, Stauffenberg wolle ihn aus vielen Dingen heraushalten. Und wer war wohl sonst noch in Gefahr? Die Lage spitzte sich in einer Weise zu, daß eine Verschiebung der Tat nun nicht mehr länger vertretbar schien.

Bereits am 6. Juli hatte Stauffenberg ein Sprengstoffpaket in einer Aktentasche zu einer Besprechung bei Hitler mitgenommen, die auf dem Obersalzberg stattfand, da das Führerhauptquartier in Ostpreußen weitgehend umgebaut wurde. Aus einem unbekannten Grund fand er damals keine Gelegenheit, den Anschlag auszuführen. Bei einer Besprechung am 11. Juli wollte er einen erneuten Versuch wagen. Auto und Flugzeug standen bereit, um ihn wieder rechtzeitig nach Berlin zu bringen. Da jedoch Himmler fehlte, sah er wiederum davon ab. Auch von der Westfront trafen nun schlechte Nachrichten ein, mit dem gleichzeitigen Ersuchen, jetzt schnell zu handeln. Am 15. Juli mußte Stauffenberg wieder zu Hitler, diesmal nach Ostpreußen. Diesen Termin wollte er nützen, und er vereinbarte mit Olbricht, daß dieser zwei Stunden vor dem Anschlag in Berlin den ‚Walküre'-Befehl ausgeben sollte. Als Stauffenberg im Hauptquartier war, erfuhr er, daß er selbst bei der Konferenz vortragen mußte. Dadurch wurde es ihm unmöglich, den Anschlag vorzubereiten. In aller Eile teilte er dies einigen Mitarbeitern an Ort und Stelle und Olbricht in Berlin mit. Dieser mußte nun in Berlin so tun, als habe es sich um eine Routinealarmübung gehandelt. Auch Goerdeler, der verständigt worden war, wartete vergeblich. Nach seiner Rückkehr besprach sich Stauffenberg mit den anderen, und man kam überein, daß am 20. Juli ein nochmaliger Versuch unternommen werden sollte. Angesichts der Ereignisse vom 16. Juli wagte man nun nicht wieder, den ‚Walküre'-Befehl vorzeitig auszugeben, sondern beschloß, auf eine Mitteilung Stauffenbergs zu warten, daß der Anschlag geglückt sei. Inzwischen erlebte einer der Eingeweihten eines Abends in einer größeren Gesellschaft, wie ein ihm völlig unbekannter Ungar erzählte, daß in der nächsten Woche das Führerhauptquartier in die Luft fliege.[23] Offensichtlich war etwas durchgesickert. Dennoch hielt man am Datum des 20. Juli fest. Es sei der letzte Versuch, ließ Stauffenberg wissen, und er alarmierte verschiedene Schlüsselfiguren des Widerstands; diese verständigten wiederum andere. Damit wußten die wichtigsten Mitarbeiter in Berlin, die Verbindungsoffiziere der einzelnen Wehrbereiche und bestimmte Personen in den besetzten Gebieten,[24] wann der Anschlag und der Staatsstreich stattfinden würden. Die Vertrauensleute waren längst nicht alle über das Datum informiert, einige sogar nicht einmal über die Tatsache, daß sie als Vertrauensmann fungierten. Die für die Übergangsregierung vorgesehenen Persönlichkeiten waren gleichfalls informiert.[25] Inwieweit die Vorbereitungen vollständig waren, läßt sich nachträglich schwer abschätzen.

Die Besprechung am 20. Juli bei Hitler[26] sollte in dessen Hauptquartier in Ostpreußen stattfinden. Der Umbau war zwar noch nicht beendet, aber Hitler hatte ein provisorisches Unterkommen gefunden. War das Hauptquartier schon zu normalen Zeiten in einige streng getrennte Zonen unterteilt, so war im Zusammenhang mit dem Umbau noch eine weitere Abtrennung vorgenommen worden. In diesem Teil befanden sich ein Bunker, in dem Hitler damals lebte, und eine Baracke mit einem großen Saal, wo in jenen Tagen die Konferenzen abgehalten wurden. In der Mitte dieses Raumes von 12 mal 5 Meter stand ein großer Kartentisch aus Eiche auf Schragen. Das Dach besaß eine Betonauflage, die Holzwände waren mit einem Mantel aus Ziegelsteinen gegen Brandbomben verschalt worden. Die Entfernung von dieser Baracke zum nächsten Ausgang betrug 60 bis 70 Meter. Das ganze Hauptquartier wurde von modern ausgerüsteten Truppen in Regimentsstärke bewacht, wobei ein möglicher Fallschirmjäger- oder Bombenangriff einkalkuliert war. Es war nicht einfach, Zutritt zu jenem besonderen Gelände zu erhalten, in dem sich Hitler aufhielt; besaß man diesen Zutritt einmal, dann eröffneten sich verschiedene Möglichkeiten; eine davon war die tägliche Konferenz.

Etwa um 10 Uhr landete das Flugzeug, das Stauffenberg mit seinem Adjutanten Werner von Haeften ins Hauptquartier brachte, auf dem Flugplatz Rastenburg in Ostpreußen. Dort stand ein Auto bereit, um sie zum Hauptquartier zu befördern, das in einem dichten Wald, etwa 8 Kilometer östlich von Rastenburg lag. Den Rest des Vormittags verbrachte Stauffenberg mit verschiedenen Besprechungen. Vor der Besprechung bat Stauffenberg um die Gelegenheit, sich kurz zu erfrischen. In dem ihm angewiesenen Raum trafen Stauffenberg und sein Adjutant die letzten Vorbereitungen für den Anschlag: Mit einer Zange wurde der Zünder in Betrieb gesetzt; danach sollte die ‚Bombe‘ in 10 bis 12 Minuten explodieren. Stauffenberg und Haeften hatten zwei Pakete mit Sprengstoff bei sich. Unglücklicherweise wurden sie bei ihrer Vorbereitung durch den Oberfeldwebel Vogel gestört, der sie zu Eile mahnen sollte. Es ist nicht ausgeschlossen, daß Stauffenberg daher keine Gelegenheit mehr fand, all das zu tun, was er tun wollte, sondern gezwungen war, sich mit einem der beiden Sprengstoffpakete zu begnügen, in der Hoffnung, dieses würde ausreichen.[27] Mit seinen ihm verbliebenen drei Fingern trug Stauffenberg beim Herausgehen die Tasche mit der Bombe. Angebote Dritter, ihm beim Tragen behilflich zu sein, lehnte er ab; man wertete das als eine Äußerung von Stolz eines Kriegsversehrten, der sich selbst helfen konnte. Bei der Konferenz bekam Stauffenberg auf sein Ersuchen einen Platz in der Nähe Hitlers zugewiesen, um sozusagen allem besser folgen zu können. Er stellte seine Tasche auf den Boden beim Tisch. Kurz darauf verließ er unauffällig den Saal. Ein Oberst, dem die Tasche im Weg war, schob sie zur Seite, aber nun befand sich ein Schragen zwischen Hitler und der Tasche. Gerade als Hitler sich über den Tisch beugte, um die Kartensituation zu studieren, explodierte die Bombe; es war etwa 12 Uhr 45. Fast alle Anwesenden wurden leicht oder schwer verwundet, manche sehr schwer; vier starben am selben Tag oder später. Hitler, geschützt durch den dicken Tisch und den Schragen, kam glimpflich davon. Die Baracke bot ein Bild der Verwüstung.

Nachdem Stauffenberg den Saal verlassen hatte, ging er zu einem nahegelegenen anderen Teil des Hauptquartiers, wo sich auch sein Auto befand. Die Baracke, in welcher die Besprechung stattfand, konnte er von dort aus nicht sehen. Als er die Explosion hörte, rannte er mit seinem Adjutanten zum Auto und befahl dem Chauffeur zu starten. Dabei fuhren sie in einer Entfernung von 50 bis 70 Metern an der Baracke vorbei und gewannen damit nur einen allgemeinen Eindruck von der Schwere der Verwüstung und der Zahl der Opfer. Bestimmte Personen waren aus diesem Abstand kaum zu erkennen. Mit viel Glück passierte das Auto verschiedene Wachtposten, auch nachdem der Alarm schon ausgelöst worden war. Um 13 Uhr 15 stieg das Flugzeug auf, das sie wieder nach Berlin bringen sollte. Inzwischen hatte Hitler befohlen, die Verbindungen zur Außenwelt abzubrechen und nichts über den Anschlag bekanntzumachen. Der General der Verbindungstruppen, Fellgiebel, der vom Widerstand die Aufgabe erhalten hatte, das Hauptquartier nach dem Angriff zu isolieren, brauchte nun nicht mehr einzugreifen. Es erübrigte sich. Da Hitler offensichtlich noch lebte, war obendrein das gesteckte Ziel nicht erreicht worden. Zur Sicherheit übermittelte er nach Berlin, daß Hitler noch am Leben sei, drängte aber darauf, in Berlin trotzdem die Aktion anlaufen zu lassen, so als wäre der Anschlag geglückt. Er selbst handelte gleichfalls nach dieser Devise. In Berlin wußte General Thiele kurz nach 13 Uhr, was in der ‚Wolfsschanze' geschehen war und was der Widerstand nun zu tun hatte. Er behielt diese Nachricht jedoch für sich, wodurch zwei kostbare Stunden verloren gingen.[28]

Erst gegen 15 Uhr erhielt General Olbricht in Berlin eine vage Mitteilung über einen Anschlag und den Tod verschiedener Personen. Nach einer Beratung mit anderen entschloß er sich, einen Bericht Stauffenbergs abzuwarten, um zu verhindern, daß er den ‚Walküre'-Befehl noch einmal zurücknehmen müsse. Erst als Stauffenberg und sein Adjutant um etwa 15 Uhr – inzwischen waren beinahe zweieinhalb Stunden seit dem Anschlag verstrichen – bei Berlin gelandet waren und Haeften die Mitteilung weitergab, daß Hitler tot sei, machten sie weiter. Fromm verweigerte aber seine Mitarbeit, weil Keitel ihm mitgeteilt hatte, daß Hitler lebe. Kurz darauf erschien Beck auf dem Schauplatz, und nach ihm Stauffenberg und Haeften. Als Fromm sich immer noch weigerte, übernahmen die Verschwörer die Befehlsgewalt und nahmen Fromm fest. Seit halb sechs wurden die Befehle weitergegeben. In ihnen wurde Feldmarschall von Witzleben zum neuen Oberbefehlshaber ernannt; der verkündete den Belagerungszustand, auf Grund dessen alle Organisationen und Instanzen unter militärische Befehlsgewalt gestellt wurden. In Deutschland selbst wurde der Oberbefehlshaber des Ersatzheeres mit der Durchführung der Befehle beauftragt. Da Fromm ausgefallen war, nahm seine Stelle der von Hitler abgesetzte General Hoepner ein. Beck und Hoepner hielten in der Bendlerstraße vor den anwesenden Abteilungschefs eine Rede. Olbricht zögerte, den anwesenden Spezialisten den Befehl zur Besetzung der Sender und der Verlesung der Erklärung der neuen Regierung zu erteilen, da ihm die Lage noch zu unsicher erschien. Inzwischen waren die in und bei Berlin stationierten Truppen großenteils bereits in Marsch gesetzt worden, um die ihnen zugewiesenen Aufgaben zu erfüllen. Dabei ereilten die Verschwörer zwei Mißgeschicke: Bei der Infanterieschule in Döberitz waren ausgerechnet an diesem Tag der Kommandant und ein in die Pläne eingeweihter Oberst abwesend, so daß die Offiziere erst noch den Gang der Dinge abwarteten. Und beim Wachtbataillon Großdeutschland war gerade an diesem Nachmittag ein Mitarbeiter des Propagandaministeriums anwesend, der den Kommandeur davon überzeugen konnte, daß es besser sei, erst einmal bei Goebbels nachzufragen, der völlig unbehelligt in seinem Ministerium saß. Dieser wußte eine Telefonverbindung zu Hitler herzustellen, der dem Kommandeur befahl, eine Gegenaktion zu starten.

Zunehmende Unsicherheit entstand bei den Truppen in Berlin und außerhalb durch Mitteilungen, daß man den Befehlen aus Berlin nicht nachkommen dürfe. Was war nämlich geschehen? Auf Befehl Hitlers hatte Goebbels über den Berliner Rundfunk eine Verlautbarung verbreiten lassen, daß ein Anschlag auf Hitler verübt worden sei, daß dieser aber noch lebe. Nun erkundigten sich verschiedene Wehrkreise in der Bendlerstraße, wie es jetzt um die Befehlsgewalt bestellt sei? Aber noch etwas anderes war geschehen. Um die ihm erteilten Befehle schnellstmöglich weiterzuleiten, hatte der Verbindungsoffizier der Zentrale in der Bendlerstraße auch Linien benützt, die über Ostpreußen liefen. So erfuhr man dort, daß außer dem Anschlag auch noch in Berlin etwas im Gange war. Aus Ostpreußen erging darauf die Order an die Truppen, die Befehle aus Berlin zu ignorieren. Der Verbindungsoffizier in der Bendlerstraße erhielt von Ostpreußen aus den Auftrag, weitere Befehle zu verweigern. Das wagte er zwar nicht, wohl aber verzögerte er die Weitergabe, und später am Abend, während die Verschwörer oben noch an der Arbeit waren, gab er die Mitteilung durch, daß die ausgegebenen Befehle ungültig seien.

Auch innerhalb des Gebäudes kam es nun zu einer Gegenaktion. Fromm konnte fliehen und hatte telefonisch mit Hitler gesprochen. Er ließ im Gebäude die Nachricht verbreiten, daß Hitler noch lebe. Einige Offiziere, die sich bislang herausgehalten hatten, griffen nun ein. Andere liefen über oder begannen zu zweifeln. Trotz der Ausstrahlungskraft Stauffenbergs herrschte bei den Verschwörern ausgesprochene Unsicherheit. Plötzlich wurde in den Gängen geschossen. Der Gegenpartei war es gelungen, an Waffen zu kommen. Außerdem hatte sie Truppen zu Hilfe gerufen. Die von den Verschwörern angeforderten Truppen waren wieder abmarschiert, und so gab es lediglich eine Offizierswache, die nur bedingt zuverlässig war. Zusammen mit Fromm betraten übergelaufene Offiziere die Räume, in denen die Verschwörer sich aufhielten. Diese wollten weiterkämpfen, auch mit dem Rücken gegen die Wand. Fromm ließ die Anwesenden festnehmen und teilte kurz darauf mit, daß vier von ihnen erschossen würden, nämlich General Olbricht, die Obersten Graf Stauffenberg und Mertz sowie Leutnant von Haeften. Beck gab er Gelegenheit zum Selbstmord. Vergeblich suchte Fromm auf diese Weise, der Rache Hitlers zu entgehen. Diese Leute wußten nämlich nur allzu gut, daß er sie hatte gewähren lassen. Deshalb mußten sie rechtzeitig beseitigt werden. Aber die Gestapo scheint es gleichfalls gewußt zu haben.

Was war außerhalb Berlins aus den erteilten Befehlen geworden? Neben den allgemeinen Befehlen waren auch die Namen der Verbindungsoffiziere und der Vertrauensleute in den verschiedenen Wehrkreisen durchgegeben worden. In einem Falle lief der Militärkommandant mit dem eingegangenen Telegramm zum örtlichen Parteiführer, dem Gauleiter, den er gerade hätte verhaften lassen sollen.[29] Anderswo wurden die Geheimbefehle nur teilweise oder gar nicht befolgt, wenn anderslautende Anweisungen oder die Mitteilung, daß Hitler noch lebe, aus Ostpreußen eingingen. In einigen Wehrkreisen, z.B. Kassel,[30] hatten Offiziere bereits Vorsichtsmaßnahmen getroffen. Erst als bekannt wurde, daß der Staatsstreich mißglückt war, wurden diese Maßnahmen zurückgenommen. Bessere Ergebnisse waren in Wien zu verzeichnen.[31] Dort war ‚zufällig' am 19. Juli Marogna-Redwitz eingetroffen, der einige Monate vorher als Offizier bei der Abwehr entlassen worden war und durch Zutun Stauffenbergs eine Kontrollfunktion im Südostbereich erhalten hatte. Marogna-Redwitz war eine Schlüsselfigur des militärischen Widerstands. Auch in Wien war die Ausführung des ‚Walküre'-Befehls vorbereitet worden, wobei sich vor allem Hauptmann Szokoll hervortat, der in seiner Funktion viel mit Stauffenberg zu tun hatte. Als die Befehle aus Berlin eintrafen, war der befehlshabende General gerade abwesend. Einer der Offiziere seines Stabes übernahm die Aufgabe und gab für seinen Bereich den Alarmbefehl. Ein zufällig anwesender General, der sich dies und jenes von Stauffenberg bestätigen ließ, war mit den getroffenen Maßnahmen einverstanden. Nach einer Besprechung mit den wichtigsten Militärkommandanten wurden die führenden Partei-, Gestapo-, und SS-Funktionäre zu einer dringenden Unterredung gebeten. Beim Betreten des Gebäudes wurden sie unter Arrest gestellt. Das Ganze wurde erst durch ein persönliches Telefonat Keitels beendet, und als die wahre Situation deutlich geworden war, mußten die Festgenommenen unter vielen Entschuldigungen wieder freigelassen werden.

In Paris war die Aktion am erfolgreichsten.[32] Hier hatte der militärische Befehlshaber, von Stülpnagel, der dem Widerstand angehörte, die Vorbereitungen selbst getroffen. Verschiedene seiner Offiziere, darunter Leutnant von Hofacker, waren vollständig eingeweiht. Ohne große Schwierigkeiten wurde hier eine Gruppe von Personen des SD, der SS und der Gestapo, etwa 1200 Mann, festgenommen. Aber während verschiedene seiner Offiziere beim Eintreffen pessimistischer Nachrichten aus Deutschland die Meinung vertraten, Paris müsse durchhalten und Kontakt mit den Alliierten suchen, war Stülpnagel den Gegenschlägen nicht mehr gewachsen. Kluge, der wiederholt sein Wort gegeben, es aber auch meistens schnell wieder zurückgenommen hatte und am 19. Juli an der normannischen Front den Platz Rommels hatte einnehmen müssen, zögerte auch diesmal und war nicht zum Handeln bereit. Enttäuscht gab Stülpnagel nach der Rückkehr von einer Besprechung bei Kluge den Befehl, die Gefangenen wieder zu entlassen. Auch in Paris war das Spiel aus, und die Abrechnung begann.

Bereits am Tag des Attentats hatte Himmler, der als Oberbefehlshaber des Ersatzheeres eingesetzt wurde, der Gestapo die Bildung einer Untersuchungskommission befohlen. Als sich schon bald herausstellte, wie groß die Zahl derer war, die sich an der Vorbereitung und Ausführung des Staatsstreichs beteiligt hatten, wurde die Untersuchung erweitert, und die Zahl der eingesetzten Beamten stieg auf über 400. Deutschland wurde zum Schauplatz einer fürchterlichen Menschenjagd. In den Gestapokellern fanden die Verhöre statt,[33] wobei die Opfer oft den schlimmsten Folterungen unterzogen wurden. Unter Vorsitz Freislers folgte vor dem Volksgerichtshof eine Flut inszenierter Prozesse, wobei Gefängnisstrafen zur Ausnahme gehörten. Tausende, die man nach dem Krieg beim Wiederaufbau Deutschlands so dringend gebraucht hätte, wurden ermordet.[34]

12. Das Ausland

Bei der Behandlung des Kontaktes der Widerständler mit dem Ausland[1] müssen wir unterscheiden zwischen Verbindungen mit ausgewichenen Deutschen, mit Bewohnern neutraler und besetzter Länder, sowie schließlich mit Bewohnern und Vertretern der – späteren – alliierten Staaten, da wir es hier jeweils mit verschiedenartigen Problembereichen zu tun haben. Seit 1933 ist die Emigration ein heißes Eisen.[2] Auch wenn man nicht behaupten kann, alle emigrierten Deutschen hätten vom Ausland aus das Hitlerregime bekämpft, ist es doch ziemlich kurzsichtig, die Emigranten aus dem Widerstand auszuklammern, weil sie sich sozusagen der ‚nationalen Schicksalsgemeinschaft' entzogen hätten. Auch außerhalb Deutschlands ging es um Deutschland.[3] Überdies bestand in den ersten Jahren des Hitlerregimes zwischen Gruppen innerhalb und außerhalb Deutschlands noch ein unregelmäßiger Kontakt. Manche der Ausgewichenen kehrten für kürzere oder längere Zeit illegal nach Deutschland zurück, andere gingen in umgekehrter Richtung, nachdem sie verschiedene Jahre in der Illegalität zugebracht hatten. Erbittert protestierte Bertolt Brecht gegen den Namen ‚Emigranten': „[...] wir flohen, Vertriebene sind wir, Verbannte. Und kein Heim, ein Exil soll das Land sein, das uns da aufnahm. Unruhig sitzen wir so, möglichst nahe den Grenzen wartend des Tages der Rückkehr [...]".[4]

Vertrieben oder aber mit bestimmtem Auftrag wichen sie ins Ausland aus. Dort erhielten sie Informationen über die Situation in Deutschland und über gewisse Ereignisse. Durch ein Netz von Kurieren wurden diese ins Ausland übermittelt. So entstanden etwa die Deutschlandberichte der deutschen Sozialdemokraten, auch ‚Grüne Berichte' genannt, die wertvolle Einzelheiten enthielten. So kam das ‚Braunbuch' über die Hintergründe des Reichstagsbrandes in Berlin zustande, ein Buch, das im Juli 1933 erschien, von dem in vier Monaten bereits 70000 Exemplare abgesetzt waren und das in 15 Übersetzungen eine Gesamtauflage von über einer halben Million erlebte. So wurden auch eine Flut von Nachrichten und Schriften zum Kirchenkampf in Deutschland ins Ausland weitergegeben. Mittels solcher Veröffentlichungen wurde die Auslandspresse über den wahren Sachverhalt aufgeklärt. Hier erhielt man die Gelegenheit, über die Verbrechen des Hitlerregimes vor dem Forum der Weltöffentlichkeit zu protestieren.

Die Nachrichtenübermittlung verlief jedoch auch in umgekehrter Richtung. Durch eingeschmuggelte Flugblätter und Schriften versuchte man die Öffentlichkeit in Deutschland zu informieren. Besonders aktiv auf diesem Gebiet war der Internationale Transportarbeiterverband mit seinem Generalsekretär Edo Fimmen,[5] zunächst von Amsterdam, später von London aus. Auch Rundfunkstationen außerhalb Deutschlands übernahmen dabei eine wichtige Rolle.[6]

Die ausgewichenen Deutschen nahmen bald mit anderen Landsleuten Kontakt auf, und so kam es in verschiedenen Ländern zur Gruppenbildung.[7] Davon versprach man sich eine größere Wirkung. Dabei wurde eingehend die Frage erörtert, ob man im Ausland die alten Organisationen und Parteien weiterführen solle, oder ob eine Zusammenarbeit aller Gegner notwendig sei. Das war natürlich nicht nur ein organisatorisches Problem, sondern hier wurden Lehren aus dem Scheitern der Weimarer Republik gezogen. War nicht auch damals – als es eigentlich bereits zu spät war – eine Organisation wie das ‚Reichsbanner' gegründet worden, dem Vertreter der verschiedenen demokratischen Parteien angehört hatten? Diese Entwicklung fand in der Emigration eine Fortsetzung. In Paris wurde ein deutsches Volksfrontkomitee gegründet, in dem unter anderen Heinrich Mann und Willi Münzenberg führend hervortraten.[8] Letzterer schrieb in jener Zeit: „Ich gedenke weder eine Fraktion in der Partei zu schaffen, noch meine Tätigkeit auf eine Gruppe zu beschränken. Ich werde fortfahren, wie bisher, mit allen mir zur Verfügung stehenden Kräften für die Schaffung einer großen, umfassenden Einheitspartei und für die

Entfachung einer breiten, mächtigen Volksbewegung tätig zu sein, die stark genug ist, das Hitlersystem zu stürzen und ein neues Deutschland zu schaffen."[9] Nach dem Pakt zwischen Hitler und Stalin hatte die Volksfrontidee nur noch wenig Chancen. Seit etwa Anfang 1937 war in Paris und London eine andere Gruppe aktiv geworden, die ‚Deutsche Freiheitspartei', in der deutsche Emigranten aller Richtungen zusammenarbeiteten. August Weber und Hans Kluthe spielten in der Londoner Abteilung, Otto Klepfer und Karl Spiecker in Paris eine führende Rolle. In Amerika sammelten sich gleichfalls verschiedene Gruppen, zum Beispiel in den Vereinigten Staaten um den ehemaligen Reichskanzler Heinrich Brüning, in Chile um die Zeitschrift ‚Deutsche Blätter', in Mexiko um die Zeitschrift ‚Freies Deutschland'. Auch die nach Schweden und in die Türkei ausgewichenen Deutschen gründeten dort Organisationen, wobei in der Türkei vor allem der spätere Oberbürgermeister Westberlins, Ernst Reuter, in den Vordergrund trat. Während des Krieges schrieb Reuter an Thomas Mann: „Wir alle, die wir in der Verbannung zu leben gezwungen sind [Reuter war zweimal im KZ gewesen, bevor er Deutschland verlassen hatte, G. v. R.], empfinden es immer mehr als einen unerträglichen Zustand, daß wir hier tatenlos einer Entwicklung zusehen müssen, die unser Land in ein Schicksal hineinzutreiben droht, wie es schlimmer nicht gedacht werden kann. Wir haben alle seit der sogenannten Machtergreifung durch die nationalsozialistische Verbrecherbande gewußt, daß die unvermeidliche Folge dieses Abenteuers, [...] der Revanchekrieg und danach eine katastrophale Niederlage Deutschlands sein müsse. Wir mußten leider erleben, daß das Ausland sich dieser so klaren Konsequenz der Dinge gegenüber blind zeigte, sie nicht wahr haben wollte und daß es so zum Teil auch an den Ereignissen mitschuldig wurde".[10] Auch in die Sowjetunion waren verschiedene Deutsche geflüchtet, so die früheren Reichstagsabgeordneten Wilhelm Pieck und Walter Ulbricht. Nach Beginn des deutsch-sowjetischen Krieges nahmen sie Kontakt mit gefangenen deutschen Soldaten auf. Sie versuchten diese davon zu überzeugen, daß sie sich von kapitalistischen Kriegshetzern hatten mißbrauchen lassen. So entstand das ‚Nationalkomitee Freies Deutschland'. Schon bald stellte sich heraus, daß es sich hier nicht um ein rein kommunistisches Unternehmen handelte. Offiziere und Soldaten der nach der Eroberung Stalingrads gefangengenommenen Reste der früheren sechsten Armee hatten sich mit emigrierten Deutschen in einer Bewegung vereint, die allen Nicht-Nationalsozialisten, gleich welcher politischen oder religiösen Überzeugung, offenstand. Auf Drängen der Militärs und unter Mitwirkung der Russen bedeutete man den ‚Emigranten', daß sie ihren üblichen Jargon durch eine nationalere Terminologie ersetzen müßten, um akzeptabel zu werden. Parallel zu dieser Organisation formierte sich kurz darauf ein ‚Bund deutscher Offiziere', dem Generäle wie von Seydlitz und Lattmann beitraten. Beide Organisationen unterstellten sich einer gemeinsamen Führung, der ‚Bewegung Freies Deutschland'. Die Aufrufe dieser Organisation fanden ungeheuren Widerhall in der Welt. Prominente Deutsche wie Thomas Mann und Hubertus Prinz von Löwenstein sandten Sympathieadressen,[11] und in verschiedenen Ländern wurden ähnliche Organisationen gegründet. So kam zum Beispiel in England die ‚Freie Deutsche Bewegung in Großbritannien' unter Führung von Robert Kuczynski zustande; ihr schlossen sich auch solche Politiker an, die sich früher geweigert hatten, dem Volksfrontkomitee beizutreten.

Bei Kriegsbeginn stellten sich emigrierte Deutsche den Alliierten zur Verfügung. Sie wurden unter anderem als Spezialisten eingesetzt. Darüber erhoben sich in Emigrantenkreisen heftige Diskussionen. So mußte beispielsweise Curt Geyer mit der kommunistischen Partei brechen, weil er sich dem ‚Fight for Freedom-Committee' angeschlossen hatte.[12] Sebastian Haffner forderte die emigrierten Deutschen zur aktiven Teilnahme am Krieg gegen Hitler auf. Er setzte sich auch für die Gründung einer deutschen Exilregierung mit einem eigenen Propagandadienst und einer Hilfsorganisation für deutsche Flüchtlinge ein.[13] Aus früheren Kapiteln ist bereits hervorgegangen, daß in den Jahren vor dem Zweiten Weltkrieg ein intensiver Kontakt zwischen ausgewichenen Deutschen und dem Widerstand in Deutschland existierte.[14] Das galt sowohl für den Arbeiterwiderstand wie für den kirchlichen Widerstand. Aber auch eine Gruppierung wie die ‚Deutsche Freiheitspartei' stand über Spiecker mit Goerdeler in Kontakt. Und als Adam von Trott zu Solz Ende 1939 die Vereinigten Staaten besuchte, erörterte er die Lage in Deutschland mit dem ehemaligen Reichskanzler Brüning.[15] Eine von Paul Scheffer vorbereitete Denkschrift wurde durch Trott erweitert und unter seinem Namen dem State Department übergeben.[16] Andere Widerständler nutzten Verbindungen nach England, um dort über die Entwicklung in Deutschland und die Aussicht auf Veränderung zu sprechen. Viele der emigrierten Deutschen waren sich der Existenz eines Widerstandes in Deutschland durchaus bewußt und haben alles in ihren Kräften Stehende getan, die von dort ausgehenden Aktivitäten, die Versuche der Kontaktaufnahme mit den Alliierten, zu unterstützen. Dafür ließen sich mehrere Beispiele aufzählen. Mit Sorge, aber auch mit Sympathie verfolgte man jenseits der Grenzen das Geschehen in Deutschland. Die Kriegsumstände haben diesen gegenseitigen Kontakt – großenteils – unterbrochen. Daß man mit dem Widerstand in Deutschland solidarisch bleiben wollte, geht zum Beispiel aus folgendem Bekenntnis hervor: „Wir deutschen antifaschistischen Flüchtlinge gehören in die Front der kämpfenden unterdrückten Völker Europas, wir stehen in einer Front mit England, den Vereinigten Staaten und der Sowjet-Union. Durch unser Auftreten in England, durch alle unsere Aktivitäten müssen wir beweisen, daß wir in der Tat Mitkämpfer sind, müssen wir uns die Anerkennung als Verbündete in diesem großen Krieg für die Freiheit erringen. Diese Anerkennung als Mitkämpfer müssen wir hier aber vor allem zu erlangen suchen für die vielen aufrechten und freiheitsliebenden Deutschen in Deutschland selbst, die seit Jahren dafür kämpfen, daß die Worte Churchill's Wirklichkeit werden: ‚Das beste wäre es, wenn das deutsche Volk selbst Hitler und seine Banden zerfetzte'."[17]

Mit Begeisterung nahmen die Mitarbeiter des ‚Nationalkomitees Freies Deutschland' in Moskau am 20. Juli 1944 die Nachrichten über den Anschlag auf Hitler und den Staatsstreich auf.[18]

Der deutsche Widerstand hat auch mit Bewohnern neutraler Länder und während des Krieges mit Bewohnern neutraler und besetzter Länder in Kontakt gestanden. Dabei gilt es freilich manches zu berücksichtigen. Kann man außerhalb Deutschlands immer noch hören, alle Deutschen im Dritten Reich seien Nazis gewesen, so könnte man andererseits geneigt sein, die Bewohner der zunächst noch neutralen und später von Deutschland besetzten Länder allesamt als Widerständler zu glorifizieren. Beide Ansichten sind falsch. In den besetzten Ländern war das Verhalten gegenüber dem Besatzungsregime manchmal von einem tiefen Dilemma gekennzeichnet, dem die allzu pauschalen Charakterisierungen der Literatur der Nachkriegszeit nicht gerecht werden, wenn sie das Ausmaß des Widerstandes entweder übertreiben oder bagatellisieren. Mit einer Darstellung eines europäischen Widerstandes als einer „quatrième force de la guerre" aus der Sicht der alliierten Kriegsallianz oder mit einer Rückprojizierung späterer Entwicklungen kommt man diesem Dilemma kaum näher.

Zur Erklärung der erheblichen Unterschiede im Verhalten während der Besatzungszeit sollte in weit stärkerem Maße als bisher der Zusammenhang mit Entwicklungen aus der Zeit vor 1939/40 in den einzelnen Ländern berücksichtigt und untersucht werden. Und dies aus mehreren Gründen. Die 1929 einsetzende Weltwirtschaftskrise hatte tiefe Spuren hinterlassen. Sie hat den in Jahrzehnten angesammelten Unmut über das Parteiensystem noch verstärkt.[19] Je schlechter die wirtschaftliche Lage war, desto reger und unruhiger verlief das politische Leben – am stärksten in Frankreich, wo Befürworter und Gegner der Volksfront einander wie im Bürgerkrieg bekämpften. Aber auch in Osteuropa hatte die Wirtschaftskrise zu einer Absatzkrise in der Landwirtschaft und zur Verarmung und Verschuldung des Bauerntums geführt. Dadurch war der politische Radikalismus und der bis zum Fremdenhaß aggressive Nationalismus stark gefördert worden. Zu den Auswirkungen der Wirtschaftskrise kamen die Aktivitäten der mehr oder weniger alteingesessenen faschistischen Organisationen.[20]

Ein weiteres Element dieser Zeit, in gewissem Sinne eine Art ‚Vorgeschichte' der Besatzungszeit, ist der Zusammenhang zwischen Erfahrungen mit und Stellungnahmen zu den Ereignissen in

Deutschland während der Jahre 1933 bis 1940 und Erfahrungen und Stellungnahmen während der Besatzungszeit. Aufgrund der Entwicklung in Deutschland wurden Parteien, Gewerkschaften, Organisationen, Presseorgane, Kirchen und Einzelpersonen bereits ab 1933 wiederholt vor bestimmte Entscheidungen gestellt. Diese hatten freilich eine andere und geringere Tragweite als ähnliche Entscheidungen während der Besatzungszeit. Die Situationen, in denen schon in den Jahren 1933 bis 1940 auf diese Weise Stellung bezogen werden mußte, waren weniger selten, als wir jetzt vielleicht denken. Der Anlaß konnte beispielsweise ein Besuch oder eine Bitte um Hilfe aus Deutschland sein. Zur Stellungnahme wurde man auch herausgefordert durch das Verhalten befreundeter Organisationen in Deutschland oder durch Initiativen aus eigenem Kreis, manchmal auch durch Informationen von deutschen Emigranten oder infolge des Flüchtlingsstroms. In einer Untersuchung für die Niederlande habe ich nachweisen können, daß in vielen Fällen, schon in den dreißiger Jahren Ansätze für ganz unterschiedliche Positionen während der Besatzungszeit zu finden sind.[21]

Aufmerksamkeit verdient insbesondere noch der Zeitabschnitt zwischen September 1939 und Mai/Juni 1940. Mit dem Polenfeldzug hatte eine neue Phase des Hitlerschen Expansionsprozesses angefangen. Systematisch wurden die Führungselite und ganze Bevölkerungsteile Polens hingemordet.[22] Damals befanden sich die Länder West- und Nordeuropas noch nicht im Kriege. In diesen Ländern hatte die damalige Lage ein starkes Wiederaufleben des Neutralitätsdenkens zur Folge, das angesichts der wirklichen Machtverhältnisse völlig unangemessen war. Diese Neutralitätsbestrebungen aus dem Kreis der sogenannten Oslo-Staaten (die skandinavischen Staaten, Holland, Belgien, Luxemburg)[23] wurden von der Oxford-Gruppenbewegung und von bestimmten Kreisen aus den Vereinigten Staaten stark gefördert. Neben Politikern und Diplomaten beteiligten sich hieran führende Männer der Wirtschaft und der Finanzwelt der Oslo-Staaten, die Verbindung zu Wirtschaftskreisen im Dritten Reich hatten. Von dieser Seite wurden verschiedene Vermittlungsversuche unternommen bzw. unterstützt. So wurde Bischof Berggravs Vermittlungsversuch[24] von niederländischer Seite nicht nur vorbereitet, sondern auch bezahlt. In den Niederlanden fand im Januar 1940 in Zilven eine internationale ökumenische Konferenz statt, deren Ziel es war, auch die Ökumene für diesen Neutralismus zu gewinnen.[25] Parallel damit liefen gewisse Bestrebungen im Rahmen des sogenannten Bruce-Komitees des Völkerbundes.[26] Dieser Neutralismus, der den Widerstandswillen gegen den Nationalsozialismus geschwächt hat und letztendlich den Nazis in die Hände gearbeitet hat, war während der Jahre 1937 bis 1940 und insbesondere während des Zeitabschnitts von September 1939 bis Mai/Juni 1940 eine sehr einflußreiche Strömung. In der Form eines ‚Neoneutralismus' hat sie noch bis in die Besatzungszeit hineingewirkt.

Was die Kontakte aus den Kreisen des deutschen bürgerlichen Widerstandes mit Gruppen und Personen in den besetzten Ländern angeht, so hat hier W. A. Visser 't Hooft, der Generalsekretär des sich konstituierenden Weltrates der Kirchen in Genf, mehrfach eine wichtige vermittelnde Rolle gespielt.[27] So hat er sich nicht nur mit Repräsentanten des Widerstandes wie Adam von Trott[28] und Dietrich Bonhoeffer[29] getroffen, sondern auch Dokumente aus diesen Kreisen nach England und in die Vereinigten Staaten weitergeleitet. 1942 hat er sogar persönlich eine Denkschrift des Kreisauer Kreises nach London überbracht.[30]

Da der Kreisauer Kreis für eine europäische Integration eintrat, war vor allem er es, der Kontakte zu Widerstandsgruppen verschiedener Länder suchte. So war er durch Visser 't Hooft mit dem Widerstand in den Niederlanden in Verbindung getreten[31] und durch Theodor Steltzer mit dem norwegischen Widerstand und mit Bischof Berggrav in Kontakt gekommen.[32] Als letzterer mit dem Reichskommissar und Quisling Schwierigkeiten bekam, konnte eine Reise Moltkes und Bonhoeffers nach Norwegen das Schlimmste verhüten. Nachdem Steltzer durch Ehrenström in Schweden eingeführt worden war, kamen die Kreisauer dort mit einem Kreis prominenter Schweden in Kontakt, mit denen verschiedene Gespräche stattfanden.[33] Steltzer und Trott erhielten Gelegenheit, ausführlich mit dem schwedischen Außenminister zu sprechen. Auch Moltke reiste öfters nach Skandinavien und überbrachte bei einer solchen Gelegenheit die Warnung, daß in der kommenden Nacht die dänischen Juden abtransportiert würden. Über den polnischen Kardinal Sapieha kam Moltke mit einer polnischen Widerstandsgruppe in Verbindung.[34] Bei den Kontakten mit den Niederlanden spielte auch noch ein Mitglied der Goerdeler-Gruppe, nämlich Oberst Wilhelm Staehle, dessen Mutter eine Holländerin war, eine Rolle.[35] Alle diese Kontakte verfolgten drei Ziele: 1. Über diese Gruppen sollte der deutsche Widerstand bessere Kontaktmöglichkeiten zu den Alliierten herstellen. 2. Aus diesen Widerstandsbewegungen sollten vermutlich nach Kriegsende die nationalen Regierungen gebildet werden, und daher galt es mit ihnen zusammenzuarbeiten. 3. So weit wie möglich sollten die verschiedenen besetzten Gebiete rechtzeitig vor Vergeltungsaktionen, die von Berlin befohlen wurden, gewarnt werden. Bei all diesen Kontakten wurde den Deutschen klar, daß es trotz eines hohen Maßes an Übereinstimmung doch auch wesentliche Unterschiede zwischen der Lage des Widerstands in Deutschland und der in anderen Ländern gab. Während Vaterlandsliebe und Nationalismus außerhalb Deutschlands ein kräftiges Stimulans für den Widerstand darstellten, bildeten sie in Deutschland selbst manchmal ein Hindernis, das überwunden werden mußte. Denn hier handelte es sich um einen Widerstand gegen die verbrecherische, aber legal zur Macht gekommene Regierung des eigenen Landes. In einem Brief an einen englischen Bekannten hat Moltke das einmal so formuliert: ,,Diese Leute sind einfach glänzend und bedeuten eine große Stärkung für uns, indem sie vielen anderen Vertrauen einflößen. Natürlich ist ihre Lage einfacher als die unserige: Selbst für die Einfältigsten stimmen moralische und nationale Pflichten überein, während bei uns der Pflichtenkonflikt offenbar ist."[36] Daß er daraus für sich selbst bereits die Konsequenz gezogen hatte, zeigt sich aus den Schlußworten dieses Briefes: ,,Wir hoffen, daß Ihr Euch klar darüber seid, daß wir bereit sind, Euch zu helfen, den Krieg und den Frieden zu gewinnen."

Weit schwieriger war der Kontakt mit den Bewohnern und Vertretern alliierter Länder.[37] Dabei mußte sich der deutsche Widerstand zu der Einsicht durchringen, daß der Nationalsozialismus durch deutsche Schuld an die Macht gelangt war. Darum wandte derselbe Moltke sich in einem Gespräch mit einem prominenten Engländer im Jahr 1935 gegen die Vorstellung, die von Hitler stammte und durch englische Appeasementpolitiker übernommen worden war, daß nämlich Versailles und die alliierte Politik daran Schuld trügen, – eine Vorstellung, die die Engländer dahingehend ergänzten, daß die Nazis langsam aber sicher schon anständige Menschen werden würden und eine Politik der Konzessionen ihnen gegenüber diesen Prozeß beschleunige.[38] Von seiten des deutschen Widerstandes hörte man nicht auf, vor dieser Politik zu warnen. Es mochte sich vielleicht für England kurzfristig um eine günstige Politik handeln, für Deutschland war sie besonders gefährlich; das Naziregime mußte glauben, daß England in einem zukünftigen Konflikt neutral bliebe, und das konnte seine aggresiven Gelüste nur noch steigern. Sicher ist es begreiflich, daß die Alliierten während des Krieges über die Ohnmacht des deutschen Widerstandes enttäuscht waren, doch hatte dieser deutsche Widerstand in den dreißiger Jahren nicht weniger Grund zur Enttäuschung darüber, wie wenig Einsicht das Ausland in Wesen und Absicht des Naziregimes zeigte. Besonders der englische Botschafter in Berlin, Henderson, war von den friedliebenden und gemäßigten Absichten Hitlers überzeugt und beschwor Chamberlain, nichts zu unternehmen, was zu einer Schwächung des Regimes beitrage, weil dann die radikale Gruppe ihren Einfluß verstärken könne; dabei dachte man vor allem an Himmler.[39]

Außerdem war England nicht auf einen so kurzfristig zu erwartenden Konflikt vorbereitet; die Länder des Commonwealth wünschten keinen neuen Krieg und lehnten eine Politik der Härte gegenüber Deutschland ab.[40] In den Berichten der diplomatischen Vertreter Englands klingen überdies Zweifel an, ob sich das deutsche Volk wirklich gegen einen Krieg zur Wehr setzen werde und ob der Widerstand stark genug sei, einen Staatsstreich erfolgreich auszuführen.[41]

So ist es zu erklären, daß Chamberlain – trotz der Warnungen durch Vertreter des deutschen Widerstandes, die 1938 eigens nach

England gesandt wurden,[42] und trotz des ausdrücklichen Wunsches seitens des Widerstandes, den Forderungen Hitlers nicht nachzugeben und damit eine günstige Voraussetzung für einen Putsch zu schaffen – doch nach Deutschland reiste, um einen Vergleich mit Hitler auszuhandeln. Ein Mann wie der englische Außenminister Lord Halifax konnte einfach nicht glauben, daß es Umstände geben könne, in denen man sich gegen die eigene Regierung wenden mußte. Obwohl sie gute Patrioten sein wollten, betrachtete er die Abgesandten des Widerstandes eher als Landesverräter. Nur Churchill, damals noch in der Opposition, zeigte ein gewisses Verständnis für ihren Standpunkt. Chamberlain hatte jedoch, nicht zuletzt infolge seiner Reise, die Voraussetzungen für einen Putsch erheblich verschlechtert. Da sich die Vereinigten Staaten in dieser Phase stark zurückhielten und eher neutrale Vermittlungsversuche zugunsten des Dritten Reiches unterstützten, vertiefte sich die Kluft zwischen dem deutschen Widerstand und den späteren Alliierten.

Trotz dieser Enttäuschung benutzten die deutschen Widerständler ihre Kontakte mit den Alliierten weiter, um vor Hitlers aggressiver Außenpolitik zu warnen. Jedoch ist die Verzweiflung und tiefe Resignation über den auch nach Kriegsbeginn ausbleibenden Widerhall spürbar, wenn Moltke, der noch im Sommer 1939 geschrieben hatte, nun gelte es in erster Linie zu verhindern, daß sich die faschistische Gefahr ausbreite, daß andere Länder den faschistischen Staaten anheimfielen oder selbst faschistische Regimes hervorbrächten,[43] wenig später feststellt: „Heute, fast eine Woche nach Kriegsausbruch haben die Franzosen und Engländer noch nichts unternommen, um ihren Bundesgenossen zu Hilfe zu kommen. Noch erkläre ich es mir mit Aufmarschvorbereitungen und ähnlichen Erwägungen. Sehr lange läßt es sich damit aber nicht mehr erklären und dann ist es nur noch eine unvorstellbar schlechte Politik der Anderen, indem sie ihren Feinden erlauben, jeden Gegner selbständig und sukzessive zu erledigen".[44] Die Alliierten ihrerseits konnten natürlich enttäuscht sein über die Tatsache, daß die Armee trotz der Proteste eines Mannes wie Generaloberst Beck Hitlers Angriffsbefehl befolgte. Beiden Seiten mangelte es vielfach an dem Bewußtsein, daß es sich hier um eine gemeinsame Gefahr und ein gemeinsames Interesse handelte, daß nämlich, um mit Moltke zu sprechen, die Grundlagen der abendländischen Kultur auf dem Spiel standen, daß der auf den Werten des Christentums und des Humanismus gegründeten Gesellschaft die Vernichtung drohte, wenn Europa unter faschistische Herrschaft geriet.[45]

Mit dem Ausbruch des Zweiten Weltkriegs schien sich indessen zunächst doch noch etwas zu verändern. Der Widerstand setzte seine Versuche der Gesprächsaufnahme mit London fort, und jetzt zeigten sich sowohl Halifax wie Chamberlain zu einem seriösen Gespräch und, was noch wichtiger war, zu Konzessionen bereit, um die Voraussetzungen für einen Staatsstreich zu verbessern. Zunächst kam es über verschiedene Kanäle zu mehr oder minder unverbindlichen Versprechungen, wie zum Beispiel durch Conwell-Evans gegenüber dem von Weizsäcker nach Bern entsandten Theo Kordt,[46] durch zwei Beamte des Foreign Office gegenüber dem ehemaligen Reichskanzler Wirth in Lausanne,[47] durch Lonsdale Bryans gegenüber Ulrich von Hassell in Arosa[48] und durch Vansittard über Schweden gegenüber Goerdeler;[49] konkretere Resultate erbrachten die auf Betreiben von Papst Pius XII. zustande gekommenen und durch seinen Sekretär, Pater Leiber, vermittelten offiziellen Verhandlungen, die in der Zeit zwischen Oktober 1939 und Februar 1940 zwischen dem englischen Botschafter am Vatikan, Osborne, und dem Abgesandten des Widerstandes, Josef Müller, in Rom geführt wurden.[50] England versprach, die Situation nicht auszunützen, wenn ein Staatsstreich stattfände, und erklärte sich bereit, einer deutschen Regierung, die mit dem Hitlerregime gebrochen hätte, auf jeden Fall die Grenzen von 1937 zuzugestehen.[51]

Es ist besonders tragisch, daß es dem deutschen Widerstand zu diesem Zeitpunkt nicht gelang, einen Staatsstreich zu realisieren. Das scheint vor allem der veränderten Haltung General Halders zuzuschreiben zu sein, ist damit aber nicht hinreichend erklärt. So verlor der Widerstand viel von seiner Glaubwürdigkeit bei der englischen Regierung, und man war vielfach geneigt, Deutschland mit Hitler zu identifizieren. Das mußte Siegmund-Schultze 1941 erfahren, obwohl gerade er über zahlreiche Beziehungen im Umkreis der Ökumene verfügte;[52] das erfuhr auch Bischof Bell von Chichester 1942, einer der wenigen Engländer, der öffentlich für den deutschen Widerstand eintrat.[53] Als er im Mai 1942 im Rahmen bilateraler kultureller Beziehungen Schweden besuchte, traf er dort zu seiner großen Überraschung Dietrich Bonhoeffer und Hans Schönfeld, die unabhängig voneinander nach Stockholm gereist waren, als sie von Bells Anwesenheit dort gehört hatten. Ausführlich informierten sie den Bischof über die Zusammensetzung und Pläne des Widerstandes. Nach seiner Rückkehr machte Bell Eden auf das Gehörte aufmerksam, aber dieser zeigte sich uninteressiert. Dasselbe erlebte Visser 't Hooft im Sommer des gleichen Jahres, als er eine aus dem Kreisauer Kreis stammende Denkschrift für die englische Regierung mit nach London genommen hatte. Einzelne Engländer bekundeten zwar Interesse, die englische Regierung verschloß sich jedoch dem Wunsch nach einer Zusammenarbeit.[54] Nachdem nochmals über einen Amerikaner, der eine in Schweden auswendig gelernte Botschaft übermittelt hatte, auf die Wichtigkeit solcher Kontaktmöglichkeiten hingewiesen worden war,[55] wurden im Lauf des Jahres 1943 zu diesem Zweck dem Stab der englischen Botschaft in Stockholm zwei Mitarbeiter zugeteilt, mit denen Trott sprach.[56] Von einer Zusammenarbeit war dabei keine Rede;[57] die Gespräche trugen nur informativen Charakter. Zunehmend spielte hier auch die Befürchtung eine Rolle, die Russen könnten möglicherweise argwöhnen, daß einseitige Verhandlungen stattfänden mit dem Ziel, im Westen Frieden zu schließen und gemeinsam im Osten den Krieg fortzuführen.

Die Vereinigten Staaten waren in den dreißiger Jahren von der Wirtschaftskrise und deren Folgen sehr in Beschlag genommen; so hatte man kaum Zeit für Europa – ein Versäumnis, das später von amerikanischer Seite kritisiert wurde.[58] Das besserte sich, nachdem Allen Dulles[59] als Agent des amerikanischen Geheimdienstes in der Schweiz eintraf, speziell um den Kontakt mit deutschen Widerstandsgruppen herzustellen. Über emigrierte Deutsche wurden Verbindungen geschaffen, und so war Dulles über die Zusammensetzung und Entwicklung des Widerstandes recht genau informiert. Seine Hauptinformanten waren Hans Bernd Gisevius,[60] Eduard Waetjen[61] und Gero von Schultze Gaevernitz,[62] teils auf Grund eigener Erfahrungen, teils infolge von Gesprächen mit Vertretern des Widerstands. So hat Gaevernitz mehrmals ausführlich mit Trott gesprochen.[63] Im Lauf der Zeit kamen die Kreisauer auch mit amerikanischen Geheimdienstlern in Schweden in Kontakt.[64] 1943 fanden zwei Besprechungen zwischen Moltke und Amerikanern in der Türkei statt,[65] wobei ersterer auf politische und militärische Zusammenarbeit drängte und detaillierte Vorschläge unterbreitete. In einer damals verfaßten Niederschrift heißt es unter anderem: „1. Die Gruppe hält eine unbezweifelbare militärische Niederlage und Besetzung Deutschlands aus moralischen und politischen Gründen für absolut notwendig. [...] 4. Die Gruppe ist zu einer militärischen Kooperation größten Stils mit den Alliierten bereit, jedoch nur, wenn Gewißheit besteht, daß diese Kooperation zu einem unmittelbar durchschlagenden militärischen Erfolg der Alliierten auf breitester Front führen wird. Ein solcher durchschlagender Erfolg, eine alliierte Besetzung ganz Deutschlands innerhalb eines kurzen Zeitraums, würde in Deutschland schlagartig eine völlig neue politische Situation schaffen. [...] 8. Die Gruppe würde dafür sorgen, daß gleichzeitig mit der Landung in Deutschland die Bildung einer provisorischen antinazistischen Gegenregierung erfolgt, die den nichtmilitärischen Teil der Aufgaben, die sich aus der Kooperation mit den Alliierten ergeben, zu übernehmen hat."[66] Aber auch dieser Versuch, der von verschiedenen Amerikanern nachhaltig unterstützt wurde, scheiterte an der ablehnenden Haltung Washingtons. Im Januar 1943 hatten Roosevelt und Churchill auf der Konferenz von Casablanca über den Kopf ihrer politischen Berater hinweg die Forderung nach bedingungsloser Kapitulation gestellt. Diese Forderung hat möglicherweise den Krieg unnötig verlängert; jedenfalls hat sie ein aktives Auftreten des Widerstands in Deutschland sehr gehemmt. Nur Stalin hielt von dieser Forderung nichts.[67]

An faktischen Kontakten mit der Sowjetunion während der Hitlerzeit sind uns die Verbindungsnetze der Komintern und des sowjetischen Nachrichtendienstes bekannt,[68] wenn wir uns vermutlich auch keine übertriebenen Vorstellungen von deren Bedeutung machen dürfen. Außerdem unterhält die Gruppe Schultze-Boysen[69] einen regelmäßigen Kontakt zur Sowjetunion. Inwieweit Trott in Schweden mit russischen Diplomaten Verbindung gehabt hat, ist umstritten.[70]

In einem internen Memorandum hat Helmuth von Moltke im April 1941 geschrieben: ,,Sofern es dem Besiegten gelingt, den Sieger von seiner Verantwortung zu überzeugen, kann des Siegers Beispiel den Anstoß zu einer schnellen Entwicklung auf die aufgestellten Ziele hin geben."[71] Es ist schade, daß es nicht zu einer Realisierung dieser Verantwortung und nur selten zu einer Zusammenarbeit zwischen nicht-deutschen Gegnern des Hitler-Regimes und dem Widerstand innerhalb Deutschlands gekommen ist. Es wäre sicher in beider Interesse gewesen.

Nachwort

Bild und Bewertung des deutschen Widerstandes haben sich im Laufe der Jahre erheblich gewandelt: von der bekannten Rede Hitlers am 20. Juli 1944 über die idealisierenden Publikationen der Nachkriegszeit und Schriften aus der Zeit des Kalten Krieges bis zu einer ‚Entmythologisierung' aus der Sicht der bundesrepublikanischen Wirklichkeit. Wenn wir uns aus heutiger Sicht mit den Ideen des Widerstandes befassen, dann könnte es sein, daß uns das restaurative Element dieser Gedanken stärker zu sein scheint als das revolutionäre.[1] Dabei dürfen wir jedoch nicht vergessen, daß der deutsche Widerstand ein historisches Phänomen ist und daß die Situation, die ihn hervorgebracht hat, heute schon runde 45 Jahre zurückliegt. Erst wenn wir in der Lage sind, uns diese Situation vorzustellen, können wir ein Bild gewinnen, das den Widerständlern und ihrer Lage gerecht wird. Dann erst werden wir auch die Maßstäbe finden, nach denen die Auffassungen in den Kreisen des Widerstandes historisch angemessen beurteilt werden können.

Außerdem muß man, wenn auch der Prozeß der Loslösung von den traditionellen Denkkategorien schwierig und langsam war, die Konsequenz bewundern, mit der von den Widerständlern umgedacht und weitergedacht worden ist. Dieses „Aufschmelzen der Erstarrungen" (Carl Friedrich von Weizsäcker) läßt sich sowohl bei der Diskussion um die Einheitsfront innerhalb der Arbeiterbewegung als auch bei Goerdeler verfolgen. Erste Voraussetzung einer solchen Entwicklung war das Bewußtsein, in einer Zeit schnell aufeinander folgender Änderungen zu leben. In den Dokumenten des Widerstandes findet man mehrere Äußerungen eines starken Wandlungsbewußtseins.[2] Die Relativierung des Bestehenden führte zu einer stärkeren Distanz gegenüber der Vergangenheit, die für manche jetzt erst Vergangenheit wurde; damit wurde der Blick auf diese Zeit, in der man die Ursachen für die Fehler der eigenen Zeit zu sehen glaubte, auch weit kritischer. So urteilte

Julius Leber: „Die Sozialdemokratische Partei war zur Zeit der Übernahme der Staatsmacht im Jahre 1918 innerlich schon alt. Das war ein großes Verhängnis. Die Verantwortung aus dieser Macht mit ihren Kämpfen und Aufgaben neuer Art brachte weder neues Leben noch geistige Erneuerung. Der Prozeß des inneren und äußeren Alterns ging im Gegenteil ungehemmt und unaufhaltsam weiter. Das wurde zum größeren Verhängnis, nicht nur für die sozialistische Bewegung, sondern vor allen Dingen für die mit ihr tatsächlich und noch mehr moralisch verbundene Republik von Weimar."[3] Als Peter Yorck zwei seiner Brüder als Opfer des Krieges verloren hatte, schrieb er: „Was ist es denn, wofür sie kämpfend starben? Ist es der Geist, der unsere Heere führt? Und liegt der Sinn dieses grauenvollen Krieges wirklich nur darin, das Nationalitätenprinzip neu zu bestätigen, das 150 Jahre Europas Geschichte bestimmte, in der aber zugleich das Abendland sein Gesicht verlor [. . .]?"[4] Mit derartigen Korrekturen am Geschichtsbild distanzierte man sich öfter auch von eigenen früheren Ansichten und Entwicklungen.

Die Grundrechte des Individuums und der Gesellschaft wurden wiederentdeckt. Worte, die für uns heute vielleicht vage erscheinen, hatten damals sehr konkrete Bedeutung. Sie begleiten die ganze Geschichte des Widerstandes, vom Freiheitsruf Julius Lebers Mitte Februar 1933, als er noch einmal freigelassen wurde, bis in die letzten Minuten des Regimes. Aus dieser Sicht ist es sicher berechtigt, den deutschen Widerstand mit den Freiheits- und Widerstandsbewegungen des 19. und 20. Jahrhunderts *und* mit dem heutigen Kampf für die Menschenrechte in Verbindung zu bringen.[5]

Schließlich würde es sich lohnen, die Hoffnungen und Pläne aus den Kreisen und Gruppen des deutschen Widerstandes mit den Entwicklungen der Nachkriegszeit zu vergleichen.[6] Aber wie der Widerstand innerhalb – und außerhalb – Deutschlands nie identisch war mit der Haltung des Großteils der Bevölkerung, so hatte er nach den schweren Verlusten während der dreißiger Jahre, während des Krieges und besonders nach dem 20. Juli 1944 in einer ganz anderen internationalen Konstellation nicht genügend Kraft, aus sich selbst heraus seine Ideen zu konkretisieren.

Anhang

An die niederländische Regierung in London

Vorbemerkung

Das hier folgende Dokument belegt eine Verbindung zwischen dem deutschen Widerstand und der niederländischen Widerstandsbewegung; der Verbindungsmann war Oberst Wilhelm Staehle. Es handelt sich um einen Bericht über diese Verbindung, der für die niederländische Regierung in London angefertigt wurde. Gleichzeitig bitten die Absender um die Erlaubnis, den Kontakt fortführen zu dürfen. Das Dokument erreichte London über den Generalsekretär des Weltkirchenrates in Genf, W. H. Visser 't Hooft. Aus London kam jedoch, nach Beratung mit der englischen Regierung, ein negativer Bescheid. – Das Original des hier in deutscher Übersetzung wiedergegebenen Dokuments befindet sich im Archiv des ‚Rijksinstituut voor Oorlogsdocumentatie' in Amsterdam, Akte ‚Zwitserse Weg'. Im Original sind verschiedentlich Bemerkungen bzw. Briefe und Dokumente in deutscher Sprache zitiert worden; diese Zitate sind durch Kursivdruck gekennzeichnet. Notwendige Erläuterungen befinden sich im Anmerkungsteil. Zum Hintergrund vgl. Ger van Roon, Oberst Wilhelm Staehle. München 1969.

Streng geheim

3. Januar 1944

An die Niederländische Regierung in London.

Vor ungefähr anderthalb Jahren erhielten zwei Niederländer[1] durch die Vermittlung eines Freundes des einen die Mitteilung, daß ein höherer deutscher Offizier[2] mit einigen Niederländern, die ihrerseits in Verbindung mit England treten könnten, in Kontakt zu kommen suchte. Zweck der Sache war die Besprechung der Lage. Obgleich die Mitteilung äußerst unbestimmt war, wurde geantwortet, daß die erbetene Besprechung von den Betroffenen gerne gewährt würde. Der Offizier ist später noch einmal darauf zurückgekommen, ließ aber im letzten Augenblick wissen, daß die Lage für eine Besprechung noch nicht reif sei. Auf niederländischer Seite verhielt man sich völlig passiv.

Gegen Mitte Dezember 1943 wurde auf dem gleichen Verbindungsweg berichtet, daß eine Besprechung (vermittelt von einem Deutschen und einem Niederländer, die beide in Grenzorten wohnten und beide als durchaus zuverlässig galten), nun sinnvoll und sogar *äußerst dringend* wäre. Die Besprechung hat darauf in Coevorden stattgefunden. Zugegen waren die beiden obenerwähnten Niederländer und als dritter Niederländer ein Verbindungsmann, während von deutscher Seite der deutsche Verbindungsmann nur einem kleinen und unwichtigen Teil der Besprechung, die übrigens mit einem deutschen Oberst geführt wurde, beiwohnte. Der Oberst war früher am deutschen Militärnachrichtendienst tätig und einer Reihe kontrollierbarer Angaben zufolge ein guter Freund der Niederlande und ein überzeugter Widersacher des nationalsozialistischen Regimes.

Der Oberst hatte augenscheinlich einen konkreten Plan mitzuteilen und wollte darüber Erkundigungen einziehen. Es stellte sich heraus, daß der Plan in der Beseitigung des Regimes in Deutschland und in den besetzten Gebieten bestand. Für die Niederlande, wofür der Oberst die Aufgabe hatte, Auskünfte einzuholen und zu sondieren, unter welchen Bedingungen die Ruhe der Bevölkerung gewährleistet werden könnte, bedeutete dieser Plan: Ausschaltung der Zivilverwaltung von Seyss-Inquart[3] und des N.S.B.-Apparates und statt dessen deutsche Militärverwaltung.

Um eine möglichst genaue Einsicht in die Lage zu geben, muß vermerkt werden, daß alle drei anwesenden Niederländer von dem ernsthaften Charakter dieser Pläne überzeugt waren und den Eindruck hatten, daß der Oberst nichts sagte, was er nicht verantworten konnte. Er ließ wissen, daß die Namen hinter diesen Putschplänen ihm garantierten, daß die Pläne wirklich ernst zu nehmen seien, und wies darauf hin, daß man Verbindungen in allen Ministerien habe, auf die Wehrmacht rechnen könne und auch auf große Teile der *stark verwässerten SS*. Aus Gesprächen, die er bereits mit andern Niederländern geführt hatte, erhielt er den Eindruck, daß ein solcher *Umsturz* hier mit Beifall begrüßt würde und bat um die Meinung der Anwesenden.

Ihm wurde geantwortet, daß vor allem festgestellt werden müßte, daß kein einziger Wechsel des Regimes, der nicht schon von vornherein von der niederländischen Regierung in London als Beitrag zur Verwirklichung unserer Kriegsziele anerkannt würde, die Unterstützung der abgetretenen oder abgesetzten Beamten finden könnte.

Ferner wurden einige Punkte festgelegt, die bei einem eventuellen Putsch, in bezug auf die Rückwirkung auf das niederländische Volk, zu berücksichtigen wären.

1. Die sofortige Rückkehr der in Deutschland arbeitenden niederländischen Arbeiter muß gefördert werden.

2. Die Freiheit des Volkes muß möglichst wiederhergestellt werden, so z. B. dürfen Freudenkundgebungen nicht unterdrückt werden, und ganz allgemein muß Verständnis für das Verlangen des Volkes nach Freiheit aufgebracht werden.

3. Christiansen,[4] dessen Name hier gründlich verhaßt ist, muß ersetzt werden z. B. durch von Falkenhausen.[5]

Der Oberst erkannte die Wichtigkeit der Punkte an, (die ihm, wie er sagte, noch nicht von anderer Seite genannt seien) und teilte mit, daß er noch vor Weihnachten in Berlin zurück sein müßte, da sein Auftraggeber[6] *im Auswärtigen Amt* ihm gesagt hätte, daß sich möglicherweise bereits um diese Zeit *große Dinge* ereignen könnten. Er versprach, auf die festgelegten Punkte zu reagieren, am liebsten persönlich, sonst aber durch Kurier. Es wurde eine Regelung getroffen, damit sich beide Parteien so schnell wie möglich erreichen könnten.

Der Oberst hat im Laufe der Besprechung noch mitgeteilt, daß über die Pläne zur Beseitigung des Regimes *Verhandlungen mit England über Schweden im Gange sind.* Es war jedoch nicht deutlich, was diese eventuellen Verhandlungen bezwecken.

Die Niederländer bekamen den Eindruck, daß in Deutschland zwei Ansichten nebeneinander existieren, die nur in der Überzeugung übereinstimmen, daß es notwendig sei, das Regime aus eigener Kraft zu beseitigen, die aber dann auseinandergehen. Die eine ist für die *Aufrechterhaltung der Fronten* nach dem Putsch (Badoglio bis zur Kapitulation),[7] während die andere davon ausgeht, daß die Sache verloren sei und die sofortige Kapitulation nach dem Putsch erfolgen müsse. Übrigens hat der Oberst in dieser Sache in keiner Weise Aufschluß gegeben. Er teilte nur mit, daß D. im Westen, einschließlich des Balkans, nur noch 55 Divisionen zur Verfügung hätte (wovon 20 gute), während im Innern noch ein *Nachgang* von 600000 Mann vorhanden wäre, *und dann sind wir völlig ausgeredet.* Außerdem betonte er die katastrophale Auswirkung der Bombenangriffe, die das Volk *putschreif* gemacht hätten.

Zusammengefaßt: Auf niederländischer Seite bestand und besteht der Eindruck, daß die entfalteten Pläne ernsthaft aufgefaßt werden müssen, und daß dahinter in der Tat eine starke Gruppe steht. Ob wirklich Verhandlungen im Gange sind und in welchem Stadium sie sich befinden, läßt sich selbstverständlich hier nicht beurteilen. Die beiden Niederländer haben sich darauf beschränkt, von ihren Erfahrungen einigen dafür in Frage kommenden Freunden und Mitarbeitern Mitteilung zu machen.

Am 27. Dezember wurde gebeten, ob einer der beiden nochmals kommen wollte. Man überlegte sich jedoch, daß sich die beiden in dieser Sache nicht trennen lassen sollten, weshalb sie wieder zusammen gingen. Der Oberst erschien nicht persönlich, stattdessen übergab der deutsche Verbindungsmann einen kurzen Brief des Obersten, der an den deutschen Verbindungsmann gerichtet war. In diesem in getarnten Worten verfaßten Brief teilt der Oberst mit:

1. Es beständen keine Bedenken gegen die Rückkehr der ehemaligen Beamten, im Gegenteil, ihre Rückkehr würde mit Beifall begrüßt.

2. Sollten Vorschläge betreffs des Einsatzes bestimmter Niederländer auf *verantwortungsvollen Posten* gemacht werden, sähe man diesen Vorschlägen gerne entgegen.

3. Christiansen durch Falkenhausen zu ersetzen sei nicht möglich. Christiansen trete ab. Der Oberst selbst *übernimmt Belgien mit und siedelt nach Bielefeld* (Tarnwort für die Niederlande) *über*. (Wir folgerten hieraus, daß der Oberst mit Absicht merken ließ, daß er, wenn seine Karriere nicht unterbrochen worden wäre, nun General wäre).

4. Die Pläne für den Putsch würden im Januar zur Ausführung gelangen. In diesem Zusammenhang teilte der Oberst mit, daß er vorher noch eine Besprechung wünsche, um die *noch schwebenden Fragen* abzuhandeln.

Auf diesen Brief haben die Niederländer mit einem ebenfalls getarnten und aus diesem Grund wenig pointierten kurzen Brief geantwortet sowie mit einem eindeutigen Schreiben, das der deutsche Verbindungsmann dringend gebeten wurde, in Berlin zu übergeben. Nach einer kurzen, sachlich nicht wichtigen Einleitung enthielt das Schreiben die folgenden Punkte:

1. Es ist von prinzipieller Wichtigkeit, daß jede niederländische Mitwirkung an irgendwelcher deutscher Verwaltung von der Zustimmung der niederländischen Regierung in London abhängig ist und bleibt. Wir kön-

nen nur eine legitime Regierung, nämlich die in London seßhafte niederländische Regierung anerkennen.

2. Von niederländischer Seite wird als einziges Kriegsziel die völlige Wiederherstellung unseres freien und unabhängigen Königreichs verfolgt und keine Abänderung der Situation, die nicht diese Wiederherstellung mit ins Auge faßt, kann niederländische Mitwirkung beanspruchen.

3. Solange Bedeutung und Ziel eines geplanten Umsturzes so wenig klar sind wie im Augenblick, hat es keinen Zweck, Namen zu nennen von Personen, die gegebenenfalls auf verantwortungsvolle Posten einzuberufen wären. Bei einem Umsturz, der im Urteil der niederländischen Regierung in London die Wiederherstellung unserer Unabhängigkeit auf die Dauer fördert, und woran mitzuarbeiten uns seitens unserer Regierung befohlen wird, werden ohne Zweifel gleich die Kräfte in den Vordergrund treten, die die Zivilverwaltung fest in die Hand nehmen könnten.

4. Unbedingt notwendig für die innere Ruhe bei einem Umsturz sind wenigstens die folgenden Maßnahmen:

a) Vollständige Ausschaltung der deutschen Zivilverwaltung und der N.S.B. und Verhaftung aller führenden N.S.B.-Mitglieder.

b) Ablösung einer Anzahl der führenden Nicht-N.S.B.-Behörden, die während der Besetzung mit der deutschen Zivilverwaltung auf kompromittierende Weise zusammengearbeitet haben, namentlich der noch amtierenden General-Sekretäre.

c) Freilassung aller politischen Gefangenen aus Gefängnissen und Konzentrationslagern, somit aller Geiseln und Internierten.

d) Soweit als möglich Wiederherstellung der Volksfreiheit, z.B. durch Rückgabe der Radios und weitgehende Freigebung der Tagespresse.

e) Förderung der Rückkehr der in Deutschland zwangsweise in der Industrie usw. tätigen niederländischen Arbeiter.

f) Vollständige Beendigung aller Judenmaßnahmen und bestmögliche Ausbesserung ihrer Folgen, auch den ins Ausland deportierten holländischen Juden gegenüber.

In dem Brief wurde ferner dargelegt, daß die angegebene Lösung in Sachen Christiansen befriedigend sei, und falls es sich einmal erweisen sollte, daß die Niederländische Regierung in London die Mitwirkung befehle, könnte auch auf die Mitwirkung der *illegalen* Presse gerechnet werden.

Nach diesem Briefwechsel haben die beiden Niederländer (die beide aktiv und im Mittelpunkt stehend an der Widerstandsbewegung teilnehmen) die Sache aufs neue mit vier andern (ebenfalls illegal Aktiven)[3] ausführlich besprochen. Allgemein herrscht der Eindruck, daß man mit wirklichen Putschplänen rechnen muß, und daß einerseits die Pläne von niederländischer Seite keineswegs abgelehnt oder entmutigt werden dürfen, daß aber andererseits nur ein einziges Interesse in Frage kommt, nämlich das niederländische.

Außerdem tauchte die Frage auf, wie man sich nun weiterhin in dieser Sache zu verhalten habe. Den Kreisen, in denen die Beratung stattfand, war es keineswegs unbekannt, daß die Regierung mit einigen Gruppen und Formationen hier im Land, denen bei einem Umsturz eine bestimmte Aufgabe zugedacht ist, in Verbindung steht. Sollte man sich mit diesen Gruppen und Formationen beraten? An sich ist die Verlautbarung der Pläne mit Gefahr verbunden. Auch weiß man nicht, inwieweit die am meisten dafür in Frage kommende Gruppe bereits eine Genehmigung der Regierung hat. Schließlich kommt es bei einem eventuellen Putsch und beim Einverständnis der Regierung zur Mitwirkung vor allem darauf an, daß nach dem Abtreten der Generalsekretäre (von denen auch nicht ein einziger auf das öffentliche Vertrauen Anspruch erheben kann) eine Leitung auf niederländischer Seite vorhanden ist (z. B. 5 Männer), *die in der Tat auf das Vertrauen in weiten Kreisen der Bevölkerung rechnen kann.* Nach ausführlicher Rücksprache wurde beschlossen, sich nur mit einem einzigen Mitglied der hier gemeinten Gruppe zu beraten und außerdem die Regierung über den bekannten Verbindungsweg zu unterrichten (denn die Ereignisse können einen schnellen Verlauf nehmen), um über die folgenden Punkte unverzüglich Aufklärung zu erhalten:

1. Sind in der Tat bezüglich der Mitteilungen des Obersten Verhandlungen mit England im Gange? Sollte das der Fall sein, ist das ein Grund, weiteren Kontakt abzubrechen? Sollte das nicht der Fall sein, ist man dann auch mit der Fortsetzung des Kontaktes einverstanden und verbindet man damit bestimmte Instruktionen?

2. Wird die Auffassung geteilt, daß es von ausschlaggebender Bedeutung ist, daß die eventuell unter deutscher Militärverwaltung tätigen, mit der Zivilverwaltung beauftragten Personen vor allem das Vertrauen der Bevölkerung haben müssen, und ist man damit einverstanden, wie in dieser Sache bisher gehandelt wurde?

3. Wird im allgemeinen der Inhalt des hier wiedergegebenen Briefes genehmigt und hat man hinsichtlich des weiteren Kontaktes Anweisungen zu geben?

Es muß darauf aufmerksam gemacht werden, daß selbstverständlich von Verhandlungen *gar keine* Rede sein kann. Es handelt sich unsererseits nur darum, die Pläne (falls sie wirklich bestehen) nicht zu hemmen, uns aber gleichzeitig die äußerste Zurückhaltung aufzuerlegen, die sich beim Kontakt mit einem Feind und (bei der Entscheidung) in unserem Verhalten gegenüber dessen Putschplänen gehört.

Es ist im höchsten Grade wichtig, daß die Regierung ihr Urteil zur Kenntnis bringt. Dazu kann von dem Weg NG.[9] Gebrauch gemacht werden oder von einem direkten Boten (Fallschirmspringer), dessen Auftrag sein müßte, sich mit V. N./Parool[10] in Verbindung zu setzen. Wir ersuchen speziell und mit Nachdruck, sich in dieser Sache keiner anderen Kommunikationsmittel zu bedienen und vorläufig *keine einzige* andere niederländische Gruppe in diese Sache einzuweihen.

Zum Schluß wird noch um eine Mitteilung über Radio Oranje[11] gebeten, an den Tagen wie üblich für Mitteilungen für den Weg NG., und ferner sofort nach Erhalten dieser Mitteilung wissen zu lassen (an verschiedenen Tagen zu wiederholen), ob diese Fortsetzung des Kontaktes für richtig gehalten wird und ob man im großen und ganzen mit der befolgten Taktik einverstanden ist oder nicht. Für den ersten Fall wird als Schlüsselwort vorgeschlagen: „De Graaf kann so weitermachen". Im zweiten Fall: „De Graaf soll nicht so weitermachen".

Anmerkungen

Zum Vorwort

[1] Für einen Überblick, vgl. Ursel Hochmuth, Faschismus und Widerstand 1933–1945. Ein Verzeichnis deutschsprachiger Literatur (= Bibliothek des Widerstandes). Frankfurt a. M. 1973; Rudi Goguel, Antifaschistischer Widerstandskampf 1933–1945, Bibliographie, Hrsg. vom Komitee der Antifaschistischen Widerstandskämpfer der DDR. Berlin 1975; Regine Büchel, Der deutsche Widerstand im Spiegel von Fachliteratur und Publizistik seit 1945 (= Schriften der Bibliothek für Zeitgeschichte. Weltkriegsbücherei Stuttgart, Neue Folge 15). München 1975.

[2] Als Beispiele Heike Bretschneider, Der Widerstand gegen den Nationalsozialismus in München, 1933 bis 1945. München 1968; Karl Schabrod, Widerstand an Rhein und Ruhr 1933–1945. Düsseldorf 1969; Kurt Klotzbach, Gegen den Nationalsozialismus. Widerstand und Verfolgung in Dortmund 1930–1945. Hannover 1969; Ursel Hochmuth-Gertrud Meyer, Streiflichter aus dem Hamburger Widerstand 1933–1945. Berichte und Dokumente. Frankfurt a. M. 1969; Hans-Josef Steinberg, Widerstand und Verfolgung in Essen 1933–1945. Hannover 1969, 2. Aufl. 1973; Kuno Bludau, „Gestapo-geheim!" Widerstand und Verfolgung in Duisburg 1933–1945. Bonn-Bad Godesberg 1973; Aurel Billstein, „Der eine fällt, die anderen rücken nach". Dokumente des Widerstandes und der Verfolgung in Krefeld 1933–1945. Frankfurt a. M. 1973; Fritz Salm, Im Schatten des Henkers. Vom Arbeiterwiderstand in Mannheim gegen faschistische Diktatur und Krieg. Frankfurt a. M. 1973; Gerhart Werner, „Aufmachen Gestapo". Über den Widerstand in Wuppertal 1933–1945. Wuppertal 1974; Arbeiterbewegung an Rhein und Ruhr. Beiträge zur Geschichte der Arbeiterbewegung in Rheinland-Westfalen, hrsg. von Jürgen Reulecke. Wuppertal 1974; Helmut Beer, Widerstand gegen den Nationalsozialismus in Nürnberg 1933–1945 (= Schriftenreihe des Stadtarchivs Nürnberg, Bd. 20). Nürnberg 1976; Detlev Peukert, Ruhrarbeiter gegen den Faschismus. Dokumentation über den Widerstand im Ruhrgebiet 1933–1945. Frankfurt a. M. 1976; Jörg Schadt (Bearb.), Verfolgung und Widerstand unter dem Nationalsozialismus in Baden, hrsg. vom Stadtarchiv Mann-

heim. Stuttgart 1976; Barbara Mausbach-Bromberger, Arbeiterwiderstand in Frankfurt am Main 1933–1945. Frankfurt a. M. 1976; Bayern in der NS-Zeit. Soziale Lage und politisches Verhalten der Bevölkerung im Spiegel vertraulicher Berichte, hrsg. von Martin Broszat, Elke Fröhlich, Falk Wiesemann. München 1977; Onno Poppinga, Martin Barth, Hiltraut Roth, Ostfriesland. Biographien aus dem Widerstand. Frankfurt 1977.

[3] Vgl. Reinhard Mann, Widerstand gegen den Nationalsozialismus. In: Neue Politische Literatur XXII (1977), S. 425 ff.

[4] Dies zu Peter Hüttenberger, Vorüberlegungen zum „Widerstandsbegriff“. In: Theorien in der Praxis des Historikers, hrsg. von Jürgen Kocka (= Geschichte und Gesellschaft, Sonderheft 3). Göttingen 1977, S. 117 ff., insbes. S. 132.

[5] Die niederländische Originalfassung erschien im Jahre 1968; sie wurde jedoch für die jetzige Ausgabe erheblich überarbeitet und erweitert.

Zu Kapitel 1

[1] Dazu u. a. Karl Dietrich Bracher, Die deutsche Diktatur. Entstehung, Struktur, Folgen des Nationalsozialismus. Köln 1969; Martin Broszat, Der Staat Hitlers. München 1969; Charles Bettelheim, Die deutsche Wirtschaft unter dem Nationalsozialismus (Übers.). München 1974.

[2] Klaus Scholder, Die Kirchen und das Dritte Reich. Band 1. Frankfurt a. M. 1977, S. 277.

[3] Archiv für katholisches Kirchenrecht, Band 114 (1934), S. 247.

[4] Friedrich Brunstäd, Gesammelte Aufsätze und kleinere Schriften. Hrsg. von Eugen Gerstenmaier und Carl Günther Schweitzer. Berlin 1957, S. 244.

[5] Ger van Roon, Neuordnung im Widerstand. Der Kreisauer Kreis innerhalb der deutschen Widerstandsbewegung. München 1967, S. 244. (Im weiteren zitiert als: Neuordnung im Widerstand).

[6] Ebd., S. 199.

[7] Guenter Lewy, Die katholische Kirche und das Dritte Reich (Übers.). München 1965, S. 364.

[8] Mitteilung von A. Rösch, S. J. an den Verfasser.

[9] Helmuth James Graf von Moltke, Letzte Briefe. 8. Aufl. Berlin 1959, S. 21.

[10] Neuordnung im Widerstand, S. 511.

[11] Eberhard Bethge, Dietrich Bonhoeffer, München 1967, S. 819.

[12] Vgl. Hans Buchheim/Walter Schmitthenner (Hrsg.), Der deutsche Widerstand gegen Hitler. Köln–Berlin 1966, S. 11.

[13] Paul Emunds, Die Aachener Heiligtumsfahrt im Jahre 1937. In: Geschichte in Wissenschaft und Unterricht 14 (1963), S. 629–633; ein vergleichbares Ereignis aus dem Herbst 1937 in: Kuno Bludau, „Gestapo – geheim!", S. 194.

[14] Nach Lutz Besch, Auszug des Geistes. Bremen 1962, S. 16f.; über Umfang und Vielfalt der Exilpresse: Lieselotte Maas, Handbuch der deutschen Exilpresse 1939–1945, hrsg. von Erhard Lämmert. Band 1, Bibliographie A–K. München–Wien 1976 (geplant sind drei Bände).

[15] Carl Zuckmayer, Carlo Mierendorff. Berlin 1947, S. 33.

[16] Vgl. Hanno Drechsler, Die Sozialistische Arbeiterpartei Deutschlands (SAP). Meisenheim 1965.

[17] Dazu u.a. Günther Weisenborn, Der lautlose Aufstand. Hamburg 1962, S. 152–155; Hans Joachim Reichhardt, in: Hans Buchheim/Walter Schmitthenner (Hrsg.), Der deutsche Widerstand, S. 200–209.

[18] Ger Harmsen, Daan Goulooze, Utrecht 1967, S. 66.

[19] Gerhard Ritter, Carl Goerdeler und die deutsche Widerstandsbewegung. 3. Aufl. Stuttgart 1956, S. 86.

[20] Gert Buchheit, Ludwig Beck. München 1964, S. 170; Peter Hoffmann, Widerstand – Staatsstreich – Attentat. München 1969, S. 107f.

[21] Bernhard Vollmer, Volksopposition im Polizeistaat. Gestapo- und Regierungsberichte 1934–1936. Stuttgart 1957, passim.

[22] Vgl. Ulrich von Hassell, Vom Andern Deutschland. Fischer Bücherei 1964, S. 81–82; Helmut Krausnick, Hitler und die Morde in Polen. In: Vierteljahreshefte für Zeitgeschichte 11 (1963), S. 205.

[23] Klaus Dörner, Nationalsozialismus und Lebensvernichtung. In: Vierteljahreshefte für Zeitgeschichte 15 (1967), S. 143; J. Menges, ‚Euthanasie' in het Derde Rijk. Haarlem 1972, S. 79ff.

[24] Neuordnung im Widerstand, S. 168.

[25] Einzelne Daten in: Barbara Mausbach-Bromberger, Der Widerstand der Arbeiterbewegung gegen den Faschismus in Frankfurt am Main 1933–1945. Diss. Marburg 1976, S. 51ff.

[26] Günther Weisenborn, Der lautlose Aufstand, S. 150f.; Horst Duhnke, Die KPD von 1933–1945. Köln 1972, S. 479.

[27] Hans-Adolf Jacobsen, Kommissarbefehl und Massenexekutionen sowjetischer Kriegsgefangener. In: Anatomie des SS-Staates. Band 2. Olten – Freiburg i.B. 1965, S. 163ff.; Peter Hoffmann, Widerstand, S. 314–316.

[28] Annedore Leber, Das Gewissen steht auf. Berlin – Frankfurt a.M. 1963, S. 108.

[29] Harald Poelchau, Die Ordnung der Bedrängten. Autobiographisches und Zeitgeschichtliches seit den zwanziger Jahren. Berlin 1963, S. 77.

[30] Gordon Zahn, In Solitary Witness. The Life and Death of Franz Jagerstätter. London 1966; Helmut Gollwitzer/Käthe Kuhn/Reinhold Schneider, Du hast mich heimgesucht bei Nacht. Siebenstern Taschenbuch 1964, S. 148f.

[31] Annedore Leber, Das Gewissen steht auf, S. 20; Gollwitzer/Kuhn/Schneider, Du hast mich heimgesucht, S. 146–148.

[32] Gollwitzer/Kuhn/Schneider, Du hast mich heimgesucht, S. 146.

[33] Vgl. S. Friedländer, Kurt Gerstein ou l'ambiguité de bien. Paris 1967; Pierre Joffroy, Der Spion Gottes. Die Passion des Kurt Gerstein (Übers.). Stuttgart 1972.

[34] Eberhard Zeller, Geist der Freiheit. 4. Aufl. München 1963, S. 540.

[35] Helmut Krausnick, Vorgeschichte und Beginn des militärischen Widerstandes gegen Hitler. In: Vollmacht des Gewissens, hrsg. von der Europäischen Publikation e.V. Band 1, 2. Aufl. Frankfurt a.M. 1960, S. 347f.; Peter Hoffmann, Widerstand, S. 124f.

[36] Mitteilung O. Junghann (1941); Ger van Roon, Hermann Kaiser und der deutsche Widerstand. In: Vierteljahreshefte für Zeitgeschichte 24 (1976), S. 277 [1943]; Peter Hoffmann, Widerstand, S. 507 [1944].

[37] Klaus Vielhaber, Willi Graf und die ‚Weiße Rose'. Herder Ausgabe. Freiburg i.Br. 1964, S. 29; Christian Petry, Studenten aufs Schafott. Die Weiße Rose und ihr Scheitern. München 1968, S. 101.

[38] Die sogenannte ‚Aktion Gerngroß', vgl. Günther Weisenborn, Der lautlose Aufstand, S. 110.

[39] Heike Bretschneider, Der Widerstand gegen den Nationalsozialismus, S. 154ff.; Neuordnung im Widerstand, S. 263; vgl. auch Peter Hoffmann, Widerstand, S. 297ff.

[40] In diesen Plan war auch der Vater Bonhoeffers einbezogen, vgl. Eberhard Bethge, Dietrich Bonhoeffer, S. 710; auch Dieter Ehlers, Technik und Moral einer Verschwörung. Bonn 1964, S. 116f.

[41] Peter Hoffmann, Widerstand, S. 176f.

[42] Ebd., S. 389–392.

[43] Ebd., S. 335–341.

[44] Fabian von Schlabrendorff, Offiziere gegen Hitler. Fischer Bücherei 1959, S. 98; Peter Hoffmann, Widerstand, S. 333ff.

[45] Peter Hoffmann, Widerstand, S. 380–388.

[46] Wilhelm Ritter von Schramm, Aufstand der Generäle. Der 20. Juli in Paris. München 1964; Peter Hoffmann, Widerstand, S. 560–571.

[47] Günther Weisenborn, Der lautlose Aufstand, S. 109f.

Zu Kapitel 2

[1] Mehrere Beispiele bei: Arno Klönne, Gegen den Strom. Ein Bericht über die Jugendopposition im Dritten Reich. Hannover und Frankfurt a.M. 1958.

[2] Johannes Zelt, ... und nicht vergessen – die Solidarität! Aus der Geschichte der internationalen Roten Hilfe und der Roten Hilfe Deutschlands, Berlin 1960; Barbara Mausbach-Bromberger, Arbeiterwiderstand S. 56ff.

[3] Günther Weisenborn, Der lautlose Aufstand, S. 136.

[4] Ebd., S. 185f.

[5] Eberhard Bethge, Dietrich Bonhoeffer, S. 31.

[6] A. Piechorowski, Der Untergang der jüdischen Gemeinde Nordhorn. Almelo 1964, S. 41f.

[7] Ger van Roon, Wilhelm Staehle. Ein Leben auf der Grenze 1877–1945. München 1969, S. 36ff.

[8] Gertrud Luckner und Angela Rozumek in: Freiburger Rundbrief, 28. Dezember 1959, S. 96–98.

[9] Mitteilung von F. E. Oppenheimer u.a. an den Verfasser.

[10] Der Anschlag, den Grünspan, ein junger Pole jüdischen Glaubens, am 7. November 1938 auf das deutsche Botschaftsmitglied von Rath unternahm, lieferte Hitler den Vorwand für eine längst geplante, zentral gelenkte Aktion gegen die Juden. Der Name ‚Kristallnacht' geht auf den Anblick vieler zerstörter Schaufenster zurück, das Präfix ‚Reichs' ist sarkastisch gemeint, weil offenkundig war, daß es sich hier nicht um eine sogenannte Spontanaktion der Bevölkerung gehandelt hatte, wie das Regime glauben machen wollte, sondern um ein gelenktes Auftreten von Verbrecherbanden. Richtiger wäre die Bezeichnung ‚Novemberpogrom'.

[11] Ruth Andreas-Friedrich, Schauplatz Berlin (Rororo-Ausgabe). Reinbek 1964, S. 28.

[12] Günther Weisenborn, Der lautlose Aufstand, S. 90.

[13] Ebd., S. 155f.; Horst Duhnke, Die KPD, S. 480.

[14] Das Buch von Ruth Andreas-Friedrich wurde auch ins Niederländische übersetzt.

[15] Ruth Andreas-Friedrich, Schauplatz Berlin, S. 73.

[16] Rede vom 25. Oktober 1943 vor bayerischen Priestern in München (Notiz in Besitz des Verf.).

[17] Neuordnung im Widerstand, S. 154.

[18] Ger van Roon, Protestants Nederland en Duitsland, 1933–1941. Utrecht 1974, S. 190 (deutsche Ausgabe in Vorbereitung; im folgenden zitiert als: Protestants Nederland en Duitsland).

[19] Ebd., S. 166ff.

[20] Über ihn: Aktiver Friede. Gedenkschrift für Friedrich Siegmund-Schultze, hrsg. von Hermann Delfs. Soest 1972.

[21] Protestants Nederland en Duitsland, S. 30f.

[22] Vgl. auch eine Bemerkung von Werner Koch, damals in Sachsenhausen. In: Johannes Harder (Hrsg.), Kraft und Innigkeit. Festgabe für Hans Ehrenberg, Heidelberg 1953, S. 112.

[23] Protestants Nederland en Duitsland, S. 174. Über die Arbeit H. Grübers: An der Stechbahn. Erlebnisse und Berichte aus dem Büro-Grüber in den Jahren der Verfolgung. Berlin 1951; H. Grüber, Erinnerungen aus sieben Jahrzehnten. Köln – Berlin 1968.

[24] Vgl. Harald Poelchau, Die letzten Stunden. Erinnerungen eines Gefängnispfarrers, aufgezeichnet von Graf Alexander Stenbock-Fermor. Berlin 1949; ders., Die Ordnung der Bedrängten.

[25] Eberhard Bethge, Dietrich Bonhoeffer, S. 837.

[26] Dazu: H. Jacobs, Illegalität aus Verantwortung. In: Unterwegs, Heft 3/1947; G. Staewen, Warum wir immer noch darüber sprechen. In: Stärker als die Angst, hrsg. von H. Fink. Berlin 1968; dies., Bilder aus der Arbeit der illegalen Judenhilfe. In: Unterwegs, Heft 3/1947. Der Verfasser ist Frau Melanie Steinmetz für Auskünfte und ergänzendes Material dankbar verbunden.

[27] Guenter Lewy, Die katholische Kirche, S. 322.

[28] B. Schwerdtfeger, Konrad Kardinal von Preysing. Berlin 1950, S. 103.

[29] Vgl. J. Menges, ‚Euthanasie' in het Derde Rijk, S. 130f.

[30] Ohne im übrigen auch nur etwas von Widerstand hören zu wollen!

[31] Eberhard Bethge, Dietrich Bonhoeffer, S. 703.

[32] Ebd., S. 917f.

[33] Ebd., S. 845f.; Neuordnung im Widerstand, S. 326f.; Ger van Roon, Graf Moltke als Völkerrechtler im OKW. In: Vierteljahreshefte für Zeitgeschichte 18 (1970), S. 47f.

[34] Vgl. Pierre Joffroy, Der Spion Gottes.

Zu Kapitel 3

[1] Vgl. Harry Pross, Vom Wandervogel zum Jungenstaat. In: Die Zerstörung der deutschen Politik. Fischer Bücherei 1959, S. 145–179; auch: Neuordnung im Widerstand, S. 20–25.

[2] Mehrere Beispiele bei Barbara Mausbach-Bromberger, Arbeiterwiderstand, und in: Ursel Hochmuth/Gertrud Meyer, Streiflichter.

[3] Annedore Leber, Das Gewissen steht auf, S. 12.

[4] Vgl. Barbara Schellenberger, Katholische Jugend und Drittes Reich. Mainz 1975.

[5] Vgl. Klaus Gotto, Die Wochenzeitung Junge Front/Michael. Mainz 1970.

[6] Vgl. Ursel Hochmuth/Gertrud Meyer, Streiflichter, S. 55ff.; Heinrich Riedel, Kampf um die Jugend. Evangelische Jugendarbeit 1933–1945. München 1977.

[7] Ursel Hochmuth/Gertrud Meyer, Streiflichter, S. 325ff.

[8] Inge Scholl, Die weiße Rose. Fischer Bücherei 1955. Karl-Heinz Jahnke, Weiße Rose contra Hakenkreuz. Der Widerstand der Geschwister Scholl und ihrer Freunde. Frankfurt a.M. 1969; Heike Bretschneider, Der Widerstand, S. 179–199; Christian Petry, Studenten aufs Schafott.

[9] Vgl. Klaus Vielhaber, Willi Graf und die Weiße Rose. Herder-Ausgabe 1964.

[10] Michael Brink, Revolutio Humana. Heidelberg 1946, S. 79.

[11] Neuordnung im Widerstand, S. 328.

[12] Ursel Hochmuth/Gertrud Meyer, Streiflichter, S. 387ff.

[13] Helmut Gollwitzer/Käthe Kuhn/Reinhold Schneider, Du hast mich heimgesucht, S. 146.

[14] Annedore Leber, Das Gewissen steht auf, S. 28; Peter Hoffmann, Widerstand, S. 494f., 498, 501, 579, 600, 604.

Zu Kapitel 4

[1] Zur allgemeinen Orientierung: Horst Duhnke, Die KPD; Siegfried Bahne, Die kommunistische Partei Deutschlands. In: Erich Matthias/Rudolf Morsey (Hrsg.), Das Ende der Parteien. Düsseldorf 1960, S. 655–739; Hans Joachim Reichhardt, Die Kommunistische Partei. In: Hans Buchheim/Walter Schmitthenner, Der deutsche Widerstand, S. 183–199; Ge-

schichte der deutschen Arbeiterbewegung, Teil 5. Berlin 1966, passim. Günther Plum, Die KPD in der Illegalität. In: Vierteljahreshefte für Zeitgeschichte 23 (1975), S. 219ff.

[2] Vgl. Horst Duhnke, Die KPD, S. 43, 137ff.; Barbara Mausbach-Bromberger, Der Widerstand, S. 83ff.

[3] Barbara Mausbach-Bromberger, Der Widerstand, S. 44, 60; Ursel Hochmuth/Gertrud Meyer, Streiflichter, S. 17; Dirk Gerhard, Antifaschisten. Proletarischer Widerstand 1933–1945. Berlin 1976, S. 13.

[4] Dazu Detlev Peukert, Ruhrarbeiter gegen den Faschismus, S. 59, 65.

[5] Vgl. Jutta von Freyberg, Sozialdemokraten und Kommunisten. Die Revolutionären Sozialisten Deutschlands vor dem Problem der Aktionseinheit. Köln 1973; Horst Duhnke, Die KPD, S. 141ff.

[6] Ernst Krüger und Gertrud Glondajewski, Schon damals kämpften wir gemeinsam. Erinnerungen deutscher und tschechoslowakischer Antifaschisten an ihre illegale Grenzarbeit 1933 bis 1938. Berlin 1961; Horst Köpstein, Beiderseits der Grenzen, Berlin 1965; Günther Weisenborn, Der lautlose Aufstand, S. 146–148.

[7] Hans Joachim Reichhardt, Die Kommunistische Partei, S. 196.

[8] Vgl. Kuno Bludau, ‚Gestapo – geheim!‘, S. 149–155; Horst Duhnke, Die KPD, S. 461ff.; Hans Joachim Reichhardt, Die Kommunistische Partei, S. 197; Ger Harmsen, Daan Goulooze, S. 109ff.

[9] Vgl. Kuno Bludau, ‚Gestapo – geheim!‘, S. 158ff.

[10] Vgl. Gilles Perrault, L'Orchestre Rouge. Paris 1966; Günther Weisenborn, Der lautlose Aufstand, S. 188–203; Leopold Trepper, Die Wahrheit. Autobiographie (Übers.). München 1975, S. 87ff.; Horst Duhnke, Die KPD, S. 463ff.

[11] Vgl. u.a. Karl Heinz Biernat/Luise Kraushaar, Die Schulze-Boysen/Harnack Organisation im antifaschistischen Kampf. Berlin 1970.

[12] Hans Joachim Reichhardt, Die Kommunistische Partei, S. 109, 197; Günther Weisenborn, Der lautlose Aufstand, S. 158–160.

[13] Gertrud Glondajewski und Heinz Schumann, Die Neubauer-Poser-Gruppe. Berlin 1957.

[14] Ilse Krause, Die Schubert-Engert-Kresse-Gruppe. Berlin 1960; Kurt Kühn, Georg Schumann. Berlin 1957.

[15] Hans Joachim Reichhardt, Die Kommunistische Partei, S. 198f.; Gerhard Nitzsche, Die Saefkow-Jakob-Bästlein-Gruppe. Berlin 1957; Horst Duhnke, Die KPD, S. 482ff.; Ursel Hochmuth/Gertrud Meyer, Streiflichter, S. 341ff.; Dokumentation mit Kadermaterialien aus dem Jahr 1943 in: Vierteljahreshefte für Zeitgeschichte 20 (1972), S. 422ff.

[16] Peter Hoffmann, Widerstand, S. 429f.; Neuordnung im Widerstand, S. 288f.

[17] K. H. Tjaden, Struktur und Funktion der KPD-Opposition (KPO). Meisenheim 1964.

[18] Vgl. Verrat hinter Stacheldraht? Das Nationalkomitee ‚Freies Deutschland' und der Bund Deutscher Offiziere in der Sowjetunion 1943–1945, hrsg. von Bodo Scheurig. München 1965, S. 120f.; Willy Wolff, An der Seite der Roten Armee. Zum Wirken des Nationalkomitees ‚Freies Deutschland' an der Sowjetisch-Deutschen Front 1943 bis 1945. 2. Aufl. Berlin 1975.

[19] Erich Köhn, Der Weg zur Gründung des Nationalkomitees ‚Freies Deutschland' in Leipzig. In: Zeitschrift für Geschichtswissenschaft 13/I (1965), S. 18–35.

[20] J. Zanders, Der antifaschistische Widerstandskampf des Volksfrontkomitees ‚Freies Deutschland' in Köln im Jahre 1943–44. In: Beiträge zur Geschichte der Deutschen Arbeiterbewegung 2 (1960), S. 720–741.

[21] Ernst-Joachim Krüger, Zur Arbeit der Initiativ-Gruppe Sobottka in Mecklenburg. In: Wiss. Zeitschrift der Ernst-Moritz-Arndt Universität Greifswald 13 (1964), S. 105–114.

[22] Vgl. Lutz Niethammer, Antifa-Ausschüsse in Stuttgart 1945/46. In: Vierteljahreshefte für Zeitgeschichte 23 (1975), S. 297ff.; vgl. auch Lutz Niethammer/Ulrich Borsdorf/Peter Brandt (Hrsg.), Antifaschistische Ausschüsse und Reorganisation der Arbeiterbewegung in Deutschland. Wuppertal 1976.

Zu Kapitel 5

[1] Zur allgemeinen Orientierung: Erich Matthias, Die Sozialdemokratische Partei Deutschlands. In: Matthias/Morsey, Das Ende der Parteien, S. 101–278; Erich Matthias, Sozialdemokratie und Nation. Stuttgart 1952; Hans Joachim Reichhardt in: Hans Buchheim/Walter Schmitthenner, Der deutsche Widerstand, S. 171–183; Hans Mommsen, Die deutschen Gewerkschaften zwischen Anpassung und Widerstand 1930–1944. In: Heinz Oskar Vetter (Hrsg.), Vom Sozialistengesetz zur Mitbestimmung. Zum 100. Geburtstag von Hans Böckler. Köln 1975, S. 275–302; Peter Grasmann, Sozialdemokraten gegen Hitler 1933–1945. München–Wien 1976.

[2] Über diese Organisation viele Einzelheiten in: Karl Rohe, Das Reichsbanner Schwarz Rot Gold. Düsseldorf 1966.

[3] Vgl. Barbara Mausbach-Bromberger, Der Widerstand der Arbeiterbewegung, S. 22f.

[4] Vgl. ebd., S. 63.

[5] Diese Tatsachen an verschiedenen Stellen bei Bernhard Vollmer, Volksopposition im Polizeistaat.

[6] Verschiedene Einzelheiten über Kontakte mit und in den Niederlanden bei Kuno Bludau, ‚Gestapo – geheim!', S. 20f., 105, 107–110.

[7] Günther Weisenborn, Der lautlose Aufstand, S. 146–148.

[8] Vgl. Rudolf Küstermeier, Der Rote Stoßtrupp. Berlin 1970; Günther Weisenborn, Der lautlose Aufstand, S. 148–150; Hans Joachim Reichhardt, Die Kommunistische Partei, S. 178–180.

[9] Günther Weisenborn, Der lautlose Aufstand, S. 152–155; Erich Matthias in: Matthias/Morsey, Das Ende der Parteien, S. 193–196; Hans Joachim Reichhardt, Die Kommunistische Partei, S. 200–209.

[10] Joachim G. Leithäuser, Wilhelm Leuschner. Köln 1962.

[11] Julius Leber, Ein Mann geht seinen Weg. Schriften, Reden und Briefe. Berlin 1952; Neuordnung im Widerstand, S. 204–209.

[12] Neuordnung im Widerstand, S. 123–131; ebd., S. 181–188, wo auf weitere Literatur verwiesen wird.

[13] Hanno Drechsler, Die Sozialistische Arbeiterpartei Deutschlands (SAP).

[14] Werner Link, Die Geschichte des Internationalen Jugend-Bundes (IJB) und des Internationalen Sozialistischen Kampf-Bundes (ISK). Meisenheim 1964.

[15] Siehe dazu Helmut Esters/Hans Pelger, Gewerkschafter im Widerstand. Hannover 1967, S. 25ff.

[16] Vgl. hierzu die in Anmerkung 2 des Vorworts genannte Literatur.

Zu Kapitel 6

[1] Zur allgemeinen Orientierung: Klaus Scholder, Die Kirchen und das Dritte Reich. Band 1. Frankfurt a.M. 1977; Kurt Meier, Der evangelische Kirchenkampf. Bd. 1 u. 2 Göttingen 1976; Eberhard Bethge, Dietrich Bonhoeffer; Ernst Wolf, Zum Verständnis der politischen und moralischen Motive in der deutschen Widerstandsbewegung. In: Hans Buchheim/Walter Schmitthenner, Der deutsche Widerstand, S. 215–255; Heinz Boberach (Hrsg.), Berichte des SD und der Gestapo über Kirchen und Kirchenvolk in Deutschland 1934–1944. Mainz 1971; Bayern in der NS-Zeit, S. 369ff.

Detaillierte Information in den Darstellungen der Reihen ,Arbeiten zur Geschichte des Kirchenkampfes' und ,Arbeiten zur kirchlichen Zeitgeschichte'.

[2] Friedrich Brunstäd, Deutschland und der Sozialismus. Berlin 1925, S. 15; Herbert Christ, Der politische Protestantismus in der Weimarer Republik. Diss. Bonn 1967; Jonathan R. C. Wright, ,Über den Parteien'. Die politische Haltung der evangelischen Kirchenführer 1918–1933 (Übers.). Göttingen 1977; Jochen Jacke, Kirche zwischen Monarchie und Republik. Hamburg 1976; Bayern in der NS-Zeit, S. 370f.

[3] Eingehend dargestellt bei John S. Conway, Die nationalsozialistische Kirchenpolitik 1933–1945 (Übers.). München 1969.

[4] Durch diese Zeremonie in der Grabkirche Friedrichs des Großen wollte Hitler suggerieren, daß seine Herrschaft die Tradition des alten Preußen fortführe.

[5] Vgl. Jürgen Schmidt, Martin Niemöller im Kirchenkampf. Hamburg 1971.

[6] Eberhard Bethge, Dietrich Bonhoeffer, S. 321ff.

[7] Vgl. dazu besonders sein Buch: Widerstand und Ergebung (Taschenausgabe). München und Hamburg 1964.

[8] Wie der damalige Gegensatz auch die Geschichtsschreibung nach dem Krieg beeinflußt hat, zeigt sich zum Beispiel bei Theophil Wurm, Erinnerungen aus meinem Leben. Stuttgart 1953, S. 132f.

[9] Vgl. Eberhard Busch, Karl Barths Lebenslauf. München 1975.

[10] Vgl. Hans Prolingheuer, Der Fall Karl Barth 1934–1935. Neunkirchen 1977.

[11] Protestants Nederland en Duitsland, S. 143ff., 152ff.

[12] Jürgen Schmidt, Martin Niemöller, S. 433ff.

[13] Siehe dazu z. B.: Werner Koch, Heinemann im Dritten Reich. Wuppertal 1972, S. 155ff.; vgl. auch Armin Boyens, Kirchenkampf und Ökumene 1933–1939. München 1969, S. 171ff.

[14] Dieses polnische Gebiet wurde als eine Art Modell für den zukünftigen nationalsozialistischen Staat betrachtet; fast alle kirchlichen Aktivitäten waren verboten; vgl. Martin Broszat, Nationalsozialistische Polenpolitik 1939–1945; Polozenie Polskich Robotnikow Przymusowych W Rzeszy 1939–1945. Documenta Occupationis. Poznaán; mehrere Beiträge in: Commission Internationale d'Histoire Ecclésiastique Comparée (C. I. H. E. C.), Section IV. Les Eglises chrétiennes dans l'Europe dominée par le IIIe Reich 1939–1945. Congres à Varsovie 25 VI – 1 VII 1978.

[15] Vgl. S. 33.

[16] Nach hektographierten Exemplaren dieser Predigten im Besitz von Frau Melanie Steinmetz. Vgl. auch Helmut Gollwitzer, Zuspruch und Anspruch. München 1954.

[17] Ernst Wolf, Zum Verständnis, S. 230ff.

[18] Vgl. Annedore Leber, Das Gewissen steht auf, S. 108f.

[19] Armin Boyens, Das Stuttgarter Schuldbekenntnis von 1945. In: Vierteljahreshefte für Zeitgeschichte 19 (1971), S. 374ff.

Zu Kapitel 7

[1] Jochen Jacke, Kirche zwischen Monarchie und Republik, S. 66ff.

[2] Zur allgemeinen Orientierung: Johann Neuhäusler, Kreuz und Hakenkreuz. München 1946; Guenter Lewy, Die katholische Kirche und das Dritte Reich; Hans Müller, Katholische Kirche und Nationalsozialismus. München 1965; Die kirchliche Lage in Bayern nach den Regierungspräsidentenberichten 1933–1943. Bd. 1–4, Mainz 1966–1973; Klaus Scholder, Die Kirchen und das Dritte Reich, Band 1. Detailliertere Information u. a. in den Publikationen der Kommission für Zeitgeschichte.

[3] Hans Müller, Katholische Kirche, S. 33ff.; Klaus Scholder, Die Kirchen, Band 1, S. 167.

[4] Dazu z.B. Rudolf Morsey, Die Deutsche Zentrumspartei. In: Matthias/Morsey, Das Ende der Parteien, S. 281ff.; vgl. auch: ders. (Hrsg.), Die Protokolle der Reichstagsfraktion und des Fraktionsvorstands der Deutschen Zentrumspartei 1926–1933. Mainz 1969.

[5] Max Pribilla, Psychologie des Radikalismus. In: Stimmen der Zeit 62 (1932), S. 33–44.

[6] Vgl. Johannes Steiner, Prophetien wider das Dritte Reich. München 1946.

[7] Vgl. Franz Kloidt, Verräter oder Märtyrer? Düsseldorf 1962, S. 57ff.

[8] Karl Otmar Freiherr von Aretin, Kaas, Papen und das Konkordat von 1933. In: Vierteljahreshefte für Zeitgeschichte 14 (1966), S. 263.

[9] Hans Müller, Katholische Kirche, S. 100ff.

[10] Zum Reichskonkordat Alfons Kupper (Hrsg.), Staatliche Akten über die Reichskonkordatsverhandlungen 1933. Mainz 1969; Ludwig Volk (Hrsg.), Kirchliche Akten über die Reichskonkordatsverhandlungen 1933. Mainz 1969; insbes. Ludwig Volk, Das Reichskonkordat vom 20. Juli 1933. Mainz 1972; Klaus Scholder, Die Kirchen, Bd. 1, S. 184ff.

[11] Mitteilung an den Verfasser.

[12] Guenter Lewy, Die katholische Kirche, S. 124.

[13] Reinhold Schneider, Verhüllter Tag. Köln 1958, 5. Aufl., S. 212.

[14] Guenter Lewy, Die katholische Kirche, S. 131.

[15] Ludwig Volk, Kardinal Faulhabers Stellung zur Weimarer Republik und zum NS-Staat. In: Stimmen der Zeit 91 (1966), S. 173–195; vgl. auch ders., Das bayerische Episkopat und der Nationalsozialismus. Mainz 1965. Sehr wichtig sind die von Volk herausgegebenen Aktenbände über Faulhaber (Bd. 1, 1975).

[16] Hans Müller, Katholische Kirche, S. 258.

[17] Vgl. hierzu Bernhard Vollmer, Volksopposition im Polizeistaat.

[18] Friedrich Muckermann, Der deutsche Weg. Zürich 1946; Friedrich Muckermann im Kampf zwischen zwei Epochen. Lebenserinnerungen, bearb. v. Nikolaus Junk. 2. Aufl. Mainz 1974.

[19] Vgl. Günther Hockerts, Die Sittlichkeitsprozesse gegen katholische Ordensangehörige und Priester 1936/37. Mainz 1971.

[20] Wilhelm Spael, Das katholische Deutschland im 20. Jahrhundert, S. 334ff.; Klaus Gotto, Die Wochenzeitung Junge Front/Michael.

[21] Vgl. Ludwig Volk, Die Fuldaer Bischofskonferenz von der Enzyklika ‚Mit brennender Sorge' bis zum Ende der NS-Herrschaft. In: Stimmen der Zeit 91 (1966), S. 241ff.; Dieter Albrecht (Hrsg.), Der Notenwechsel zwischen dem Heiligen Stuhl und der deutschen Reichsregierung. Bd. 1, 2. Aufl. Mainz 1974, Bd. 2 Mainz 1969.

[22] Anton Koerbling, Pater Rupert Mayer. 8. Aufl., München 1954; Otto Gritschneder, Die Akten des Sondergerichts über P. Rupert Mayer. In: Beiträge zur altbayerischen Kirchengeschichte, Jg. 1974, S. 159–218; Ludwig Volk, Pater Rupert Mayer vor der NS-Justiz. In: Stimmen der Zeit 194 (1976), S. 3–23.

[23] Neuordnung im Widerstand, S. 168.

[24] Vgl. S. 17.

[25] Ludwig Volk, Die Fuldaer Bischofskonferenz, S. 247ff.

[26] B. Schwerdtfeger, Konrad Kardinal von Preysing; Guenter Lewy, Die katholische Kirche, S. 28.

[27] Burkhart Schneider, Pius XII. an die deutschen Bischöfe. In: Stimmen der Zeit 91 (1966), S. 254; B. Schneider/P. Blet/A. Martini, Die Briefe Pius' XII. an die deutschen Bischöfe. München 1966. Leider hat Pius XII. vor seinem Tode sein gesamtes persönliches Archiv vernichtet, so daß manche aufschlußreichen und wertvollen Quellen fehlen.

[28] Ludwig Volk, Kardinal Faulhabers Stellung, S. 190.

[29] Max Bierbaum, Nicht Lob, nicht Furcht. Münster 1955; Heinrich Portmann, Bischof von Galen spricht. Freiburg 1946.

[30] Franz Kloidt, Verräter oder Märtyrer, S. 172ff.

[31] Ebd., S. 86ff.; Wilhelm Spael, Das katholische Deutschland, S. 285, 345.

[32] Vgl. S. 97.

Zu Kapitel 8

[1] Brief im Besitz von Gräfin Freya von Moltke.

[2] Vgl. Helmut Krausnick, Vorgeschichte und Beginn des militärischen Widerstandes gegen Hitler. In: Vollmacht des Gewissens, S. 177–385; Klaus-Jürgen Müller, Das Heer und Hitler. Stuttgart 1969.

[3] Vgl. dazu Otto-Ernst Schüddekopf, Das Heer und die Republik. Hannover-Frankfurt a. M. 1955; Klaus-Jürgen Müller, Das Heer und Hitler, S. 30.

[4] Aufschlußreiches Aktenmaterial dazu im Bundesarchiv/Militärarchiv.

[5] Thilo Vogelsang, Kurt von Schleicher. Ein General als Politiker. Göttingen 1965 (= Serie Persönlichkeit und Geschichte).

[6] Zitiert nach Helmut Krausnick, Vorgeschichte, S. 217.

[7] Vgl. Klaus-Jürgen Müller, Reichswehr und ‚Röhm-Affäre'. In: Militärgeschichtliche Mitteilungen. 1968, S. 107ff.

[8] Helmut Krausnick, Vorgeschichte, S. 233.

[9] Ebd., S. 282ff.; vgl. auch Hans Bernd Gisevius, Bis zum bittern Ende, Band 1. Zürich 1946, S. 370ff.; Klaus-Jürgen Müller, Das Heer und Hitler, S. 255ff.

[10] Helmut Krausnick, Vorgeschichte, S. 295; Klaus-Jürgen Müller, Das Heer und Hitler, S. 283.

[11] Klaus-Jürgen Müller, Das Heer und Hitler, S. 300ff., bes. 304; vgl. auch ders., Ludwig Beck. Probleme seiner Biographie. In: Militärgeschichtliche Mitteilungen, 1972, S. 167ff.

[12] Zitiert nach Gert Buchheit, Ludwig Beck, S. 154. Zum Kontext und Hintergrund besonders Klaus-Jürgen Müller, Das Heer und Hitler, S. 300ff.

[13] Klaus-Jürgen Müller, Das Heer und Hitler, S. 347f.; vgl. auch Heidemarie Gräfin Schall-Riaucour, Aufstand und Gehorsam. Offizierstum und Generalstab im Umbruch. Leben und Wirken von Generaloberst Franz Halder, Generalstabschef 1938–1942. Wiesbaden 1972.

[14] Klaus-Jürgen Müller, Das Herr und Hitler, S. 345ff.; Peter Hoffmann, Widerstand, S. 94ff.; Helmuth Groscurth, Tagebücher eines Abwehroffiziers 1938–1940, hrsg. von Helmut Krausnick und Harold C. Deutsch. Stuttgart 1970, S. 111.

[15] Vgl. André Brissaud, Canaris 1887–1945 (Übers.). Frankfurt a.M. 1970; Heinz Höhne, Canaris. Patriot im Zwielicht. München 1976.

[16] Vgl. seine in Anm. 14 genannten wertvollen Tagebücher.

[17] Weitere Details über ihn bei Eberhard Bethge, Dietrich Bonhoeffer.

[18] Helmuth Groscurth, Tagebücher, S. 245, vgl. auch S. 455f.

[19] Ebd., S. 89.

[20] Siehe dazu auch Harold C. Deutsch, Verschwörung gegen den Krieg. Der Widerstand in den Jahren 1939–1940 (Übers.). München 1969.

[21] Vgl. auch das Urteil von Harold C. Deutsch, Verschwörung, S. 273.

[22] Vgl. Bodo Scheurig, Henning von Tresckow. 2. Aufl. Oldenbourg 1973.

[23] Dazu z.B. die Aufzeichnungen Hermann Kaisers in Ger van Roon, Hermann Kaiser und der deutsche Widerstand, In: Vierteljahreshefte für Zeitgeschichte 24 (1976), S. 275f. und 282n.

[24] Neuordnung im Widerstand, S. 282.

[25] Tagebucheintrag vom 20. Januar 1943.

[26] Siehe für seine Bedeutung aus der Sicht der Gestapo: Spiegelbild der Verschwörung. Hrsg. vom Archiv Peter, Stuttgart 1961, S. 100.

[27] Tagebucheintrag vom 1. Februar 1943.

[28] Vgl. dazu folgende Passage: ,,Schlabrendorff fragt mich dann nach meinem Urteil über Olbricht. Ob er die Initiative aufbringe, selbständig zu handeln. Ich verneine dies. Er wird auf einen Befehl hoffen und warten" (Tagebucheintrag vom 19. Februar 1943).

[29] Tagebucheintrag vom 3. Februar 1943.

[30] ,,Witzleben hier in Berlin. Er wird nie ohne Übereinstimmung mit Beck handeln. Befehl nur übernehmen, wenn er vorher zur Kenntnis von Beck gebracht ist" (Tagebucheintrag vom 13. Februar 1943); ,,Termin. Ja, Witzleben werde die Sache bis 15. März machen. Guter Schachspieler. Übernahme an Ort und Stelle" (Tagebucheintrag vom 2. März 1943). Zu Unrecht hat Peter Hoffmann diese Aufgabe Witzlebens erst auf den ,,Sommer oder Frühherbst" datiert (Widerstand, S. 370).

[31] Tagebucheintrag vom 19. Februar 1943.

[32] Tagebucheintrag vom 11. Februar 1943.

[33] Tagebucheintrag vom 12. März 1943.

[34] ,,Tresckow glaubt, daß man die Ostfront noch halten kann, wenn der

Westen durch staatsmännisches Handeln gesichert wird. Ja, er glaubt, daß man Rußland noch schlagen kann, wenn mit England Verständigung vorher. Wer macht das?" (Tagebucheintrag vom 18. Januar 1943 über Gespräch Schlabrendorff-Kaiser).

[35] Tagebucheintrag vom 3. März 1943.

[36] Tagebucheintragungen vom 6. und 8. März 1943.

[37] „Bedeutung des Mannes jetzt erst bewußt. Niemand kann ersetzen" (Tagebucheintrag vom 8. März 1943 mit der Meinung von Major Graf Waldersee).

[38] Vgl. Peter Hoffmann, Widerstand, S. 333f.

[39] Ebd., S. 335ff.

[40] Tagebucheintrag vom 2. und 5. April 1943.

[41] Tagebucheintrag vom 2. April 1943.

[42] Vgl. S. 183.

[43] Tagebucheintrag vom 6. April 1943.

[44] Dazu u.a. Ger van Roon, Hermann Kaiser und der deutsche Widerstand, S. 281.

[45] Tagebucheintrag vom 24. Juli 1943.

[46] „Tresckow: Es ist jetzt soweit. Kluge entschlossen. Endlich." (Tagebucheintrag vom 29. Juli 1943).

[47] Tagebucheintrag vom 2. August 1943.

[48] Tagebucheintrag vom 29. Juli 1943.

[49] Auch aus dem Lager der Kreisauer wird für diese Zeit von Staatsstreichvorbereitungen berichtet, vgl. Neuordnung im Widerstand, S. 284.

[50] Gerhard Ritter, Carl Goerdeler, S. 617; Peter Hoffmann, Widerstand, S. 435f.

[51] Siehe dazu Kp. 11, S. 175ff.

Zu Kapitel 9

[1] Gerhard Ritter, Carl Goerdeler.

[2] Ebd., S. 86.

[3] Otto Kopp, Widerstand und Erneuerung. Stuttgart 1966, S. 98–122, 167–188.

[4] Mitteilung von Frau Dr. M. von Trotha an den Verfasser.

[5] Vgl. Leonidas E. Hill (Hrsg.), Die Weizsäcker-Papiere 1933–1950. Frankfurt a.M. 1974.

[6] Vgl. S. 205.

[7] Hildemarie Dieckmann, Johannes Popitz. Entwicklung und Wirksamkeit in der Zeit der Weimarer Republik. Berlin 1960; Lutz-Arwed Bentin, Johannes Popitz und Carl Schmitt, München 1972, S. 53–77.

[8] Dieser Versuch lief über den Anwalt Langbehn, vgl. Gerhard Ritter, Carl Goerdeler, S. 428ff.

[9] Vgl. Elfriede Nebgen, Jacob Kaiser. Der Widerstandskämpfer. Berlin 1967.

[10] Vgl. S. 76.

[11] Vgl. Ger van Roon, Hermann Kaiser und der deutsche Widerstand, S. 259–286.

[12] Vgl. Ludwig Erhard, Kriegsfinanzierung und Schuldenkonsolidierung. Faksimiledruck der Denkschrift von 1943/44. Mit Vorbemerkungen von Ludwig Erhard, Theodor Eschenburg, Günter Schmölders. Frankfurt a.M. 1977; ferner Ludolf Herbst, Krisenüberwindung und Wirtschaftsneuordnung. Ludwig Erhards Beteiligung am Ende des Zweiten Weltkriegs. In: Vierteljahreshefte für Zeitgeschichte 25 (1977), S. 305ff.

[13] Vgl. Hans Bernd Gisevius, Bis zum bittern Ende.

[14] Siehe Kp. 8, Anm. 23 und 26.

[15] Vgl. Ger van Roon, Wilhelm Staehle.

[16] Kapp war der Führer eines gegen die Weimarer Republik gerichteten Putsches im Jahr 1920.

[17] Vgl. Beck und Goerdeler, Gemeinschaftsdokumente für den Frieden, 1941–1944, hrsg. von Wilhelm Ritter von Schramm. München 1965; vgl. auch Hermann Graml, Die außenpolitischen Vorstellungen des deutschen Widerstandes. In: Hans Buchheim/Walter Schmitthenner, Der deutsche Widerstand; Klaus-Jürgen Müller, Staat und Politik im Denken Ludwig Becks. In: Historische Zeitschrift, Heft 215/3 (1972), S. 607ff.

[18] Beck und Goerdeler, Gemeinschaftsdokumente S. 105.

[19] Ebd., S. 167ff.

[20] Ebd., S. 245.

[21] Vgl. Hans Mommsen, Gesellschaftsbild und Verfassungspläne des deutschen Widerstandes. In: Hans Buchheim/Walter Schmitthenner, Der deutsche Widerstand.

[22] Allerdings stand er in Kontakt mit der Professorengruppe des Freiburger Kreises, s. Gerhard Ritter, Carl Goerdeler, S. 524; vgl. auch Christine Blumenberg-Lampe, Das wirtschaftspolitische Programm der ‚Freiburger Kreise'. Berlin 1973.

[23] Neuordnung im Widerstand, S. 271f. Die Mitglieder der Goerdeler-Gruppe versammelten sich im Haus Jessens, dem heutigen Hendrik Krae-

merhaus der Niederländischen Evang. Gemeinde; vgl. Ulrich von Hassell, Vom Andern Deutschland, S. 260; Ger van Roon, Hermann Kaiser und der deutsche Widerstand, S. 276.

[24] Zitiert nach Ger van Roon, Hermann Kaiser und der deutsche Widerstand, S. 276.

[25] Vgl. Albert Krebs, Fritz-Dietlof Graf von der Schulenburg. Zwischen Staatsraison und Hochverrat. Hamburg 1964.

[26] Annedore Leber, Das Gewissen steht auf, S. 161.

[27] Ger van Roon, Hermann Kaiser und der deutsche Widerstand, S. 284.

[28] Gerhard Ritter, Carl Goerdeler, S. 411 ff.

Zu Kapitel 10

[1] Als allgemeinen Überblick dazu s. Neuordnung im Widerstand (mit ausführlichen Literaturhinweisen); vgl. jetzt auch Kurt Finker, Graf Moltke und der Kreisauer Kreis. Berlin 1978.

[2] Vgl. Martin Martiny, Die Entstehung und politische Bedeutung der ‚Neuen Blätter für den Sozialismus' und ihres Freundeskreises. In: Vierteljahreshefte für Zeitgeschichte 25 (1977), S. 373 ff.

[3] Carlo Mierendorff, Aufbau der neuen Linken. In: Marxistische Tribüne, 2. Jg., S. 120 f.

[4] Neuordnung im Widerstand, S. 101.

[5] Julius Leber, Ein Mann geht seinen Weg, S. 60.

[6] Zitiert nach Neuordnung im Widerstand, S. 105.

[7] Carl Zuckmayer, Als wär's ein Stück von mir. Erinnerungen. Fischer Bücherei 1969, S. 53.

[8] Horst von Einsiedel, Lebenslauf (Institut für Zeitgeschichte, München).

[9] Adolf Reichwein. Ein Lebensbild aus Briefen und Dokumenten. Ausgewählt von Rosemarie Reichwein unter Mitwirkung von Hans Bohnenkamp, herausgegeben und kommentiert von Ursula Schulz. München 1974, S. 116.

[10] Freya von Moltke/Michael Balfour/Julian Frisby, Helmuth James von Moltke 1907–1945. Stuttgart 1975.

[11] Vgl. Neuordnung im Widerstand S. 76–87, 604.

[12] Ebd., S. 94–99, 602.

[13] Ebd., S. 88–93, 599.

[14] Vgl. Rolf Gardiner, Adolf Reichwein (1899-1944). In: Wessex. Letters from Springhead. Midwinter 1946. No. 2, S. 77–81; Hans Bohnenkamp, Gedanken an Adolf Reichwein. Schriftenreihe der Pädagogischen Hochschulen Niedersachsens, Heft 1. Braunschweig-Berlin-Hamburg 1949; Wolfgang Kroug, Sein zum Tode. Göttingen 1954, S. 85–115; 130–134; James L. Henderson, Adolf Reichwein. Eine politisch-pädagogische Biographie, hrsg. von Helmut Lindemann. (Übers.) Stuttgart 1958; Neuordnung im Widerstand S. 100–108, 601.

[15] Neuordnung im Widerstand, S. 109–115, 601.

[16] Ebd., S. 116–122, 600f.

[17] Ebd., S. 212, 217, 241, 615. In Ergänzung dazu: Ger van Roon, German Resistance to Hitler. Count von Moltke and his circle. London 1971, S. 41–43.

[18] Neuordnung im Widerstand S. 219f., 248–251, 259f., 340f.

[19] Vgl. Theodor Steltzer, Von Deutscher Politik. Dokumente, Aufsätze und Vorträge, hrsg. von Fr. Minssen. Frankfurt a. M. 1949; ders., Sechzig Jahre Zeitgenosse. München 1966; Neuordnung im Widerstand, S. 132–140, 324–329, 602, 611.

[20] Vgl. Carl Zuckmayer, Carlo Mierendorff. Berlin 1947; Gerhart Pohl, In Memoriam Carlo Mierendorff. Darmstadt 1964; Neuordnung im Widerstand, S. 123–131, 227–234, 600f.

[21] Vgl. Walter Hammer (Hrsg.), Theodor Haubach zum Gedächtnis. 2. Aufl. Frankfurt a.M. 1955; Neuordnung im Widerstand, S. 181–188, 227–234, 600, 603.

[22] Siehe S. 76.

[23] Neuordnung im Widerstand, S. 227ff.

[24] Vgl. Julius Leber. Ein Mann geht seinen Weg; Neuordnung im Widerstand, S. 204–209, 600.

[25] Vgl. Günter Schmölders, Personalistischer Sozialismus. Die Wirtschaftsordnungskonzeption des Kreisauer Kreises der deutschen Widerstandsbewegung. Köln und Opladen 1969; Neuordnung im Widerstand, S. 214, 248, 251.

[26] Albert Krebs, Graf von der Schulenburg; Neuordnung im Widerstand, S. 213, 215, 270, 276f.; Ger van Roon, Hermann Kaiser und der deutsche Widerstand, S. 278f., 286.

[27] Neuordnung im Widerstand, S. 222f., 248–250.

[28] Vgl. Clarita von Trott zu Solz, Der Lebensweg von Adam von Trott zu Solz. In: A. Franke (Hrsg.), Ein Leben für die Freiheit. Kassel 1960; Christopher Sykes, Adam von Trott. Eine deutsche Tragödie. Düsseldorf-

Köln 1969; Neuordnung im Widerstand, S. 141–150, 298f., 300, 302f., 305, 307ff., 314, 316f., 330ff., 335, 572ff., 602, 604; Shiela Grant Duff, Fünf Jahre bis zum Krieg (1934–1939). München 1978, S. 44ff.

[29] Vgl. Gogo von Nostitz, In Memoriam Hans-Bernd von Haeften. In: Zeitwende 20 (1948), S. 220–224; Barbara von Haeften, Aus unserem Leben 1944–1950. Heidelberg 1974; Neuordnung im Widerstand, S. 151–159, 220f., 302.

[30] Dietrich Bonhoeffer, Gesammelte Schriften, hrsg. von Eberhard Bethge. Band 1, München 1958, S. 226.

[31] Vgl. Harald Poelchau, Die letzten Stunden; ders., Die Ordnung der Bedrängten; Neuordnung im Widerstand, S. 160–166, 601.

[32] Vgl. Anton Ritthaler, Karl Ludwig Freiherr von und zu Guttenberg. Ein politisches Lebensbild. Neujahrsblätter der Gesellschaft für Fränkische Geschichte XXXIV. Würzburg 1970.

[33] Ludwig Volk, Pater Rupert Mayer S. 20f.; Neuordnung im Widerstand, S. 167–169. 237ff.

[34] Vgl. Marianne Hapig (Hrsg.), Alfred Delp. Kämpfer, Beter, Zeuge. Freiburg i. Br. 1962; Neuordnung im Widerstand, S. 170–180, 230f., 245, 599, 603.

[35] Neuordnung im Widerstand, S. 200–203, 239ff., 600.

[36] Alfred Delp, Im Angesicht des Todes. Frankfurt 1947, S. 135.

[37] Neuordnung im Widerstand, S. 195–199, 244, 255, 258, 600, 610.

[38] Vgl. Eric Boehm, We survived. New Haven 1949, S. 172–189; Fabian von Schlabrendorff (Hrsg.), Eugen Gerstenmaier im Dritten Reich. Eine Dokumentation. Stuttgart 1965; Die Karriere des Eugen Gerstenmaier. Ein Dokumentarbericht. Berlin 1969.

[39] Über die mißliche Rolle, die das Außenamt unter Leitung von Bischof Theodor Heckel in jener Zeit spielte, vgl. u. a. Armin Boyens, Kirchenkampf und Ökumene, Bd. 1, S. 135 und Ger van Roon, Protestants Nederland en Duitsland, S. 68, 77, 200ff.

[40] Vgl. Kp. 1, Anm. 39.

[41] Vgl. Kp. 9, Anm. 22.

[42] Zitiert nach Neuordnung im Widerstand, S. 403.

[43] Lionel Curtis, A German of the Resistance. The last letters of Count Helmuth James von Moltke. In: Round Table XXXVI (1945/46), S. 213–231.

[44] Ein anderes Beispiel ist das der sogenannten Lösung-Falkenhausen, s. Ger van Roon, Hermann Kaiser und der deutsche Widerstand, S. 279.

[45] Neuordnung im Widerstand, S. 284.

[46] Jørgen Glenthøj (Hrsg.), Die Mündige Welt V. Dokumente zur Bonhoeffer-Forschung 1928–1945. München 1969, S. 264.

[47] Ger van Roon, Graf Moltke als Völkerrechtler, S. 24; Neuordnung im Widerstand, S. 287.

Zu Kapitel 11

[1] Peter Hoffmann, Widerstand, S. 297f.

[2] Ebd., S. 356f.

[3] Neuordnung im Widerstand, S. 284.

[4] Grundlegend: Christian Müller, Oberst i.G. Stauffenberg. Eine Biographie. Düsseldorf 1971; vgl. dazu auch: Bodo Scheurig, Claus Graf Schenk von Stauffenberg. Berlin 1964; Joachim Kramarz, Claus Graf Stauffenberg. Frankfurt a.M. 1965; Kurt Finker, Stauffenberg. Berlin 1967.

[5] Vgl. das Kapitel über die beiden Brüder bei Eberhard Zeller, Geist der Freiheit, S. 225ff.

[6] Joachim Kramarz, Stauffenberg, S. 169.

[7] Neuordnung im Widerstand, S. 286.

[8] Joachim Kramarz, Stauffenberg, S. 89.

[9] Ebd., S. 132–134, 181; Christian Müller, Oberst Stauffenberg, S. 295ff., 465ff.

[10] Neuordnung im Widerstand, S. 286.

[11] Mitteilung von P. van Husen an den Verfasser.

[12] Peter Hoffmann, Widerstand S. 477ff.; Albert Krebs, Graf von der Schulenburg, S. 262.

[13] Vgl. Hedwig Maier, Die SS und der 20. Juli. In: Vierteljahreshefte für Zeitgeschichte 14 (1966), S. 299ff.

[14] Die wichtigste Quelle in diesem Zusammenhang ist Gisevius; er erhielt diesen Eindruck, als er aus der Schweiz kurz vor dem 20. Juli 1944 nach Deutschland kam und mit Stauffenberg sprach. Als ehemaliger Mitarbeiter Goerdelers betrachtete er Stauffenberg als den Eindringling.

[15] Christian Müller, Oberst Stauffenberg, S. 440f.

[16] Peter Hoffmann, Widerstand, S. 446; Ger van Roon, Hermann Kaiser und der deutsche Widerstand, S. 272, 278a, 283.

[17] Zitiert nach Peter Hoffmann, Widerstand, S. 444.

[18] U.a. durch Trott in die Niederlande, s. Neuordnung im Widerstand, S. 332.

[19] Vgl. Ger van Roon, Oberst Wilhelm Staehle.

[20] Zu lesen in den von der Gestapo erstellten Zusammenfassungen der Verhöre nach dem 20. Juli: vgl. K. H. Peter, Spiegelbild einer Verschwörung. Stuttgart 1961, S. 363 (eine interessante, aber einseitige Quelle).

[21] Peter Hoffmann, Widerstand, S. 446–447; Christian Müller, Oberst Stauffenberg, S. 418ff.

[22] Peter Hoffmann, Widerstand, S. 457, 459, 415f.

[23] Ebd., S. 462; vgl. auch Walter Baum, Marine, Nationalsozialismus und Widerstand. In: Vierteljahreshefte für Zeitgeschichte 11 (1963), S. 31.

[24] So Hofacker in Paris; vgl. auch Neuordnung im Widerstand, S. 333; ferner Peter Hoffmann, Widerstand, S. 464.

[25] P. van Husen, der nach der Verhaftung Lebers als Staatssekretär vorgesehen war, sollte abgeholt und zur Prinz Heinrich-Straße gebracht werden, wohin auch die anderen kommen sollten, s. Neuordnung im Widerstand, S. 199.

[26] Grundlegend hier Peter Hoffmann, Widerstand, S. 466ff.; vgl. ders., Zum Attentat im Führerhauptquartier. In: Vierteljahreshefte für Zeitgeschichte 12 (1964), S. 254–284; Hans Adolf Jacobsen, 20. Juli 1944. Herausgegeben von der Bundeszentrale für politische Bildung. 6. Aufl. Bonn 1969, S. 127ff.

[27] So Peter Hoffmann, Widerstand, S. 468, 477f.; Christian Müller, Oberst Stauffenberg, S. 614f. zieht das in Zweifel.

[28] Peter Hoffmann, Widerstand, S. 486ff., auch 587.

[29] Hans Lukaschek, Was war und wollte der Kreisauer Kreis. Rede 20. Februar 1958, S. 10 (unveröffentlichtes Manuskript).

[30] Mitteilung von L. Kaiser an den Verfasser.

[31] Ludwig Jedlicka, Der 20. Juli in Österreich. 2. Aufl. Wien 1966.

[32] Vgl. Wilhelm Ritter von Schramm, Aufstand der Generale.

[33] Vgl. oben Anm. 20.

[34] Eine Reihe von Abschiedsbriefen sind veröffentlicht in: Du hast mich heimgesucht bei Nacht, hrsg. von Helmut Gollwitzer, Käthe Kuhn und Reinhold Schneider.

Zu Kapitel 12

[1] Vgl. dazu: Das ‚Andere Deutschland' im Zweiten Weltkrieg. Emigration und Widerstand in internationaler Perspektive, hrsg. von Lothar Kettenacker. Stuttgart 1977 (= Veröffentlichungen des Deutschen Historischen Instituts London, Band 2); Peter Hoffmann, Widerstand, S. 255ff.

[2] Siehe für die Rolle der NS-Propaganda dabei Herbert E. Tutas, NS-Propaganda und deutsches Exil 1933–1939. Worms 1973; weiter auch Lothar Kettenacker, Das ‚Andere Deutschland' S. 109ff.; für die Nachkriegsrezeption Gerhard Roloff, Exil und Exilliteratur in der deutschen Presse 1945–1949. Worms 1976.

[3] Manche Beispiele in der oben genannten Arbeit von Tutas.

[4] In ‚Neue Weltbühne' 1937, Heft 53, S. 1672. Viele andere Einzelheiten in: Exil-Literatur 1933–1945, hrsg. von Kurt Köster. 2. Aufl. Frankfurt a.M. 1966.

[5] Siehe dazu die Arbeiten von Helmut Esters/Hans Pelger, Gewerkschafter im Widerstand. Hannover 1967 und Kuno Bludau, ‚Gestapo geheim!'; vgl. auch Ger Harmsen, Daan Goulooze, S. 63f.

[6] Als Beispiele: Thomas Mann, Deutsche Hörer. 25 Radiosendungen nach Deutschland. Stockholm 1942; Dorothy Thompson, Listen Hans. Boston 1942; W. Röder, S. 176ff.

[7] Werner Röder, Exilgruppen in Großbritannien, S. 27ff., 90ff.; Karl Hans Bergmann, Die Bewegung ‚Freies Deutschland' in der Schweiz 1943–1945. München 1974.

[8] Babette Gross, Willi Münzenberg, Stuttgart 1967.

[9] In: Die Zukunft, 10.3 1939.

[10] Vgl. Willy Brandt und Richard Löwenthal, Ernst Reuter – Ein Leben für die Freiheit. München 1957.

[11] Verrat hinter Stacheldraht? Das Nationalkomitee ‚Freies Deutschland' und der Bund Deutscher Offiziere in der Sowjetunion 1943–1945, hrsg. von Bodo Scheurig. München 1965.

[12] Curt Geyer und Walter Loeb, Gollancz in German Wonderland. London 1942.

[13] Sebastian Haffner, Offensive against Germany, London 1941, S. 123ff.

[14] Mitteilung von H. Schäffer an den Verfasser.

[15] Neuordnung im Widerstand, S. 148ff.

[16] Hans Rothfels, Adam von Trott und das State Department. In: Vierteljahreshefte für Zeitgeschichte 7 (1959), S. 318ff.

[17] In: Freie Deutsche Kultur, September 1941, S. 2.

[18] Wolfgang Leonhard, Die Revolution entläßt ihre Kinder. Köln-Berlin 1955, S. 317.

[19] Dazu z.B. Martin Broszat, Faschismus und Kollaboration in Ostmitteleuropa. In: Vierteljahreshefte für Zeitgeschichte 14 (1966), S. 225ff.; Hans Raupach, Auswirkungen der Weltwirtschaftskrise in Ost-Mitteleu-

ropa. In: Vierteljahreshefte für Zeitgeschichte 24 (1976), S. 38ff.; A. A. de Jonge, Het nationaal-socialisme in Nederland. Utrecht 1968, S. 40ff.

[20] Vgl. Ernst Nolte, Die faschistischen Bewegungen. DTV-Weltgeschichte des 20. Jahrhunderts, Band 4. München 1966.

[21] Vgl. Protestants Nederland en Duitsland.

[22] Vgl. Martin Broszat, Nationalsozialistische Polenpolitik; Helmut Groscurth, Tagebücher S. 48ff.; Christoph Klessmann, Die Selbstbehauptung einer Nation. NS-Kulturpolitik und polnische Widerstandsbewegung. Düsseldorf 1971, S. 27ff.

[23] Über diese Koalition bereitet der Verfasser z. Z. eine Monographie vor, die 1980 bei der Cambridge University Press erscheinen wird.

[24] Vgl. Peter W. Ludlow, Bischof Berggrav zum deutschen Kirchenkampf. In: Zur Geschichte des Kirchenkampfes, Band 26. Göttingen 1971; Armin Boyens, Kirchenkampf und Ökumene 1939–1945. München 1973, S. 61ff.; Protestants Nederland en Duitsland, S. 265ff.

[25] Armin Boyens, Kirchenkampf S. 66ff.; Protestants Nederland en Duitsland, S. 270ff.

[26] Vgl. Victor-Yves Ghébali, La réforme Bruce 1939–1940. Genève 1970.

[27] Vgl. Wilhelm A. Visser 't Hooft, Holländische Kirchendokumente. Der Kampf der holländischen Kirche um die Geltung der göttlichen Gebote im Staatsleben. Zürich 1944; Eberhard Bethge, Dietrich Bonhoeffer, S. 818ff.

[28] Christopher Sykes, Adam von Trott. Düsseldorf 1969, S. 314f.; Neuordnung im Widerstand, S. 308f.

[29] Eberhard Bethge, Dietrich Bonhoeffer, S. 824ff., 848f.

[30] Neuordnung im Widerstand, S. 302, 309, 572f.

[31] Ebd., S. 329f.

[32] Ebd., S. 324f.

[33] Ebd., 312f.

[34] Ebd., S. 340f.

[35] Vgl. Ger van Roon, Wilhelm Staehle, S. 46ff.

[36] Helmuth von Moltke, Letzte Briefe, S. 21f.

[37] Vgl. die in Anm. 1 zu diesem Kp. genannte Literatur.

[38] Brief Moltkes an Lionel Curtis, 12. Juli 1935 (Archiv Round Table, London).

[39] Vgl. Documents on British Foreign Policy 1919–1939. London 1949. III, 2, S. 108.

[40] Vgl. D. C. Watt, Personalities and Policies. London 1965, S. 159ff.

[41] Documents on British Foreign Policy S. 65, 289; vgl. auch Harold C. Deutsch, S. 381 ff.

[42] U. a. die Brüder Kordt, Kleist-Schmenzin, Böhm-Tettelbach, Schlabrendorff.

[43] Vgl. den Brief Moltkes an Lionel Curtis vom 15. 2. 1939.

[44] Brief Moltkes an seine Frau, 11. 9. 1939.

[45] Brief Moltkes an Lionel Curtis, 20. 11. 1938.

[46] E. Kosthorst, Die deutsche Opposition gegen Hitler zwischen Polen- und Frankreichfeldzug. 3. Aufl. Bonn 1957, S. 78, 82 ff.

[47] Helmut Krausnick/Hermann Graml, Der deutsche Widerstand und die Alliierten. In: Vollmacht des Gewissens, Band 2. Frankfurt-Berlin 1965, S. 497; Gerhard Ritter, Carl Goerdeler, S. 252 ff.

[48] Ulrich von Hassell, Vom Andern Deutschland, S. 130–132.

[49] Gerhard Ritter, Carl Goerdeler S. 237. Goerdeler verfügte in Schweden über wichtige Kontakte in Form der ihm von Schacht empfohlenen beiden Wallenbergs, zwei Brüdern, die beide Bankiers waren (ebd., passim).

[50] Vgl. Peter Ludlow, Papst Pius XII, die britische Regierung und die deutsche Opposition im Winter 1939/40. In: Vierteljahreshefte für Zeitgeschichte 22 (1974), S. 299 ff.; Harold C. Deutsch, Verschwörung gegen den Krieg.

[51] Wahrscheinlich die von 1938.

[52] Helmuth Krausnick/Hermann Graml, Der deutsche Widerstand, S. 504.

[53] Eberhard Bethge, Dietrich Bonhoeffer S. 850 ff.; Dietrich Bonhoeffer, Gesammelte Schriften, Band 1, München 1958, S. 372 ff.

[54] Neuordnung im Widerstand, S. 302 f., 572–575; H. Rothfels, Zwei außenpolitische Memoranden der deutschen Opposition. In: Vierteljahreshefte für Zeitgeschichte 5 (1957), S. 388–397; vgl. auch Jørgen Glenthøj, Die Mündige Welt, S. 299 ff.

[55] Neuordnung im Widerstand S. 303 f. Der Originaltext des Berichtes in: Helmuth von Moltke, Briefe, S. 21 ff.

[56] Neuordnung im Widerstand, S. 304, 316; Jørgen Glenthøj, Die Mündige Welt, S. 291 ff.; Hendrik Lindgren, Adam von Trotts Reisen nach Schweden 1942–1944. In: Vierteljahreshefte für Zeitgeschichte 18 (1970), S. 274–291.

[57] Neuordnung im Widerstand, S. 316 f.; vgl. S. 582 f., 592.

[58] George F. Kennan, American Diplomacy 1900–1950. New York 1952, S. 80.

[59] Germany's Underground, New York 1947; Neuordnung im Widerstand, S. 317.

[60] Vgl. Hans Bernd Gisevius, Bis zum bittern Ende.

[61] Neuordnung im Widerstand, S. 312.

[62] Ebd., S. 311.

[63] Ebd.

[64] Ebd., S. 317.

[65] Ebd., S. 317ff.

[66] Ebd., S. 584f.

[67] Vgl. Anne Armstrong, Unconditional Surrender. The impact of the Cassblanca Policy upon World War II. New Brunswick/New Jersey, 1961; vgl. auch den Beitrag von Anthony J. Nicholls, in: Lothar Kettenacker, Das ‚Andere Deutschland', S. 77ff.

[68] Vgl. Ger Harmsen, Daan Goulooze, S. 58ff.

[69] Vgl. Karl Heinz Biernat/Luise Kraushaar, Die Schulze-Boysen/Harnack-Organisation im antifaschistischen Kampf. Berlin 1970.

[70] Die diesbezügliche Mitteilung Kleists (Zwischen Hitler und Stalin, S. 242) wurde von anderen wiederum in Abrede gestellt.

[71] Zitiert nach Neuordnung im Widerstand, S. 511.

Zum Nachwort

[1] Dazu z. B. Hans Mommsen, Politische Perspektiven des aktiven Widerstands gegen Hitler. In: Der Zwanzigste Juli. Alternative zu Hitler, hrsg. v. Hans Jürgen Schultz. Stuttgart-Berlin 1974, S. 29f.

[2] Siehe z. B. Dietrich Bonhoeffer, Widerstand und Ergebung. Erweiterte Ausgabe München 1970, S. 12.

[3] Julius Leber, Ein Mann geht seinen Weg, S. 187.

[4] Neuordnung im Widerstand, S. 85.

[5] Vgl. dazu den Beitrag ‚Widerstand und Menschenrechte' von Staatsminister Klaus von Dohnanyi. In: Die Zeit, 28. Juli 1978.

[6] Zur Sicht der noch lebenden Kreisauer s. Ger van Roon, German Resistance to Hitler, S. 281ff.

Zum Anhang

[1] Gemeint sind Dr. J. Cramer, damals Direktor der Vereinigung Opbouw Drenthe und nach dem Kriege Kommissar der Königin in Drenthe und Mitglied der Ersten Kammer des niederländischen Parlaments, und Dr. G. J. van Heuven Goedhart, damals Journalist, nach dem Kriege von 1950 bis zu seinem Tode 1956 Hoher Kommissar der Vereinten Nationen für Flüchtlinge.

[2] Oberst Wilhelm Staehle, damals Kommandant der Invalidensiedlung Berlin-Frohnau und am 23. 4. 1945 ermordet.

[3] Dr. Arthur Seyss-Inquart, bekannt wegen seiner Rolle beim Anschluß Österreichs, war ab 29. Mai 1940 Reichskommissar für die Niederlande. NSB ist eine Abkürzung für die von A. Mussert geleitete niederländische Organisation ‚Nationaal Socialistische Beweging'.

[4] General der Flieger Friedrich Christian Christiansen war Wehrmachtsbefehlshaber in den Niederlanden.

[5] Alexander Generalleutnant von Falkenhausen war Wehrmachtsbefehlshaber in Belgien und Nordfrankreich; vom 20.–29. 5. 1940 war er Befehlshaber in den Niederlanden gewesen.

[6] Gemeint ist Adam von Trott zu Solz.

[7] Badoglio war Nachfolger Mussolinis als Regierungschef in einer italienischen Übergangsregierung.

[8] Unter ihnen der spätere Ministerpräsident Dr. W. Drees.

[9] Gemeint ist hier die Verbindung mit London über die Schweiz.

[10] ‚Vrij Nederland/Parool' war eine sozialdemokratische Widerstandsorganisation.

[11] Radio Oranje war der offizielle niederländische Sender in London.

Namensregister

Buchanzeigen

Beck'sche Schwarze Reihe

Die zuletzt erschienenen Bände

- 140 H. L. Arnold, Th. Buck (Hrsg.), *Positionen des Erzählens*
- 141 R. Saage, *Faschismustheorien*
- 142 *Rechtswissenschaft und Nachbarwissenschaften* 1. Band
- 143 *Rechtswissenschaft und Nachbarwissenschaften* 2. Band
- 144 R. Carson, *Der stumme Frühling*
- 145 T. Guldimann, *Die Grenzen des Wohlfahrtsstaates*
- 146 R. Schenda, *Die Lesestoffe der Kleinen Leute*
- 147 C. B. Macpherson, *Demokratietheorie*
- 148 Haensch, Lory, *Frankreich*. Band 1
- 149 H. Seiffert, *Sprache heute*
- 150 P. Rilla, *Lessing*
- 151 St. Perowne, *Hadrian*
- 152 O. Höffe (Hrsg.), *Lexikon der Ethik*
- 153 H. Hamel (Hrsg.), *Bundesrepublik Deutschland/DDR-Wirtschaftssysteme*
- 154 P. C. Ludz, *DDR zwischen Ost und West*
- 155 M. Krüll, *Schizophrenie und Gesellschaft*
- 156 G. Gorschenek (Hrsg.) *Grundwerte in Staat und Gesellschaft*
- 157 J. Theobaldy (Hrsg.) *Und ich bewege mich doch*. Gedichte vor und nach 1968
- 158 Mitterauer/Sieder, *Vom Patriarchat zur Partnerschaft*
- 159 H. Seiffert, *Stil heute*
- 160 A. Birley, *Mark Aurel*
- 161 H. Nicolai, *Zeittafel zu Goethes Leben und Werk*
- 162 M. Koch-Hillebrecht, *Das Deutschenbild*
- 163 H. L. Arnold, Th. Buck (Hrsg.), *Positionen des Dramas*
- 164 P. Rilla, *Literatur als Geschichte*
- 166 Werobèl-La Rochelle/Hofmeier/Schönborn (Hrsg.), *Politisches Lexikon Schwarzafrika*
- 167 C. Sening, *Bedrohte Erholungslandschaft*
- 168 M. Kriele, *Legitimitätsprobleme der Bundesrepublik*
- 169 R. Bianchi Bandinelli, *Klass. Archäologie*
- 170 U. Pretzel (Hrsg.), *Deutsche Erzählungen des Mittelalters*
- 171 G. van Roon, *Europa und die Dritte Welt*
- 172 A. Hauser, *Im Gespräch mit Georg Lukács*
- 173 H. Glaser, *Literatur des 20. Jahrhunderts in Motiven*. Band I 1870–1918
- 174 H. Riege, *Nordamerika* Band I
- 175 E. Kornemann, *Geschichte der Spätantike*
- 176 H. Wassmund, *Revolutionstheorien*
- 177 Knapp, Link, Schröder, Schwabe, *Die USA und Deutschland 1918–1975*
- 178 P. Wapnewski, *Richard Wagner. Die Szene und ihr Meister*
- 179 H. Riege, *Nordamerika* Band II
- 180 M. Koch-Hillebrecht, *Der Stoff aus dem die Dummheit ist*
- 181 A. Schweitzer, *Das Christentum und die Weltreligionen*
- 182 I.-M. Greverus, *Kultur und Alltagswelt*
- 183 H. J. Goertz (Hrsg.), *Radikale Reformatoren*
- 184 I. Schäfer, *Mao Tse-tung*
- 185 K. Larenz, *Richtiges Recht*
- 186 J. Cattepoel, *Der Anarchismus*
- 187 H. Arndt, *Irrwege der Politischen Ökonomie*
- 188 G. Lindemann (Hrsg.), *Sowjetliteratur heute*
- 189 I.-M. Greverus, *Auf der Suche nach Heimat*
- 190 A. Momigliano, *Hochkulturen im Hellenismus*
- 191 G. van Roon, *Widerstand im Dritten Reich*
- 192 H. Turk (Hrsg.), *Klassiker der Literaturtheorie*
- 193 F.-Ch. Schroeder, *Wandlungen der sowjetischen Staatstheorie*
- 194 J. Haas-Heye (Hrsg.), *Im Urteil des Auslands*
- 195 P. Wapnewski, *Waz ist minne*
- 196 H. Glaser, *Literatur des 20. Jahrhunderts in Motiven* Band II 1918–1933
- 197 A. Silbermann (Hrsg.), *Klassiker der Kunstsoziologie*
- 198 H. Erlinghagen, *Japan*
- 199 Steinbach/Hofmeier/Schönborn (Hrsg.), *Politisches Lexikon Nahost*
- 200 M. Bircher (Hrsg.), *Deutsche Schriftsteller im Porträt*
- 201 H. Schröder (Hrsg.), *Die Frau ist frei geboren* Band I 1789–1870
- 202 G. Anders, *Besuch im Hades*
- 203 H. Händel, *Großbritannien* Band I
- 204 Meyer-Abich/Birnbacher (Hrsg.), *Was braucht der Mensch, um glücklich zu sein*
- 205 Degenhardt/Trautner (Hrsg.), *Geschlechtstypisches Verhalten*
- 206 R. Eckert (Hrsg.), *Geschlechtsrollen und Arbeitsteilung*

Verlag C. H. Beck München